新潮文庫

孤高の人

上巻

新田次郎著

新潮社版

2104

孤高の人

上巻

雪がちらついているのに意外なほど遠くがよく見えた。厚い雪雲の下面と神戸市との間の空気層の間隙の先に淡路島が見えた。雪雲の底の平面は、鉛色をした海と平行したまま遠のいて行って、水平線との間に、くっきりと一条、青空を残して終っていた。そこには春のような輝きがあった。

神戸市の背後の山稜を覆った雪雲の暗さから想像すると、間もなくはげしい風を伴った、嵐にでもなりそうな光景であった。神戸としては珍しいことである。

若者は、その雲の底を生れて初めて見る怪奇な現象であるかのように見詰めていたが、首が痛くなると、眼を足もとの神戸市街とそのつづきの海にやった。神戸に生れて、神戸に育っていながら、このたった、三二〇メートルの高取山の頂上に、こんなすばらしい景観が展開されることをこの瞬間に発見したような気がした。

若者は、そういう気持になるのは、たぶん、頭上にある雪雲のせいだと思った。いまにも降り出しそうな顔をしていて、いっこうに降りそうもなく、時折申しわけのように雪華を落して来る頭上の雪雲の存在からして奇異に感じられ、その雪雲の下にある空間が冷酷なほど豁然とした拡がりを持っているのは、その次に、起るべき大きな自然現象の変異を予告しているように思われた。

若者は、突然神戸は大雪に見舞われるかもしれないと思った。ありそうにもないことが、そのときばかりは、ありそうに思われてならなかった。

鈴の音がした。

若者が立っている高取山の頂上のすぐ下に高取神社がある。鈴が鳴ったのは参詣人があったことになる。

「この寒いのに、ものずきもいるものだ」

若者は、そのものずきの中に自分自身を含めて嗤った。間もなく老人が、ひっそりと足を延ばすような歩き方で山の頂に現われた。老人はひっそりと来て、ひっそりと眼を海の方に投げた。老人の呼吸には乱れがなく、まるで平地を歩いて来て、たまたまそこに立止ったような姿であった。老人はかなり時代がかった鳥打帽をかぶり、運動靴を履き、左手に防風衣を持っていた。今日はじめてこの山へ来たのでないことは明らかであった。

若者は、その老人はたぶん毎日登山のメンバーの一人ではないかと思った。神戸には多くの山があった。低い山は鉢伏山の二四六メートルから高い山は六甲山の九三二メートルにいたるまで、十数峰が並んでいた。その多くは神戸の市内から一時間ないし二時間で往復できるところにあった。毎日一回その山のどれかに登るという習慣的登山は古くから神戸市民の間に行われていた。毎日登山一万回完成記念の碑が、再度山や高取山に建てられていた。

若者は老人に話しかけて見たかった。毎日登山がどんなものか聞いて見て、もしやれそうなら、しばらくつづけて見てもよいと思った。若者は話しかけのきっかけを探した。雪の降り方がやや増した。

「大雪になるでしょうか」

若者は老人に話しかけた。

「大雪？」

老人は空を見た。

「多分降らないでしょうね、やがて雪雲は切れて、きらきら輝く冬景色になる」

「分るのですか、それが、なぜでしょう」

「理由はない。加藤文太郎の命日は毎年天気がよかった。だから今年もそうでなければならない」

「加藤文太郎というと？」

若者はやや首をかしげて聞いた。

「不世出の登山家だ。日本の登山家を山にたとえたとすれば富士山に相当するのが加藤文太郎だと思えばいい」

　老人の声は意外なほど若かった。

「さしつかえがなかったら、その人のことを話して下さいませんか、……ここは寒いから、どうです、すぐ下の茶屋で……」

「いや寒くはない。それに風もない。加藤文太郎のことを話すには、此処（ここ）がもっともふさわしいところだ、此処は加藤文太郎が最も愛していた場所のひとつなんだ」

「不世出の登山家だとおっしゃいましたね」

「そうだ。加藤は生れながらの登山家であった。彼は日本海に面した美方（みかた）郡浜坂町に生れ、十五歳のときこの神戸に来て、昭和十一年の正月、三十一歳で死ぬまで、この神戸にいた。彼はすばらしく足の速い男だった。彼は二十歳のとき、六時に和田岬（わだみさき）の寮を出て塩屋から山に入り、横尾山、高取山、菊水山、再度山、摩耶山（まやさん）、六甲山、石の宝殿、大平山、岩原山、岩倉山、宝塚（たからづか）とおよそ五十キロメートルの縦走路を踏破し、その夜の十一時に和田岬まで歩いて帰った。全行程およそ百キロメートルを十七時間かけて歩き通したのだ」

「考えられませんね」

「誰（だれ）もはじめは信用しなかった。そのころ彼はもう、けたはずれの登山家になっていたのだな」

「足が速すぎて、他の追従を許さないという意味でしょうか」

「それもある。だが人間的にも、彼は他の追従を許さぬほど立派な男であった。彼は孤独を愛した。山においても、彼の仕事においても、彼は独力で道を切り開いていった。仕事に対するときと同じ情熱を山にもそそいだ。昭和の初期における封建的登山界に、社会人登山家の道を開拓したのは彼であった。彼はその短い生涯（しょうがい）において、他の登山家が一生かかってもできない記録をつぎつぎと樹立した。その多くは冬山であった。サラリーマンとしての限られた休日を利用してそれをやったのだ。一月の厳冬期に、富山県から長野県への北アルプス縦走を単独で試みて成功したのも彼が最初であった。食糧も装備もすべて彼独特の創意によるものが多かった。彼は疲れると熊（くま）のように雪洞（せつどう）にもぐって眠り、嵐が止（や）むと、また歩いた。不死身の加藤文太郎、単独行の加藤文太郎と言われるようになったころ、彼はもう山から離れられないものになっていた」

「その不死身の彼は実際は不死身ではなかったのですね」

「いや、不死身であった。彼は山で死ぬような男ではなかった。彼はきわめて用心深く、合理的な行動をする男であった。いかなる場合でも、脱出路を計算した上で山に入っていた。その彼がなぜ死んだか——それは、そのとき彼が単独行の加藤文太郎ではなかったからだ、山においては自分しか信用できないと考えていた彼が、たった一度、友人と一緒にパーティーを組んだ。そして彼は、その友人と共に吹雪の北鎌尾根に消えたのだ」

老人は眼を空に投げた。老人が予言したように張りつめていた雪雲に穴が明いて、そこから光の束が神戸市街を照らしていた。

「見えるでしょうあの和田岬のあたりの日の当っているところ……加藤文太郎はあの造船所に技師として勤めていたのです」

光の束は、若者が、そこを見詰めているかぎりは、そこから動こうとはしなかった。そればかりか、その光の束は時間とともに、その太さを増していって、若者が頰に風を感ずるようになったときには、神戸市の半分は、さっき老人が言ったように、きらきらと輝く冬の日射しの中にあった。

「加藤文太郎という人は、なぜそれほど山を愛したのです。ただ山があるから山へ行ったのではないのでしょう。彼を山に惹きつけたものはいったいなんなのです。それを話していただけませんか」

若者は、そう言って、老人の方を見た。老人はそこにはいなかった。老人はひっそりと、誰にも気づかれないように、しかも、きわめてしっかりした足取りで高取山の頂からおりていくところであった。

第一章　山麓

1

そこから道は二つに分れていた。

左へ入れば、丘の中腹にある寺の前を通って須磨の方へおりていける。右の道は山の方へどこまでも延びている。寺の方へ行く道の方が広く、そっちへ家族づれが二組ほど歩いていった。常緑樹のしげみの陰から桜の花が見えた。花見にはやや遅い時刻だから、花見ではなくこの辺を散歩しているのであろう。寺の方からこっちへ向って走って来る子供たちの一群が通り過ぎると急に静かになった。

寺の鐘が鳴った。

加藤文太郎は寺の方へ眼をやった。なかなかいい音のする鐘だなと思った。桜が咲いているし、それに鐘が鳴れば、それだけで春の気分は満点だなと思った。彼は耳を澄ませて、寺の鐘の音をもっとよく聞こうとした。鐘は鳴らなかった。一度鳴っただけで、いくら待っても二度目の音は聞えなかった。おそらく子供がいたずらでもしたのだろう、いたずらでもいいがもう一度寺の鐘が鳴ったら、寺の方へ行く坂道を登っていくのだがと加藤文太郎は、そういう期待の眼を以て寺の方を見ていた。鐘はとうとう鳴らなかった。

　彼はひどくがっかりしたような顔をした。寺へ行こうというのに、寺の方から来てくれるなとことわられたような気がした。鐘で誘いをかけておきながら眼の前で山門を閉ざされたような気持だった。

　加藤文太郎は道を右側にきめた。それからはもう、寺の方を見ずに、真直ぐにその坂道を登っていった。彼は下駄を履いていた。坊主頭で、ナッパ服、腰につりさげた手拭が、きちんと細長く畳んであった。彼は十六歳にしては、小柄の方だったが、足は速かった。カーキ色のナッパ服を着た彼の姿は、笹やぶの中へ吸いこまれていった。

　よく踏みこんだ道だった。ひとりがやっと通れるか通れないかくらいの細い道だったが、長い年月にわたって踏みこまれた道である証拠に、道はさながら笹やぶの中の溝のように、山肌深くきざみこまれていた。赤土の道だった。花崗岩の腐蝕土の道だからほんとうの意味の赤土ではなく、いわば赤ざれ砂道とでもいったふうな感じの道だったが、外見的にはやはり赤土の道で、笹やぶから、やや、ガレ気味のところに出ると、そこには、雨あがりのあとに歩いてつけた足跡がはっきり残っていた。下駄の足跡はなかった。そこはもう、神戸の市街からかなり離れているし、下駄で遊びに来るところではなさそうなところだったが、加藤文太郎は別に、そのことは気にするふうもなく、傾斜の急な小道をさっさと登っていった。

笹やぶの小道が雑木林になると、道はなおいっそう細って来たし、道に木の根っ子が出ていて、下駄ばきの彼の歩行の邪魔をした。

彼はヨモギのにおいを嗅いだ。懐かしい春のにおいだった。春のにおいというよりも、母のにおいだった。春になって雪がとけ、ヨモギが芽を出すのを待って、彼は野山にでかけヨモギを探した。彼の母は彼が取って来たヨモギを両手で捧げるようにして、春が来たのだねといった。その母に彼は草餅を作ってくれとせがんだものだ。末っ子の文太郎は甘ったれで、母もまた彼のいうことならなんでも聞いた。

その母はもういない。

加藤文太郎はヨモギのにおいから逃れるように足をはやめた。顔に風を感ずるのは、高いところまで来ている証拠だった。そのへんで踏みとどまって、神戸市街を見おろしたら、さぞかしいい景色だろうと思った。ふりかえって、見おろしたい誘惑はたえずあったが、彼は立止らなかった。呼吸の切れるような傾斜でもないし、疲労するほど歩いてもいなかった。頂上はすぐそこなのに、わざわざ、こんなところで休む必要はなかった。それに、そんなところで休んでいると、さっき見捨てて来た寺の鐘がまた鳴るかも知れない。鐘が鳴ると、桜の花が咲いているお寺へこのままおりていくようになるかも知れない。それが加藤文太郎にはいやだった。お寺の方へはいかないときめた以上、お寺へは行きたくなかった。あのお寺がなんという名前なのか、由緒があるのかないのか、そんなことはもうどうでもよかった。彼はなるべく早く、お寺との距離をつけたかった。

雑木林はクヌギが主だった。葉芽は青みがかり、そう遠くないうちに葉を開くばかりになっていた。雑木林の中に混ってトゲの生えたタラの木があった。タラの芽は父の好物だった。タラとはいわず、鬼の金棒と呼んでいたその灌木の芽を、味噌であえて酒の肴にする父を思い出しながら、彼は坂道を登っていった。

道はやがて、二度ほどS字型に曲ってからきつい登りになり、尾根道と直角に交わって終りをつげた。それから先は、その尾根道を左右、いずれかに進むか、もと来た道へ引返すか、三つのうち一つを選ばなければならない。

尾根道には松の木が生えていた。

加藤文太郎はそこまで来て、はじめて周囲を見廻(みまわ)したが、松と雑木林が視界の邪魔をして、展望がきかなかった。彼は尾根道に沿って右手の更に高い方へ向って登っていった。落葉が積ったままの道だった。踏めばさくさく秋の音がそのまま残されているような道だったが、道はけっしていいとこばかりではなかった。下駄の歯が松の根にはさまったり、落葉の下に石ころがあったり、歩きにくい道だった。

日が暮れかかっていた。日の暮れないうちになんとか見晴らしの効くところまでいって海を見たいというのが彼の最終目的となっていた。海を見たいと思い出したら、いても立ってもおられないほど海を見たくなる。広い広い果てしなく遠くまで見える海が見えるまではうしろも見まい、わき目もしまいときめて懸命に道をいそいだ。

雑木林の尾根道は延々と続いていたが、なにかの間違いのように尾根の一部の樹木が切れて、見とおしがきいた。

彼は眼下に暮れていく海を見た。青い海の色はなく、青色よりも灰色に近い淡い色だった。海と空との区切りがなく一面に暮色として塗りつぶされ、そのまま夜となっていく昼と夜の境の色だった。海岸と海との境界ははっきりしないのに淡路島だけは、別個の存在のように浮いていた。海の中に浮いているといった感じはなく、海でも、空でもなく、そこにそうして、じっと坐っているといったような安定した眺めだった。

加藤文太郎は暮れていく海を見ながら、その暮れていき方が故郷の浜坂の町の近くの城山に登って眺めた時の感じと、ひどく違っているものを感じた。浜坂の町の背後の宇都野神社の丘に立って海を眺めた感じとも違っていた。海と空の境があいまいになり、やがて、夜のとばりにつつまれていく暮れ方は、故郷とここでは同じであるべきなのに、違って見えるのは、日本海と太平洋という、海そのものの違いから来るものであろうか。彼はそんなことを考えながら、眼を海から背後の山の方へやった。

山ばかりだった。大きな山はないけれど、見えるかぎりの山の起伏は果てしなく北に向って続いていた。山襞の間に道が見えた。その道を眼で追っていくと山の中腹に人家があった。一軒家を中心に桃の畑があった。山の中にピンクのインクを一滴こぼしたように美しくもあり、淋しい光景でもあった。桃畑に通ずる道は尾根に向って延び、更に山を越え谷におりていった。その谷の深さは、彼のいるところからは見えなかった。夕陽が西の山にかくれようとしていた。この日の最後の陽光が、峰々のいただきに向って放射され、山々のいただきにかかっている夕靄が、残光を乱反射して、山容を意外にはっきり浮び出させていた。

喧噪をきわめる神戸の繁華街から歩いて二時間も登ると、そこはもう人の住むところではないということが加藤文太郎には不思議に思えてならなかった。神戸という都市も、海と山とに挟まれたごくせまい面積でしかなかった。巨大な都市だと感じていたのは明らかに彼の錯覚であった。

彼は故郷にいたころ、よく裏山に登った。はてしない日本海の向うが見たかったからである。しかし、山に登っても海は、山に登らずに見た海と同じであり、それよりも、彼を驚かせたことは、海よりもはるかに変化に富み、そしてどこまでも続く山が背後にあったことである。

彼が故郷の山に向って感じたことと同じことがここにもあった。ここで、景観を圧倒的に支配するものは山だった。

(この山のずっと向うに故郷の浜坂がある)

彼は故郷のありかを眼で追った。神戸も浜坂も同じ兵庫県であるが、神戸は太平洋岸に面しており、浜坂は日本海に面している。その二つの町の間は山によってへだてられている。それは当り前のことであり、地図を見てもわかるし、見ないでも常識的にわかることなのだが、加藤文太郎は、眼で確かめたその発見にひどく感動した。神戸と故郷の浜坂とをさえぎっている山の存在が彼にはひどく神秘的にさえ思えたのである。

（北へ北へと歩いていけば日本海へ出るのだ）

彼は心の中でそうつぶやいてから、すぐその地理学的判断が、彼がそれまで抱いていた暮れゆく海の色に対する疑問を解くものであることを知った。

「なあんだ、北と南の違いじゃあないか」

加藤文太郎は海の方に向き直って大きな声でいった。故郷で見る海は常に北にあった。神戸で見る海は常に南に位置する。海と同時に、山の位置も正反対になり、従って海を前にしての日没の方向も故郷と神戸では違ってくる。

夜はもうそこまで来ていた。神戸市街の背後が山であるから、ひとたび日が山にかくれると、神戸は山の影に入る。

おそらく神戸市街から見ると背後の山の稜線は金色に輝いているだろうと彼は思った。ふりかえると、山々の峰には未だに残光が走っているのに、足下の神戸の海と市街は、夕闇の中に吸いこまれ、灯台の灯は点ぜられ、海上を走る船のマストの灯さえ見え出して来たことは、なにか奇妙なことのように思われてならなかった。

彼はゆっくり立上って背伸びをし、深呼吸をした。汐のにおいがした。風に運ばれて来た、あるかなしかの汐のにおいだったが、そのにおいにはっとしたように彼は足元を見たのである。道はもう見えなかったが、道のあることは確かだった。引きかえす道もあるし、尾根沿いに歩いていけば、どこかに出られるに違いない。

彼は未知の方向へ歩き出した。あかりを持っていないし、この夜が月夜かどうかも知らなかった。月がなくとも星はある。彼は心の中でそういった。道はひどく悪く、道か道でないかの区別がつきがたいところがあったが、いまさら引きかえすこともできなかった。つまずいて下駄の鼻緒が切れた。彼は下駄を両手に持ってはだしで夜道を歩いていった。

心細いとも思わなかった。怖くもなかった。ただ帰寮の時間に遅れることが心配だった。加藤文太郎は故郷の高等小学校を卒業して、和田岬（わだみさき）の神港造船所の技術研修生として入社してからやっと一年たったばかりだった。夕食は七時まで、帰寮は九時までと決められていた。たとえ日曜であっても例外は認められなかった。今までに帰寮時間におくれた者はいないから、遅れた者がどういう制裁を受けるかは知らなかったが、おそらく、そんなことをすれば、寮長にひどく叱責（しっせき）されるかも知れないし、研修班長から、故郷の父親へ通知がいくかも知れない。ほかのことはどうでもいいが父に知らされることは耐えがたいことだった。

道は下りにかかっていた。木のしげみの間から灯が見え、その灯が近くなって来ることは、その尾根道が結局は神戸市街へ通ずるものと思われた。だがそれは、彼の錯覚であって、やがて道は左へ左へと迂回し始め、市街の灯は遠くなる一方だった。彼はあせった。このままこの道を歩いていれば、それこそ、彼の故郷の山の方へ行ってしまうかも知れない。

彼は道をはずして、市街の灯に向って森の中をおりていった。それからは夢中だった。野ばらで足や腕をひっかかれ、ナッパ服をかぎざきにし、足の裏にとげを刺し、腰の手拭さえもいつの間にかやぶに奪われていた。

森から突然明るいところへ出たと思ったら、そこが赤土のガレ場だった。彼はそのへりを、うしろ向きになって這いずっておりた。そこから市街地につづく小道があった。

彼は橋を渡った。両手に下駄を持って歩いている加藤文太郎の異様な姿を、町の人は不思議な眼で見送っていた。

「加藤君じゃあないか」

その声には聞き覚えがあったが、相手の顔は暗くてよくわからなかった。会社の人であることは間違いなかったが、和服姿で、街灯を背にしていると、背ばかり高く見えて、全然会ったことのない人のようにも見えた。

「やはり加藤君だね、今ごろどうしたのだ」

相手は近よって来て、加藤の顔を覗きこむように見た。技師の外山三郎だった。会社ではいつもきちんとして背広服でいる外山が、和服姿でいると別人に見えた。外山三郎は端麗な容貌をしていた。貴族的な風貌といったほうが当っているかも知れない。どちらかといえば、殺風景な身なりをした神港造船所の技師たちの中では断然光って見えた。外山三郎は一週に二回研修生に機械工学を教えていた。研修生たちは、外山三郎の整い過ぎた容姿から受ける感じでこういう男にあり勝ちな冷酷な反面を警戒していたが、外山は他の技師たちとは比較にならないほど研修生たちに親切であった。

外山三郎は黙っている加藤にもう一度どうしたのだねとやさしいことばで尋ねた。面と向って話していると、人がへんに思うから、外山は加藤と並んで歩きながら同じことをまた訊いた。

「寮へ帰るところです」

加藤文太郎は両手に持った下駄のやり場に困ったのか、二つ重ねて片方の手に持ちかえたり、うしろにかくしたりしていたが、結局もとのとおりに両手に片方ずつ持つと、

「下駄の緒が切れたんです」

と照れかくしのようにいった。

「山へ行って来たのだね、そして道に迷った……ねそうだろう」

外山三郎は加藤文太郎を改めて見直した。この少年にどんなことがあったとしても、それを見落すまいという眼だった。

「加藤君、足から血が出ているよ、それにそんな姿じゃあ寮へは行けない。とにかくぼくの家まで一緒に行こう」

「帰寮の時間があるんです」

加藤文太郎は口をとがらせていった。

「九時だろう。まだ一時間はある。大丈夫だ。な、ぼくの家まで行こう、すぐそこなんだ」

外山は加藤の肩に手を置いていった。外山の手の重みが加藤の肩にかかったとき加藤は、はっきりとそれをふり切っていった。

「いいんです」

そして、外山がなにかいおうとする前に加藤は身をひるがえして駈け出していた。下駄を両手に持って加藤文太郎は懸命に和田岬の寮に向って走った。乗物に乗った方が早くつくことはわかっているし、金も持っていたが彼は走った。走らずにはいられない気持だった。加藤は外山三郎がきらいではない。機械工学の教え方もていねいだし、試験の時だって、そう悪い点はつけない。研修生の誰にも好かれていた。好きな外山三郎の手が肩にかけられたから加藤は逃げだしたまでのことだった。外山三郎がやさしい手を彼の肩にかけず、

(加藤、きさま、今時分どこを放つき廻っていたんだ。こっちへ来い)

そういって、彼の手を取ってぐいぐい引張っていくのだったら、外山三郎の家まで行っていたに違いないと思った。

走ると足の裏がいたかった。少なくとも二カ所にとげがささっている感じだった。

神港造船所の技術研修所の寮は整然としていた。各寮にはそれぞれ入社年度の違った研修生が一年生から五年生まで別々に住んでいた。毎年、二十人から三十人の寮生が春になればこの寮に入って来る。高等小学校を卒業して、ほぼ、十倍近い競争試験を通って来る優秀な少年たちばかりだった。貧しい家庭の少年たちというよりも、農、漁村のしっかりした家庭の子弟を集めるというのが会社の方針だったせいか、集まって来る少年たちの性格は明るかった。大正末期の頃は中学校へ進学する者は非常にまれであった。当時は小学校のひとクラス五十人中から、中学校へ進学するものは二、三名、高等小学校へ進学するものが、十五、六名、あとの三十人あまりは小学校六年

をすませると、それぞれ職業についたものである。当時高等小学校を卒業した者は、家も中流以上であり、頭脳もすぐれていたということになる。

神港造船所が高等小学校卒業生を選抜試験でふるいにかけて集め、更に五カ年間の教育をほどこして、技術者を作り出すというのは当時としては進歩的な考え方であり、その後この方法を真似(まね)る会社が現われたが、成果はそれほど上らなかった。

研修所は職場の続きだった。学校でありながら、学校でなく、実質的には工場であった。ある時は実務をやり、ある時は教室に坐った。実務と学務とが有機的に密着すれば、この研修は成功し、いささかでも、この二つの実行過程に溝(みぞ)ができれば、あぶはち取らずの結果に終った。

加藤文太郎は二十名の同級生と共に研修生になり、二年生となっていた。入った時、二十一名だったが、一年の間に三名が脱落した。一名は家恋しさのあまり、離脱し、二名は病気になって会社をやめた。加藤文太郎は二寮五号室に同級生とふたりで起居を共にしていた。同級生だけを一室に住まわせて、そこに上級生や下級生を入れないのは、寮を兵営のようにさせたくないという会社側の配慮だった。

研修生の寮は年度によって別れていたが、食堂は一緒だった。食堂の隣にピンポン室があった。ピンポン台が三台、二台は窓側にあって、台も取りかえたばかりだったが、廊下側に置かれてあるピンポン台はあり合せのテーブルを二つ組み合せたものだった。それに場所が場所だからひどく光線の具合が悪かった。そのピンポン台には下級生が集まり、上級生は窓側のピンポン台を使っていた。

加藤文太郎をピンポンに誘い入れたのは同室の木村敏夫だった。木村はいやがる加藤に無理矢理にバットを持たせた。

「ただ受け止めればいいんだ。来た球をはじき返せばいいんだ」

木村敏夫は、ピンポンの仕方をそのように加藤に教えた。

「ほんとうにただはじきかえせばいいのか」

加藤は木村敏夫のいうことを忠実に守った。

「そうだ、球が来たら、そこへバットを出せば、球の方でぶっつかって、相手の方へはねかえっていく。自分で打とうとすれば球は出てしまう、打とうとしちゃあいけない、受け止めさえすればいいのだ」

木村はそういって、加藤にバットの持ち方を教えた。

加藤はバットを持って突立っていた。大きく足を開いたままで、ほとんど動かさずに、右手のバットだけが、球の来る方向にしきりに動いていた。

球は加藤のバットに当って調子よくはねかえった。相手がロングで打って来ても、ショートで打って来ても、加藤は同じようにバットを動かすだけだった。ほとんど義務的に球に対して追従しているに過ぎなかったその加藤が試合になると案外強かった。同級生ばかりでなく、上級生に対しても強かった。

加藤文太郎が両手に下駄を持って山からおりて来た翌日の午後外山三郎は教室で加藤を見かけた。いつもと少しも変らない加藤だった。すりむいていた手にはヨードチンキが塗ってあった。外山三郎は授業が終ったら加藤にどこの山をどう歩いて迷ったのか聞こうと思っていた。話を聞いてやると同時に、この付近の山々についての知識を与えてやりたいと思っていた。外山三郎は大学時代に山岳部にいた。大学山岳部が出掛けていく山と六甲山付近の山とは比較にならないが、山ということにおいては通ずるものがある。山岳部とまではいかないでもいいから、山を愛する者たちの集まりを会社の中に作ろうと考えていた。加藤文太郎はいつも怒ったような顔をして外山の講義を聞いていた。加藤にかぎらず多くの少年は真剣になったときこういう顔をした。しかし、彼等は授業が終れば急に顔の筋肉がたるんで、それぞれ勝手放題のことをしゃべりまくるのである。加藤だけは違っていた。加藤は授業中も、授業が終ったときも、めったに笑い顔を見せたことはない。

外山三郎は授業中、しばしば加藤の方へ眼をやった。授業が終ったら、きのうのことを聞こうと思うから、つい加藤の方へ眼が走るのである。

加藤は外山三郎の視線をはねとばすような眼で見かえしていた。容易には近づきがたい少年の眼にはね返されると、外山はひどくあわてていい間違いをやったりした。

授業が終ると、加藤は隣席にいた木村敏夫に引摺られるようにして教室を出ていった。そのあとを外山三郎が追った。彼はなんとかして、加藤と山のことを話して見たかったのである。加藤と木村は食堂の方へ歩いていった。食事には早い時間だった。研修生たちは食堂の隣のピンポン台のまわりに集まった。いつもと違った空気があった。外山は研修生たちの間で試合があるのだなと思った。彼等は他のピンポン台が空いているのにもかかわらず、廊下の近くの一番悪いピンポン台のまわりをかこんで試合を始めた。どうやら、同期生同士の試合のようだった。

加藤の番が来た。彼はバットを持ったが、けっして攻撃はしなかった。防備もしなかった。少なくとも防ぐという受身の配慮は彼の頭にはないようだった。加藤のバットはピンポンの球の来る方向に動いているだけのことだった。反射的に球の来る方へ彼のバットが延びて行って、そこへ飛んで来る球をはねかえしているに過ぎなかった。彼がミスをすることもあるし、相手がミスをすることもあった。どっちにしても、彼はあまり嬉しそうな顔もせず、さりとて悲しそうな顔もしなかった。相変らずの怒った顔で、仁王立ちに立ちはだかって、ピストンのようにバットを動かしていた。ゲームの渦中にありながら、ゲームとは別の存在に見えた。激励するのは彼の友人であり、喝采するのも溜息をつくのも、すべて彼以外の誰かだった。

加藤は終始無言だった。勝負にこだわっていない証拠に、加藤は、彼が勝っているにもかかわらず、レシーブの姿勢を取ったままでいた。彼の頭の中にはカウントはなかった。審判がサーブだといえばサーブをし、レシーブといえばレシーブをしていた。勝負には全然関心なく、球の来る方向にバットを出すということだけに全身の神経を集中しているようだった。

それでいて加藤は奇妙に勝った。見ていて、みっともないくらい、つまらない試合にもかかわらず、彼は勝った。彼が勝ったというよりも相手が負けた。相手は加藤という壁に向って、ひとりでピンポンをやってひとりで敗退していくのである。

加藤は五人抜いて、六人目の背の高い男に敗れたが、敗れてもまだしばらくはバットを持ったままで、そこに突立っていた。

外山三郎は加藤文太郎のピンポンを見ながら、なにか胸さわぎを感じた。口ではいえないなにかの感激だった。長い間求めつづけていた人間にめぐり合ったような感激だった。これこそほんとうの山男、名実共に日本を代表する大登山家になる素質を持った男ではなかろうか、外山はそう直感した。

「加藤君、すばらしいじゃあないか」

試合が終ったあとで外山三郎は加藤文太郎にいった。すばらしいというひとことではいい尽せないものがあったが、適当な表現の仕方が発見できなかった。すばらしいといわれても加藤は別に自分のやったことがすばらしいものだとは思っていなかった。加藤は本来ピンポンがそれほど好きではなかったが、いつの間にか選手にさせられていたのだ。

「きのうの足の怪我はたいしたこともなくてよかったね」

外山三郎は加藤の運動靴の足もとを見詰めていった。加藤は黙ってうなずいていた。余計なことをなぜ聞くのかという顔だった。

「あとでぼくのところへ来てくれ、六甲山付近のくわしい地図があるから見せてやろう」

外山三郎はそういい置いてピンポン室を出ていった。

外山三郎は設計課の自分の席に落着いて、煙草に火をつけた。やれやれという気持だった。一時間立ちつづけの講義はつかれる。それも今日一日の仕事の終りの時間だからこたえる。設計の仕事とは別に教育という仕事を背負いこまされていると、なにかにつけて落ちつけない。設計にも念が入らないし、教育にも力が入らない。

「講義の方はなんとかしてやめさせて貰(もら)いたいもんだな」

彼はひとりごとをいった。そして直(す)ぐ、怒ったような顔をした加藤文太郎のことを思い出した。講義をやめるのもいいが、講義をやめると、加藤のような少年と顔を合わせられなくなる。それが外山にとってはたいへん残念なことに思われる。そうかといって、このまま引受けてやっていると、いよいよ講義の方へ深入りさせられてしまいそうだった。事実彼の教え方が上手だし、研修生に人気があるという理由で、彼の授業が、週三回になりそうな気配があった。

「まあ、ほどよいところでやめさせて貰わないと」

外山三郎は書きかけた設計図の前に坐(すわ)った。船の形らしいものはどこにも認められない船の設計図がそこに描かれようとしていた。書き始めであり、その図が、船のアッパーデッキであることは専門家が見ればわかる程度にまで進んでいた。

彼はその図面に喰(く)い入るように見入ってから、大きくひとつうなずいて立上ると急に帰り支度を始めた。

既に設計室には彼を除いては誰もいなかった。彼はテーブルの上を片づけ、あすの朝の準備を整えてから、机を離れた。そこに加藤文太郎が立っていた。

「なんだ来ていたのか。それならそうと、なんとかいえばいいのに、だまって突立っていて……」

外山三郎は加藤をちょっとたしなめてから、彼の机の引出しから、五万分の一の地図を張り合せたのを出して、加藤の前にひろげた。

「ゆうべは驚いたよ。あんなかっこうで山からおりて来たら、誰だってびっくりするぜ。いったいどこから君は山へ入ったんだね。ほら、ここね、ここが君とぼくとが会ったところなんだ」

外山三郎は地図の一点を右手のひとさしゆびでさしていった。きれいに爪(つめ)が切ってあった。ピアニストのように細く伸びたゆびだった。

「どこから山へ入ったんだね」

黙っている加藤に外山三郎はうながすように聞いた。

「わかりません」

加藤ははっきり答えた。口をとがらせて、わからないことが当り前のような口ぶりだった。

「わからないってきみ、わからないからここに地図を開いたのだよ」

「地図があったってわかりません」

加藤文太郎は威張ったようないい方をした。

「じゃあきみが、きのうの夕方どんなところを歩いたかをいうがいい。そうしたらぼくがその場所を地図の上で探してやろう」

外山三郎は、加藤と地図とを等分に見くらべながらいった。

「お寺の桜を見に行こうか、山へ登ろうかとしばらく迷ってから山へ登っていきました」

加藤のそのひとことで、地図の出発点はどうやらきまった。それからは加藤の話のとおりに、地図の上を外山三郎の爪の先が走っていった。

「きみがうしろ向きに這(は)っておりたというのはこれだよ。ここをおりて、山道へ出て、橋を渡って、そしてここでぼくと会ったのだ」

外山三郎は加藤の歩いた道を追跡し終ったあとでさらに、

「今度はきみ自身で、考えながらもう一度自分の歩いた道を追って見るがいい」

加藤は地図を見るのが初めてではなかった。おおよその地図の見方は知っているが、地図を実際使用したことは一度もなかった。使おうと思ったこともなかった。だから、彼が汗を流し、暗闇(くらやみ)の中で彷徨(ほうこう)し、やぶでかぎざきをこしらえた道を、地図上に示すことができるということは驚嘆すべきことだった。彼は図上に足跡を追う遊びに興味を覚えた。

「地図の使い方は、非常に簡単でありながら非常にむずかしいものなんだ。地図の見方がほんとうにわかるようになれば一人前の登山家になれる」

そういう外山三郎の顔を加藤はちらっと見た。地図にはある程度の関心を持ったが、それ以上のことは加藤の頭の中にはないようだった。

「どうだね加藤君、ぼくといっしょに六甲縦走をやろうか」

外山三郎は笑いながらいった。おそらくこの少年は二つ返事で承知するだろうと外山は思った。会社の技師と研修生の関係からいって、技師に誘われたらいやもおうもない筈だ。しかしこれにも加藤は反応を示さなかった。加藤は縦走という言葉さえ知らなかったのである。

「きみは山が好きなんだろう」

外山三郎はややあせりぎみにいった。

「好きでも嫌いでもありません」

外山三郎は加藤の予期に反した答え方で、ひどくがっかりした。

「それならなぜ、きのうのようなことをやったんだね」

それに対して加藤はますます期待はずれの答え方をした。

「海を見たかったからなんです」

加藤文太郎はけろりといってのけた。

「海をね、なるほど。君は浜坂の生れだったね。海が見たいのは無理がない、しかし山だっていいぜ、加藤君」

だが加藤はそれには答えず、怒ったような表情にかえると、もうなにを聞かれても答えないぞというようにそっぽを向いた。

2

海は近いのに海からの風は、研修生たちの住んでいる寮までは吹いてこなかった。夜になると、ぴたりと風はやみ、寮の中は蒸風呂（むしぶろ）のような暑さだった。

「おい木村、外へ出よう」

加藤文太郎が木村敏夫を誘った。木村は返事をせず、ショートパンツ一枚のはだか姿で畳の上に寝そべったままだった。やせた胸のあたりに汗が光っていた。外へ出ないか、加藤は、壁の釘（くぎ）に掛けてある、木村のシャツを取ると木村の方へ投げてやりながらいった。むりにでも引張り出したいふうだった。

「でたくないんだ。外へ出たけりゃあ、きみひとりで出ていくがいい」

木村は天井を見上げたままでいった。

加藤はその木村をしばらく見おろしていたが、自分もシャツを脱ぐと、木村と同じように畳の上にごろりと横になった。ふたりはそのまま無言でいた。三十分、一時間たってもふたりは黙っていた。とうとう沈黙に負けて木村の方で加藤に声を掛けた。

「おれはな加藤、余計な同情なんかして貰いたくないんだ」

「同情なんかしていやしない」

加藤はぶっきら棒にいった。

「それなら、なぜおれを外へ誘い出そうとしたり、おれのそばで寝ころんでいたりするんだ。おれはひとりでいたいんだぜ」

木村は半身を起き上らせていった。

「おれは、きみに夜の海を見せてやりたいんだ」

加藤は木村の腕を取った。こうなったらなにがなんでも外へ引張り出すぞという権幕に見えた。よせよと木村がふり切ろうとしたが加藤は取った腕をはなさずに、引きずるように立上って、廊下の方へ出ていこうとした。木村はしばらくは抵抗していたが、やがて力を抜くと、シャツを着た。どうにでもなれという顔だった。

星はうるんで見えていた。

寮から海岸まではそう遠い距離ではない。その道をふたりは黙って歩いていった。海の見えるところまで来ると、神戸の背稜(はいりょう)の山から吹きおりてくる風が涼しく感ぜられる。

海は全般に暗く海上を走る灯(ひ)はまばらだった。

加藤は海岸伝いに西へ向って、あとからついて来る木村には無関心のような顔で、歩き出した。神社の鳥居の前を通り、運河のところまで来て、加藤はやっと立止っていった。

「もっと歩こうか」

木村は黙ってうなずいた。それから加藤の足は前よりも速くなった。海岸には違いがないが、けっして素直な海岸ではなかった。ところによると、海岸から離れた道を迂回(うかい)しなければならないところもあった。へんな男がうろうろしていたり、あやしげな男女が徘徊(はいかい)したりしていた。そういう暗がりをさっさと歩いて、妙法寺川の河口に達したところで二人は申し合せたように海に向って腰をおろした。

「おれは会社をやめようかと思っているんだ」

木村がいった。

「一年半もいてやめるのか」

「おれにはどうもここの仕事が向かないらしい。技師になろうなどと思って入ったのが間違いだったのかも知れない。それに教官の中には影村のようなやつがいるし……」

木村敏夫が影村と呼び捨てにした影村一夫は技師になったばかりの教官だった。木村だけにつらく当るのではなく、研修生の誰、かれの差別なく、しめつけていた。教育のための教育というよりも、会社側に対する点数かせぎと見られるようなふしがないではなかった。

「今日だってそうだ、なにもあんなにひどく怒鳴らなくてもいいだろう」

木村はそれまでたまっていたものを一度に吐き出すようないきおいでしゃべり出した。

製図の実習の時間中だった。

教場を見廻って歩いていた影村一夫が突然大きな声を出した。

「おい、なん年たったら鉛筆の使い方が覚えられるのだ。紙に対して、鉛筆は常に一定の傾斜角度を保っていなければならないということは、お前たちが研修生になったその日に教えた筈だ。それから一年半にもなる。いったいきみは製図をやるつもりがあるのかないのか。いやいやながらやっていると、そういうことになるのだ。見ろ」

影村は木村の書いた図を指さしながら、

「線の太さが書き出しと終りでは違うだろう、鉛筆の持ち方が悪いからこうなるのだ。本気になってやる気がないなら故郷に帰って百姓をやれ」

故郷に帰って百姓をやれというのは、影村の口ぐせだった。故郷に帰って、こやし桶でも担げということもあった。農家の子弟が圧倒的に多いからそういったのであろうけれど、それには多分に、彼等の故郷の生業に対する軽蔑が含まれていた。

木村は青い顔をしていた。鉛筆を持つ手がふるえていた。

「鉛筆のけずり方だってよくないぞ。もう一度一年生に戻って始めっからやり直せといいたいが、ここは学校ではない。お前たちはちゃんと月給貰って、勉強させて貰っているんだ、できないからといって落第させるわけにはいかない」

最後の方は木村にではなく、研修生全部に対していってから影村は、また、こつこつと靴音を立てて教室の中を廻りはじめた。影村一夫の一重まぶたの細い眼はいつも光を放っていた。容易に妥協を許さない鋭い眼なざしだった。その視線が当ったところには、きっとなにかが発見され、その発見に理由づけられ、そして結末をつけようとする眼であった。ただ漫然と眺めている眼ではなく、教官と研修生という相対関係を強度に意識した眼であった。

影村一夫の眼がこわく見えるのはその眼の構造にもあった。彼の一重まぶたは眼尻に寄ったところで、角を立てていた。鋭角に肩をいからせた眼尻といったら当っているかも知れない。要するに、永続的に眼に角を立てた容貌を想像すれば、それが影村一夫だった。

一般的に、設計技師たちの仕事中の眼は鋭かった。設計図が彼らのすべてであり、そこから新しい機械が次々と生れ出るために、彼等の眼は図上において百分の一ミリの誤差もないように張りつめていた。だがひとたび彼等の眼が図上から離れた時は彼等の眼は普通の眼にかえっていた。同じ教官の外山三郎は常にその眼に微笑をたたえていた。その外山も一度製図板に対峙すると、よりつきがたいほどきびしい眼つきをするのを研修生たちは知っていた。眼がそのように使い分けされるのは、設計技師となる以上やむを得ないことだと考えられていた。影村は例外の人だった。彼の眼は、仕事中も、そうでない時も同じようにつめたく張りつめていた。研修生にとっては怖ろしい眼だった。常に研修生たちのあら探しをしている眼に思えてならなかった。研修生たちのあらを探し出しては怒鳴りちらして、研修生に恐怖を与えることが、結局は教育の成果を挙げることだという単純な考え方をしているように思われてならなかった。影村が眼に角を立てるのは、彼のつめたい性格をそのまま示していた。彼の人となりの半生がその眼に圧縮されているようだった。

「おれだってあいつがだいきらいなんだ」

加藤がいった。被害者は木村ひとりではなく、研修生全体であるといいたかった。

「いや、あいつはおれに特に眼をつけているんだ」

木村は暗い海に眼を送りながら、

「あいつは蛇(へび)のような眼の男だ、あいつに見こまれたらおしまいだ、研修を終って技手になっても、上役にあいつがいたら同じことだ。たとえ技師になったって、上にあいつがいたらやっぱり睨(にら)まれるだろう」

そして木村はずっと静かな調子でいった。

「やっぱりおれは会社を止(や)める」

秋のおとずれは海からやってきた。土用波が岸壁に当ってくだけ散る音を聞いていると、かけ足でやってくる冬の海を感ずる。加藤文太郎は秋の海を見ながら、思いは日本海に飛んでいた。故郷の浜坂でも秋は山よりも一足先に海にやって来る。大陸からの風が強くなって秋は深まっていって、やがて季節風帯に飲みこまれてしまうと本格的な冬になるのだ。

海がすっかり秋のよそおいをこらしてから、ゆっくりと、山々に秋がおとずれる。

「おれは冬にならないうちに、おそらく会社をやめるだろう」

木村敏夫は加藤文太郎にいった。

木村の心は、会社から遠く離れていた。木村をそうしたのは影村であり、影村と木村との間は、もうどうにもならない状態にあることを加藤はよく知っていた。

(ふたりはにくみ合っているのだ)

加藤は木村の方をちらっと見た。木村は会社が終ると、食堂にはいかずに、真直ぐに寮に帰って来たままだった。二寮五号室には、加藤と木村の勉強机が窓側に並んで置いてあった。木村は勉強机に向ってしきりに烏口を磨いでいた。

その日の午後、影村教官は烏口の磨ぎ方が悪いといって木村をひどく叱った。きさまは、とても設計技師などになれる見込みがないから、今直ぐ故郷に帰って、こやし桶でも担いで歩くがいいと、木村を面罵した。

烏口の磨ぎ方はむずかしかった。油砥石で根気よく時間をかけて素直に磨がねばならない。刃先が合うようにするどく磨ぎ上げないと墨の乗り具合が悪くなるし、そうかといって磨ぎ過ぎると、製図用のクロスを切断してしまうことにもなりかねない。

設計技師になる段階の一つとして、製図はもっとも必要な学科だった。

「烏口は製図工にとっては武士の刀のようなものだ」

影村は製図用具に対する心がまえとして、そんなふうなことをいった。研修生は懸命に烏口を磨ぎ、磨ぎ上げたものを机の上に並べて影村教官の検閲を待った。そうするのが影村の製図の時間の風習だった。木村の磨ぎ方は悪かったには違いないが、ことさら木村だけが叱られるほど悪くはなかった。誰が磨いでも、影村の気に入るようにはできない。こういう仕事には完全だという基準点がなかった。そこに主観が立入る余地は充分にあった。同じように時間をかけて磨いだ烏口に対して、それを磨いだ研修生が、影村の気に入りだったなら、よろしいというだろうし、気に入りでなかったならば、叱るに違いない。

木村は一生懸命になって烏口を磨いでいた。影村から叱られたから、明日の製図の時間には、ほめられるように、しっかり磨いでいこうというのではないことは、木村の顔つきから明らかだった。その一生懸命さが、なにか武器でも磨ぐ一生懸命さに見えた。木村は明らかに怒っていた。怒りをその小さい、銀色に磨ぐ烏口に向けていた。磨ぐことによって、怒りをやわらげようとするふうでもあった。木村の眼は烏口にそそがれていたが、眼を支配する心は別のものを見ているようだった。手は義務的に前後に動いて、いたずらに金属の磨耗を促進しているもののようだった。そんなふうな磨ぎ方をしていると、片べりになる可能性がある。少し磨いでは、刃先を明るいところに向けて見てはまた磨ぎ進むというのが常道である。木村の動作は異常だった。磨ぎ方だけでなく彼の眼つきはそれ以上に常軌を逸したものに見えた。

加藤文太郎は黙っていた。いっても無駄なことだった。木村をこのようにさせたのは、影村が悪いのだ。影村の偏執的な木村に対する憎悪が、木村になにかの謀叛をくわだてさせようとしているかのように見えた。

加藤は自分の机に坐って、彼もまた烏口を磨ぎ出した。木村と並んで、その単調な動作を始めると、木村のいかりが加藤に乗り移ったように、加藤もまた、あたりまえでない烏口の磨ぎ方を始めたのである。それでも加藤のいかりは、木村から伝染したいかりであり、直接的なものではないから、彼の磨ぎ方にはいくらかの余裕があった。加藤は、製図用のクロスをひと引きで真二つにするように、その烏口を鋭く磨ぎ上げようと思った。製図用クロスにT型定規を置いて、それにそって、真一文字に線を入れると、クロスが見事に二つに切断される快味を想像しながら磨いだ。

「加藤、なにをするつもりなんだ」

木村がいった。木村も加藤の磨ぎ方が普通でないことを知ったのである。

「これでクロスを切断してやりたいんだ」

「ばかな真似はやめろ。犠牲はおれひとりでいいんだ」

犠牲だと、と加藤は烏口を磨ぐ手をやめて木村の顔を見上げた。間違いなく木村はなにかやるつもりだなと思った。ひょっとすると影村に、鋭く磨いだ烏口の先を向けるつもりかも知れない。そんなことをすればたいへんだと思った。

「おい木村、きみこそばかなことを考えているんじゃあないか。だいたい影村なんて奴は相手にしなけりゃあいいんだ。影村は烏口の磨ぎ方をうるさくいうけれど、あいつが仕事に使っている烏口をおれたちに一度だって見せたことがない。おれは、この次の時間に、そのことを影村にいうつもりなんだ。あいつが、おれの磨いだこの烏口にけちをつけた途端に、影村先生、先生の烏口を見せていただけませんかといってやるんだ。影村の烏口だって、おれたちの烏口だって、そう磨ぎ方に違いはないと思うんだ。おれたちはもう、一年半も烏口磨ぎをさせられているんだからな」

加藤はそこまでいってから、木村の表情が突然変ったのに気がついた。木村は、磨ぎかけた烏口をそこに置くと、新しい敵に対して構えを取り直したような眼つきでなにかを考えだした。加藤がいくら話しかけても答えなかった。

翌日の午前中の外山三郎の機械工学の授業が終ったあとで、木村は外山三郎に面倒臭い質問をした。

「一緒にぼくの部屋へいこう。わかるように教えてやろう」

外山三郎は木村の質問が、彼の教えている機械工学とはかけはなれた、船体に関することだったので、彼の設計室につれていって、よく教えてやろうといったのである。外山は研修生から面倒な質問を受けると、よく彼の部屋へ連れていく例になっていた。

「じゃあ昼休みにいきます」

木村はそういってぺこりと頭を下げた。

「昼休みか、昼休みでもいいが」

外山三郎は、木村がなぜいますぐ来ないで昼休みに来るのか疑問に思いながら、木村のうしろ姿を見送った。

木村は設計室の外山三郎のところにやって来ると、ポケットから烏口を取出して、昼休み中で誰もいない設計室をひとわたり見廻してからいった。

「先生この烏口の磨ぎ方は悪いですか」

どれといって外山はその烏口を取って光に当てた。よく磨ぎこんであった。

「いいじゃあないかな、このくらいで」

「影村先生はこれではいけないっていうんです。ぼくは一度でいいから影村先生の烏口を見たいと思うんですが見せていただけないでしょうか」

直接影村技師に、見せて下さいといえばいいのにそういえないのかねと、外山は笑いながら木村にいった。外山は研修生たちが影村をこわがっていることをよく承知していたから、木村を影村の机のところにつれていって、机の上の製図用具の箱から烏口を取ると、

「さあよく見るがいい、どこかきみたちのものとは違う筈だ」

外山は影村の烏口を木村に渡しながらいった。木村は影村の烏口を持って窓側に寄っていって、自分の持って来た烏口と比較しながら熱心に見入っていた。

「やはり違います」

そういって影村の烏口を、机の上に置くと、どうも有難うございましたと、外山に頭を下げた。

「きみ、船体のことで質問に来たのじゃあないのかね」

「いえ、もういいんです」

木村はなにかそわそわした態度で設計室を出ていった。

影村の製図の時間は午後の第一時間目だった。影村は授業の始まる前、いつものとおり製図用具の点検をやるから、机の上に揃えるようにいった。

影村は、すべての研修生が予期していたように、木村敏夫のところで、鳥口の磨ぎ方を調べてから、大きな声で怒鳴った。

「なんだ、こんな磨ぎ方ってあるか。いつまでたってもこんな磨ぎ方しかできないなら、ここをやめて、故郷へ帰れ、だいたいきさまは能がないんだ」

その答えを待っていたように木村が立上った。立上るというよりも、席からとび上って身構えるようにしていった。

「影村先生、その鳥口をよく見て下さい。それはあなたの鳥口です。先生はあなた自身が能がないということを証明したのです」

木村はそういい終ると、あわてている影村をそこに残して教室を出ていった。

「木村と同じ部屋にいるものは誰だ、すぐ木村を呼んでこい」

影村が眉間の辺りに青筋を立てて怒鳴るのを見ながら、加藤文太郎はゆっくり席を離れた。

寮に帰ると、木村は信玄袋をかついで部屋を出るところだった。

「あとで布団を送り返してくれよ。きみにはいろいろ迷惑かけたけれど、あの影村がこの会社にいるかぎり、おれはここにいるのがいやなんだ」

加藤は、木村と一緒に寮の門を出た。そのまま彼と二人で汽車に乗り、故郷の浜坂に帰りたい気持でいっぱいだった。

加藤文太郎は憂鬱（ゆううつ）な秋を迎え、やがて冬を迎えた。木村敏夫が去ってから加藤は、淋（さび）しい毎日を送っていた。ピンポン室にもほとんど顔を見せなかった。彼は会社がひけると寮に帰って本を読んでいるか、時折海岸に出て海を眺めていた。加藤はそれまでも無口だったが、木村敏夫が会社を去った日の午後、しょんぼり帰って来た彼を影村一夫がひどく痛めつけて以来、加藤は徹底的な無口となった。

「きさまは木村を迎えに行ったのではなくて送りにいったのだろう。どうせきさまも、木村とぐるになって、おれの烏口を設計室から盗み出したんだろう」

影村は木村に対する鬱憤（うっぷん）を加藤に向って叩（たた）きつけた。しかし、なにをいっても加藤は黙っていた。全く知らないことだった。どうして木村が影村の烏口を持ち出していたのか、加藤の知らないことだったが、その動機については加藤には思い当ることがないではなかった。影村の使っている烏口を見たいといったのは木村ではなくて加藤だった。

「おい加藤、返事をしないのは、おれのいうことが気にくわないからなのか。もし不満があったら、きさまも、布団を担いで浜坂へ帰るんだな」

影村が浜坂といったとき加藤の眼が光った。加藤の出身地を影村がなぜ知っているのだろうか。出身地まで知っているということは、それだけ、影村が加藤のことを深く見ていることだった。それは決していいことだとは考えられなかった。見方をかえれば、影村に眼をつけられたことになり、いつかは第二の木村敏夫にもなりかねない運命を背負わせようとしているふうにも思われてならなかった。

加藤は研修生仲間の噂（うわさ）を聞いていた。毎年の脱落者は例外なく影村に睨（にら）まれた者たちであった。影村に一度睨まれると、いかにあがいても、もうどうにもならないのだといわれていた。影村は寮の窓の外にしのびよって研修生たちの話を盗み聞きしたり、研修生たちの中へスパイを置いたりするなどという噂さえあった。

影村は加藤に坐れとはいわなかった。彼の授業が終るまで立たせたままで教室を出ていった。その次の時間は外山三郎だった。彼は二十分遅れて教室に入って来た。外山は蒼白（そうはく）な顔をしていた。

「加藤君、木村君はほんとうに寮を出ていったのかね」

外山三郎は加藤に聞いてから、どういうふうにして木村が影村の烏口を設計室から無断で持出したかを説明した。

「ぼくがうっかりしていたからいけないんだ。責任はぼくにある。影村技師にはぼくからよく謝ってあるから君たちが心配することはない」

外山は授業を始めたが、この事件が頭の中にあるらしく、いつになく元気がなかった。

木村敏夫事件はそれで終ったが、影村の木村に対する憎しみは、そのまま加藤に転嫁されたようだった。それは、加藤だけではなく研修生全体にも感じられた。影村は授業中に突然暗い顔になることがある。絶望の淵に立たされたような顔をして教壇に立ちすくんで、なにかに対して、はっきりと心の抵抗をこころみるような顔をする。そして、次の瞬間、ものすごく陰惨な視線を教室の誰かに向けるのである。加藤はその視線をいつでも受止めねばならなかった。がっちり受けとめてけっして眼をそらさなかった。影村の眼から逃れたいときは、加藤もまた木村と同じように、この会社から去らねばならないと思っていた。会社には別に未練はなかった。浜坂の家へ帰っても、叱られる心配はなかった。父も兄も、顔では怒っても、心では、末っ子の文太郎の帰って来たのを喜んで迎えるだろう。しかし、加藤は、影村の眼に反発した。その眼に負けることが癪だった。設計技師の夢を捨てたくないという気持よりも、影村に負けたくない気持が、加藤を支えていた。おそらく、将来、この造船会社にいる限り影村にはいじめつけられるだろうと思った。それを承知で、加藤は、この影村の陰険な眼と闘う決心を示していた。

大正十一年四月、加藤文太郎は研修三年生となると同時に、彼の部屋に同僚が一人入って来た。新納友明は、加藤より二つ年上だった。小学校の高等科を卒業して、研修所には入らず、直接、工員として造船所に勤務するかたわら、勉強して部内の編入試験に合格して、三年に入って来たのである。のっぽで色の黒いやせた男だった。愛想のいい男でいつもにこにこ笑っていた。

新納友明は会社の内部のことをいろいろと知っていた。要領のよさも、ちゃんと心得ていた。少年の域を脱して、すっかり大人になったような口をきき、また大人の真似をよくやる男だった。すべての人に愛される型の男で、つきあいも広く話題は豊富だった。

新納友明と同居するようになってから加藤文太郎の生活はまた少しばかり変った。しばらくすると、寮内における生活の主導権は新納が取るようになった。二つ年上で、会社に古く、しかも同県人であるということが、文句なしに加藤を屈伏させた。加藤は新納のいうとおりになった。新納のあとをついて廻ればひどく愉快だった。加藤は時には笑い顔を見せることもあった。

「なあ、加藤、お前地図遊びってことを知っているか」

新納友明がある夜加藤にいった。

「五万分の一の地図を八つに折ってな、その地図を片手に持って歩き廻るんだ。帰って来たら、その地図の上に歩いた道を赤鉛筆で引くんだ。毎週日曜日には、出かけて行くとして、一カ月で真赤になるところもあるし、中には、二つきかかっても三つきかかっても、いっこうに赤線が入らないところもできる。山なんかはそう簡単ではないからな」

新納は、彼の持物の中からその実例を出して示した。神戸の五万分の一の地図の、右下四分の一がほとんど赤く塗りつぶされていた。

「遊びには違いないが時間がかかって骨の折れる遊びだ。二、三人で競争するのもいいし、ひとりだって充分楽しめる遊びだ。面白（おもしろ）いぞ、どうだやって見る気があるか。地図を片手に一日歩き廻って帰って来るとひどく楽しい気持になれるものだ。まるで一週間たまった毒素が汗となっていっぺんに出てしまったような感じになれる」

新納友明はそれ以上特に、地図遊びを彼にすすめようとはしなかった。

「今度の日曜日におれは明石（あかし）に行って明石川を上流に向って歩いて見たいと思っている。よかったら一緒に行かないか」

加藤はその計画に参加することを同意した。新納は明石付近の五万分の一の地図を暇さえあれば眺めていた。時折、黒鉛筆で地図に符号を書きこんだりしていた。同じ地図を飽きもせず、毎晩毎晩眺めている新納の努力が加藤にわからないことはなかった。地図遊びに出発する前に、地図を空暗記するほどよく研究して置けば、道にも迷わないだろうし、いちいち人に訊かないでもいいだろう。加藤も新納の真似をした。地図を何枚か張り合せるのは、遠くの地形を見るためだろうと思った。地図を眺めているのは愉快だった。じっと地形を見ていると、そこに山が盛り上って見えて来たり、音を立てて川が流れているのが見えるような気がした。針葉樹の印のあるところには赤松の幹が見え、闊葉樹のマークのところには、眼を奪うような新緑のクヌギ林やナラの木の林が見えた。

「こうしていると、地形が見えて来るだろう。地図が地図でなく、写真のように見えて来るだろう」

新納が加藤に笑いかけた。

その夜加藤は眠りにつく前に、はっきりと明石川を眼に浮べた。それは悠々と流れる大河だった。大河に沿っての風物は、すべて故郷の岸田川の流域とよく似ていた。山と山の間から流れ出た川は太古のままの静けさを持続しながら海に消えていく。その河口の光景までも故郷のそれと同じだった。

　翌朝早く寮を出て二人は汽車に乗った。その出発からして加藤には異様なものだった。汽車は西に走るのに、なんだか東に向って走っているような錯覚に襲われた。明石駅についても、その地理的倒錯は直らなかった。

　加藤は新納の後をついて歩きながらおそらく、新納は明石にはもう何回か来た経験があるに違いないと思った。新納は誰にも聞かずに、明石川のほとりに加藤をつれていったのである。

「明石は初めてではないでしょうね」

　加藤は念を押すように新納に聞いた。

「いや初めてさ、なぜ」

　新納の眼には嘘はなかった。加藤は思わず赤い顔をした。おそらく、加藤ひとりでは、一度も人に道を聞かず、地図もろくろく見ずにここまで来られないだろうと思ったからである。

　明石川の風景は加藤の想像していたものとはかけ離れていた。山と川と畑と人家とばらばらにして見れば似ているけれども、組立てた景色は全然違っていた。明石川は全体的に明るく華やかに見えた。故郷の落着いた流れをそこに求めようとしても無理だった。

地図を覚えていたつもりでも、なんにも覚えていなかったし、地図と現実とを合わせて見ても、想像していた地形とは違っていた。結局、加藤が地図で知り得ていたことは、そこに川が流れているという事実以外にはなにものもなかった。

加藤は改めて、新納の顔を見直した。いつも軽口を叩いている新納友明が、すぐれた人間に見えた。なにか深遠なものを内部にたくわえているように思われた。友人として上位にすえるに充分な人間であると思われた。

「新納さん、地図が読めるようになるにはずい分かかったでしょう」

しかし、新納は、たいしてもったいぶった顔もせず、

「なあに、ただ地図を片手に歩いているうちに地図の見方を覚えてしまったんだ。もっともこういう遊びのあることや、地図の見方の基礎はうちの会社の外山さんに教わったんだがね」

「外山技師ですか、あの外山三郎技師……」

加藤は思わず大きな声を出した。外山が山に行かないかと誘ってくれたのは丁度一年前だった。

加藤は時々教場で彼に向って笑いかけて来る外山三郎の顔を思い出しながら、もう

一度外山技師に山に行こうとすすめられたら、二つ返事ででかけるだろうかどうかを考えて見た。

「外山さんはいい人だよ。あの人がいるから研修生はずい分助かるんだ」

新納がいった。

加藤は大きく何かうなずいた。うなずきながら、外山三郎の端麗な顔と陰険な影村一夫の顔とを心の中で二重に見詰めていた。

「さあ、これからはただ歩くだけなんだ、いそがずに休まずに、歩きつづけるのだ」

新納が先に立って歩き出した。

3

製図にもっとも力を入れて教育されている研修生たちにとって、夏は苦しかった。額から流れ落ちる汗は鉢巻き（はちまき）をして防ぐことができても腕ににじみ出して来る汗はどうすることもできなかった。それでも研修生たちは図を書かねばならない。それが彼等（かれら）に与えられた仕事であるとあきらめていても、烏口（からすぐち）を持つ手ににじみ出て来る汗を見つめていると、なんのためにこんなところに来たのかとせつなくなることがある。

影村教官はこの暑熱の中に、いささかも手をゆるめようとはしなかった。暑さに負けるのは勉強に身が入っていないからだという、彼の持論を研修生たちにおしつけようとしていた。

「泳ぎたい」

と彼等は、通風の悪い教室の窓から白い空を見ながらためいきをついた。彼等は神港造船所技術研修生という特殊な教育機関の一員ではあるが、広義に解釈すれば生徒であることに間違いがなかった。生徒であるならば、少々の暑中休暇を与えられてもいいし、それは認められないとしても、たまには水泳にでもつれていって貰いたいという希望を持っていた。しかし、これを口に出すものはいなかった。学校と会社の研修所との違いはこんなところにはっきりと現われていた。彼等は、口ではぶうぶう言いながらも、教官が教室に入って来ると、なんの不平も不満もございません、私たちは勉強だけが生命ですという顔をしていた。

「ひどいな、この暑さは、この教室はまた特にきびしい、これじゃあ勉強は頭に入らないだろう」

そう言ったのは外山教官だった。彼は気の毒そうに研修生たちの顔を一人一人見廻していたが、その眼を加藤文太郎のところで止めると、

「加藤君、きみは浜坂の出身だからこういう日は勉強よりも海で泳ぎたいだろう」

と笑いかけてから、すぐまじめな顔に戻って、どのぐらい泳げるかと訊いた。

「泳げといわれたら一日中でも泳いでいることができます」

加藤文太郎は立上ってはっきり答えた。

「一日中……」

外山はびっくりしたような顔をした。どのくらいかと彼が聞いたのは、耐泳時間ではなく、五十メートル、百メートル、一マイル、そんな遊泳距離を期待しながら問いかけたのにたいして一日中と、ほとんど想像もしなかった回答になったのに、いささかあわてた。外山がなるほどなるほどと自分自身に納得をおしつけながらうなずいているのも滑稽であった。

「そうだ君の家は漁業をやっているんだったね、それなら、きみが一日中泳ぐことができても不思議はない。ところできみ、もぐるほうはどうかね、潜水だよ、この方は一日中というわけにはいかないだろう」

研修生たちがどっと笑った。加藤はちょっと首を傾げて考えていたが、

「やって見ないとわかりません」

と答えた。

「ぼくも些か潜水には自信があるんだがね、どうだみんなで海へでかけようか。こういう日には、思い切って、海へ出た方が身体のためにいい」

外山三郎はなにを思ったか、授業をやらずに教室を出ると、ものの十分もして、にこにこしながら引返して来て言った。

「午後は水泳だ。水着の用意をして午後一時に寮の前に集合すること」

研修生たちはどっと声を上げた。声を上げてからすぐまわりを見廻した。彼等は外山教官の思いやりのある処置に対して喜びながらも反射的に影村を代表とする一部教官の冷酷な面を思い出したのである。このままで済むわけがない。彼等は本能的に、悪い結果を予想した。

海は郷愁に満ちていた。加藤文太郎は沖に向って泳いでいた。やわらかく、ほのあたたかい海水の感触は母の思い出を呼んだ。一日中だって泳いでいられると答えたとおり、このままアメリカまで泳いでいけと言われれば泳いでいけそうな気がした。

メガホンで呼ぶ声が聞えるのでふりかえると、見張り台の上から監視員が引き返せと怒鳴っていた。海水浴場の区域外に泳ぎ出たために注意されたのである。加藤は海水浴場のせまさに不満をいだいた。

(ばかばかしい、海に境があるものか)

みんなの泳いでいるところに帰って来ると、競泳をやろうという話が出たところだった。

外山は白い線の幾本か入った帽子をかぶっていた。泳跡を立てながら、クロールで泳ぐ彼の様子から見ると、学生時代に本格的な水泳をやったことが想像された。加藤は外山の泳ぎっぷりを見ながら、

（あれはプールの泳ぎ方だ。海の泳ぎ方ではないぞ）

と父が言ったことばを思い出していた。

「さあ、用意はいいかな」

外山は肩ならしが終って海からあがると、研修生たちが立てて来た旗竿（はたざお）の間隔を眼で測りながら、研修生たちの中から競泳に加わることのできるものを数名選び出して二組に分けた。加藤と外山がそれぞれの組の大将格となって競泳が始まった。

勝負は外山組の圧倒的な勝利となって終った。その次が潜水の個人競技だった。外山と加藤は赤旗に向って並んだ。審判役を引き受けた新納友明が出発の合図の手をたたいた。ふたりは水中に没し、やがて予定した時間に予定したところに外山がまず頭を出した。

「加藤が勝ったぞ」

研修生たちは手をたたいて喜んだが、その顔は、やがて不安な色に塗りかえられていった。水中に没した加藤の姿はなかなか浮き上って来ないのである。いくら加藤が潜水がうまくとも赤旗を越えることはむずかしいと思われる。加藤になにかがあったとすれば、その途中である。外山三郎の顔色が変った。

彼は今日の責任者である。暑さにうだっている技術研修生を海につれていってやりたいと、研修責任者の設計部長に願い出て、その許可を取ったのも、外山である。間違いがあったらたいへんなことになる。外山はなにか叫び声を上げようとした。その時である。全く意外なところに、加藤がぽっかり浮び上った。予定された赤旗と赤旗の距離を三倍にも延ばした海中に浮び上った加藤は、勝利を誇称するかのようにしきりに手を振っていた。

「加藤君、きみはやはり海の子だ」

外山は賞品の大スイカを加藤に与えながら、彼の卓抜した泳技を誉めた。加藤の貰ったスイカはその場で割られてみんなに配られた。加藤はスイカを食べながら海とは離れられないのだなと思った。父もその父も、そのまた父も海に生きて来たのだ。おれは骨の髄から海の男なのだ。神港造船所に入ったのも、船を設計する技師になり、やがては自分が設計した船に乗って七つの海に出ていく。それが夢だったのではなかろうか。

海からはさわやかな恒風があった。浜坂の海岸に坐っていても、やはり、海から陸へ向って風は吹いて来る。そして、夕靄が水平線に立ち込める頃になると、この風はぴたりとやんで凪になる。やがて夜のおとずれとともに風は陸から海に向って吹き出すのだ。それが海の生理であり、日本海でも太平洋岸でも違ってはいないのだ。加藤はそのままの姿勢でいつまでも海を眺めていたかった。彼等がすばらしい午後の時間を終って寮にかえると、そこには驚くべき事実が待っていた。影村教官が指導主任になったというニュースをもたらしたのは、研修生の最上級生の野口だった。

「おれたちは五年生だ。もうすぐ卒業だからいいが、きみたちはたいへんだな」

野口がたいへんだなといった言葉の中には痛々しいほどの多くの示唆が含まれていた。

「外山さんではなかったのか」

加藤は新納友明にいった。

「会社が、研修指導主任という役職を作るということは前から聞いていた。候補に外山技師と影村技師があげられていたこともわかっていたんだ」

「なぜ会社は外山さんを指導主任にしないんだ」

加藤は新納につっかかるようなもののいい方をした。

「外山さんは近く課長になるという噂（うわさ）がある。それにな、会社はおれたちをしめつける目的で指導主任を作ったのだ。今までは研修責任者は設計部長ということになっていたが、それでは生ぬるいから、指導主任という名の班長を作ったのだ。なあ加藤、おれたちは会社の道具となるべき教育を受けているんだぜ、会社は人間を作ろうなんて考えてやあしない。すべて会社の利益に結びつく道具としての人間を作り出すための研修所なんだ。だから影村を指導主任にしたのだ。あの残忍な眼で睨（にら）まれたら、道具は光る、中身はどうであっても、表面はぴかぴかに光って見えてくるだろう」

新納は最後の方で影村と呼びすてにした。はき出すようないい方だった。あきらめ切れない憎悪（ぞうお）を自分自身に向けようとする皮肉でもあった。

大正十一年十一月十七日——その日、加藤文太郎はいつもより一時間も早く起き出して、海岸へ走った。

薄曇りの空の下に海は憂鬱（ゆううつ）な表情を浮べていた。アインシュタイン博士を乗せた北野丸らしき船は見えなかった。来ておれば、和田岬（わだみさき）に投錨（とうびょう）しているはずであった。

彼は岸壁に坐って一時間待ったが北野丸は見えなかった。新聞によると、もうそろそろ入港して来てもよさそうな時間だったが、それまで待つこともできなかった。

「北野丸はいたか」

寮にかえると新納が言った。

「いや、まだ見えない」

「まあいいさ、来ることには間違いないんだから、それにな加藤、今日午後の二時間目の堀田先生の熱機関の時間は自習になるかも知れないぞ、先生は出張中だ」

新納は加藤の眼を見てずるそうに笑った。自習の時間中に、こっそり抜け出す手もあるぞという暗示だった。自習の時間はごくまれにあった。名目は自習時間であるが、或る程度の自由は認められていた。彼等は家に手紙を書いたり、こっそり教室を抜け出して、アンパンを買いにいったりした。

「そうだといいがな。一目でいいから、アインシュタイン博士の乗って来た北野丸を見たい」

「おれはちごうぞ、おれはほんもののアインシュタイン博士を見に行くんだ」

新納友明は昂然と言った。

「見に行くってきみどこへ見に行くんだ、まさか研修所を抜け出して神戸の埠頭まで行くわけにもいくまい」

「頭を使うんだ、頭をな、今朝の新聞を見るとアインシュタイン博士の予定が書いてある。午後三時上陸、午後七時七分三宮発の列車で博士は京都に向う。おれたちの授業が終るのは四時だ、七時までには充分時間がある、三宮の駅で博士を見ることはできるわけだ」

加藤はなるほどとうなずいた。新納は智恵者だ。なににつけても彼の考えには、具体性がある。

加藤はアインシュタイン博士が世界一の科学者であることを知っていた。アインシュタイン博士の相対性原理というのが、非常にむずかしい理論であり、これを完全に理解する学者は日本に数人しかいないということも知っていた。偉大な科学者であり、音楽に造詣が深く、日本にやって来るのも、日本の古い芸術に接したいのが目的であるという新聞記事を読んだ。しかし加藤がアインシュタイン博士を一目でも見たいと思うのは、偉人にたいする、尊敬と憧憬だけではなかった。加藤が博士に心を惹かれたのは、博士が上海に滞在中の言動を新聞で知ったからである。アインシュタイン博士は、上海を見物して廻ったとき、不潔な場所と目される細民街にひどく興味深げに眼を投げた。

「博士、この辺は上海においてももっとも不潔な場所でありますから……」

案内者は博士にその場から立去るように言ったが博士は動かなかった。

「なにが不潔なのだ、私にはなにひとつとして不潔には見えない。人間のもっとも自然な姿の表現をなぜ不潔と呼ばねばならないのだろうか」

博士は案内者に向ってはっきりと抗議した。

加藤文太郎はこの記事に心をうたれた。加藤は上海を知らない。その不潔な場所がどんなところかを想像することもできなかったが、新聞に報道された一面によって、アインシュタイン博士が世界一の大科学者であるとするよりも、もっとも人間愛に富んだ人のように思われてならなかった。彼はアインシュタイン博士を一目見たかった。血のかよっている彼の顔から、眼からほんのかけらほどでもいいから、光となるものを与えて貰いたかった。

午後の堀田技師の時間は新納友明の予想どおり休講となり、自習時間となった。

「おい、加藤、北野丸はもう和田岬に投錨しているぞ」

新納がにやりと笑って言った。

加藤は、机の上に熱機関の参考書とノートを並べて席を立った。教室を出るときには静かだったが、ひとたび外へ出ると、力いっぱい海岸へ向って走った。薄日のさしかける海の上に北野丸が浮んでいた。もうそこに何年間もじっとそうしているように悠々とかまえている北野丸に向って、神戸の埠頭からランチが二隻近づきつつあるところだった。一隻のランチの中には華やかな色彩があった。加藤はそれを、アインシュタイン博士を迎えにいく学者群と博士に花束をささげる女性たちであろうと見ていた。もう一隻のランチはなにか騒然としていた。時折ちかちか光るのはカメラを持った新聞記者が乗りこんでいるようでもあった。ランチはやがて北野丸の巨体のかげになった。ランチを飲みこんだ北野丸は晩秋の空の下に薄い煙を吐いていた。

「どうだ、アインシュタイン博士を見たか」

その結果がどうだったかを知り切っている新納友明は、加藤にそんなからかい方をした。

「いいか、加藤、夕食を待っていると七時までに三宮へ行くことはできなくなるから、その前に寮を出るのだぞ、なあに、三宮でパンをかじればいいさ」

三宮のプラットフォームに突立ってパンをかじっていると、なんとなく薄ら寒かった。しかし加藤は、間もなく現われるであろうアインシュタイン博士のことを考えると胸がおどった。

「改札口あたりは混雑して駄目だ、やはり、プラットフォームで待っているのがいい、きっと博士は列車に乗りこんだら、デッキに立って送って来た人たちに手を振るに違いない。その時よっく顔を見るのだ」

アインシュタイン博士の一行は、多くの人たちにかこまれて発車間際（まぎわ）に現われた。博士を取り巻く集団は、はたから人の近づくことを許さないほど緊密だった。博士は車上の人となった。新納の予想ははずれて、博士は映画俳優のやるように、デッキで手などは振らなかった。ふたりは列車に乗りこむ博士のうしろ姿をちらっと見たにすぎなかった。

「おい、この列車に乗って京都までいくんだ」

新納が言った。予想がはずれた新納は、同じ列車で京都まで行って、そこで博士を見ようと考えたのである。ふたりは動きだした列車に飛び乗って、席には坐らずにデッキに立っていた。京都につくと、ふたりはすぐプラットフォームに飛びおりて、博士の一行が乗っている車輛（しゃりょう）の方へ走った。

加藤は列車からおりる博士をはっきり見た。博士は足元を見ていた。帽子をかぶってうつむいたまま列車をおりて来る博士の顔は、彼がそれまで新聞で見ていた、童顔の博士の顔ではなく、なにか憂鬱そうだった。博士はすぐ群衆に取りかこまれ、まるで拉致（らち）される人のように駅からつれ出され、自動車に乗せられた。

「こうなったら都ホテルに行くしかないぜ、博士はバルコニーに現われて、われわれにきっと手を振って挨拶してくれるはずだ」

新納友明は、今度こそ間違いないぞという顔だった。

京都は深夜のように静かだった。アインシュタイン博士を飲みこんだ都ホテルの周辺には、博士の挨拶を期待して集まって来る人はいなかった。新納と加藤は、ホテルの明るい窓を見上げながら茫然と立っていた。万が一博士が窓から顔を出すかも知れないという期待もむなしかった。突立って窓を見上げているふたりを、サーベルを下げた巡査がうさん臭そうな眼で見て通っていた。

「帰ろうか」

新納が言った。ふたりは肩を並べ、だまりこくって京都の駅の方へ歩いていった。神戸について寮へ帰る途中で、屋台の店で支那そばをいっぱいずつ食べた。新納が支払いをすませた。割勘でいこうと加藤が十銭の白銅貨を出しても新納は受取らなかった。

「すまなかったな加藤」

新納は頭を下げた。

「いいんだよ。きみのおかげでおれはアインシュタイン博士を見ることができたのだ」

加藤は京都駅で見たアインシュタイン博士のうつむいた顔を思い出していた。

翌日は土曜日だった。会社は四時まで仕事はあるが研修生は午後二時以後は自由になれる。指導主任の影村から、加藤と新納が研修所事務室に呼び出されたのは授業が終ってすぐだった。

「昨夜きみたちは窓から寮に入ったろう」

きみたちはといいながら、影村の眼は加藤を見ていた。帰寮時間に遅れた理由は聞こうともしなかった。彼は規則をたてに取って叱った。きみたちとかきさまたちとかいいながら、その対象は加藤ひとりであった。新納の方が年が上であるのに新納は問題にしなかった。

「だいたいきさまは根性がまがっているぞ、きさまは叱られると、すぐふくれっつらをする。きさまの心もそうなんだ、しょっちゅう、おれに向って不平を持っているからそういう顔になるのだ」

影村は加藤にはっきりいった。影村の青く光る眼の中には憎悪だけがあった。

「こんど帰寮時間がおくれてみろ馘だぞ」

そして影村は帰れとふたりに言った。

「心配するな、会社はおれたちをかんたんには馘にはしない。おれたちにはもう、かなりの金がかけてあるからな。気になるのは、あいつがスパイを使っていることだ。誰(だれ)かがあいつにおれたちのことを密告したのだ」

影村の叱責(しっせき)から放免された直後、新納はそう言って唾(つば)を吐いた。

加藤文太郎と新納友明との地図遊びはその後もつづけられていた。神戸近郊の五万分の一の地図にはふたりの歩いたルートが次々と記載されていた。加藤は地図になれた。未知の地形と対面する前に、彼は地図を見ることによって或る程度その地形を想像することができた。

「光を頭に入れて考えるといいのだ、太陽の位置によって地形は全然別のように見えるものだ……」

新納が言った。地形ではなく景色がというべきところを彼がわざとそう言ったのは、それだけの意味があった。新納は色鉛筆を使って、図上の地形をかげと日向(ひなた)に上手に塗り分ける技術を知っていた。そうすると平面的な地図が立体的に浮き上って見えてくる。

加藤はその真似(まね)をしなかった。それがたいへん意味のあることだとわかっていても、白い地図を色鉛筆で塗りつぶすことを加藤は好まなかった。

「馴れてしまえば同じことだ」

加藤は強情をはった。理屈だとわかっていても加藤は地図を色で塗り分けることには頑固なくらい反対した。

「自分の都合のいいようにやればいいだけのことさ」

新納は地図を彩色することをそれ以上すすめようとはしなかった。

「きみたちはなにが面白くて歩き廻るんだね」

加藤は友人にそう訊かれたことがあった。せっかくの日曜日だから映画でも見にいけばいいのに、巻脚絆をはき、ルックザックをかついで歩き廻ってばかりいる、彼等のことを友人たちは不思議な眼で眺めていた。

「ほんとうにぼくらはなにが面白くて歩き廻るんでしょうね」

神戸近郊の山を歩きながら、加藤は新納に聞いた。

「なにもないからさ」

新納の答えは意外だった。

「あと二年もすれば研修所を卒業する。一年か二年して技手になる。それだけだ、まずおれたちのように大学を出ないものは技師にはなれない、一生、同じような設計の仕事を続けるしかない、船の一小部品を、明けても暮れても図に書いて暮すだけのことだ」

将来のことと、地図遊びとはなんの関係もないことだった。新納の回答は飛躍し過ぎていたけれど、加藤には、新納の心の奥のものがなんであるかを読み取れるような気がしてならなかった。新納にかぎらず、研修生の上級になるに従って彼等の行く先が眼の前に見えて来る。彼等に与えられた人生という直線を延長してそれに時間をきざみこめば、何年何月に月給いくらになってなんの仕事をしているかまで予想ができそうだった。

「なんにもないんだ、生きていることだってたいして意味はないんだぜ」

そんなことをいう新納の眼は病的に光って見えた。

年を越えてから新納友明はなんとなく元気がなくなった。地図遊びもしなくなった。日曜日には疲れたと言って寝ていることが多くなった。二月になって彼は風邪を引いた。風邪は彼に執拗に取りついて離れなかった。新納は軽い咳をしつづけた。夕方になると、熱が出るのか赤い顔をしてふさぎこんでいた。三月のおわりから試験が始まったが、新納はその試験準備さえ大儀そうだった。加藤は夜おそくまで勉強していた。そんなとき、加藤は、額に汗をびっしょりかいて眠っている新納の顔を見て、ぞっとするような不安にかられることがあった。新納の机の上と加藤の机の上に、それぞれ別の新聞から切り抜いて額ぶちにおさめられたアインシュタイン博士の写真があった。アインシュタイン博士の表情も暗かった。

「新納君の身体が悪いようです」

加藤は指導主任の影村のところに行って言った。

「どういうふうに悪いのだ。悪ければ悪いとなぜ本人が申し出て来ないのだ、風邪ぐらいで試験が受けられないということもあるまい」

影村は冷酷に突放して置いて、それでも帰りがけに加藤を呼びとめて、新納をすぐ嘱託医のところへ連れて行くように言った。

新納は肺結核であった。彼は荷物をまとめて、彼の故郷へ帰っていった。何人目かの犠牲者だった。それにしても新納の落伍はあまりにも急激だった。

その春加藤文太郎は四年生に進級した。新しい研修生を迎えた入所式の時、一年生から五年生までの代表者が、それぞれ、進級の挨拶を会社幹部の前で行う習慣になっていた。

加藤文太郎は四年生の代表として選ばれた。影村は加藤を研修所事務室に呼んでそのことを伝えてから言った。

「きさまは試験の点数かせぎだけはうまいな」

お目出とうとも、よくやったとも言わなかった。むしろ、加藤が四年の代表に選ばれたことが、憎らしくてたまらないという顔だった。加藤は四年生十八名中一番の成績であった。加藤はその栄誉を不思議なもののように思っていた。一年、二年の成績は上から五番目か六番目であった。三年になってから急に成績が上昇したのは、同室の新納友明によるものが多かった。新納は地図遊びのほかに、勉強の要領を教えた。加藤のもっとも苦手としていた実験や実務を新納が援助した。工作実習の点数が伸びたのは全く新納のおかげだった。新納と組んで実験をすれば必ず上手なレポートが書けた。新納友明は工員上りであるからそのような実務実習には精通していたのである。

新納友明の病状が悪化したという通知を、加藤が受け取ったのはその夏の終りごろであった。加藤はその手紙を持って指導主任のところに休暇を貰いに行った。

「土曜日だけは休んでよろしい」

影村はひとことだけ言って、休暇中請願に印をおした。新納の家は青倉山のふもとにあった。姫路で播但線に乗りかえて何時間か走って新井という駅で下車し、さらに一里余も歩いた山の中の小さい村だった。暗い家の奥の部屋に、新納は骨と皮ばかりになってまだ生きていた。

「来てくれたのか加藤、もう一日君の来るのがおそかったら多分おれは生きてはいなかったろう」

新納は彼の顔を見てそんなことを言った。既にあきらめきっている顔だったが、会社の話はしきりに聞きたがっていた。話す気力はなかった。天井を向いたままで加藤の話を聞いている新納の眼(め)はもう手の届かないほど遠くにいった人の眼であった。

「加藤、あの会社はやめた方がいいな、あの会社に影村がいるかぎり、君にとってはけっしていいことはないだろう」

加藤はいまごろになってなぜそんなことを新納がいうのかわからなかった。透きとおるように澄んだ新納の頭に将来が見えるのであろうか。

「いやおれはあの会社をやめないよ、影村がいるかぎりやめるものか」

加藤は憤然としていった。

「それでもいい……勝てばいいのだ……」

そして新納はしばらく休んでから、

「加藤、長いあいだ世話をかけたな」

その言葉が新納との事実上の訣別(けつべつ)だった。新納はそのまま深い眠りに入り、次の日曜日の朝、加藤がまだ眠っている間に息を引き取っていた。彼の死の瞬間に居合せた家族はいなかった。

加藤は郵便局まで走っていって影村あてに電報を打って、新納の死を報じ、葬式の終るまで休暇を延長して貰うようにたのんだ。

その日のうちに返電があった。一通は新納友明に対する弔電であり、一通は加藤に対する指示であった。

「ひとまず会社へもどれ」

加藤はその電報を手にしたまま涙をこらえていた。その電報を打った影村の顔がよく見えた。彼の冷酷な心の底がその電報に描き出されていた。加藤は会社員であるかぎり、いかなることがあっても会社の方針に従わねばならないことをよく知っていた。自由はそこにはない。あるのは、会社の道具として生長しつつある自分があるだけだった。

その村はせまい谷間の底にあった。両側の山もそう高い山ではなかったが、村の中心を小川が流れており、小川にそって両側にひらけている耕地と村のたたずまいは谷間の村にふさわしいおもむきを持っていた。

加藤は会社から来た影村の電報を新納の枕元(まくらもと)に置いて、彼に手を合わせてから、彼の家を後にした。加藤が新納の家を出てふりかえると、それを待っていたように山から霧がおりて来た。霧は、新納の霊魂を迎えに来たかのように、その手の先を器用に伸ばして、彼の家のそばの一本杉にかけた。杉は梢の先から、霧の手にとらえられ、やがて、新納の生家が霧の中にかくれると、もうなにも見えなかった。霧の中から鶏の声がしたり、犬の声がした。それも人間世界のほかから聞えて来るもののようにさえ思われた。

加藤文太郎は霧の中を歩いていた。無性に悲しかった。いてもたってもおられないほど新納友明の死に腹が立った。なぜ新納は死なねばならなかったのだ。考えてもすぐ回答の得られるものではなかった。新納を死にいたらしめたのは病魔であって、会社でも、影村のせいでもないが、会社や影村が新納を死にいたらしめたように憎かった。影村を憎めばいく分か気も晴れた。

加藤は畜生め、畜生めといいながら霧の道を歩いていた。駅は意外なほどのはやさで眼の前に現われた。そこで一時間も待てば汽車は来る。しかし加藤はそこにはじっとしていなかった。彼は線路に沿った細い道を歩き出した。当てがあるわけではなかった。ただ歩きたかったのである。力いっぱい歩くと汗が出て来る。汗とともに怒りと悲しみが少しずつ放散されていくような気持だった。

(けっきょく新納は運が悪かったのだ)

それはごく平凡なあきらめ方だった。何パーセントは落伍するという予定のもとに消え去っていく者に対して、誰もが投げかける非情な弔意であった。

霧は、加藤の心と通じて、いつまでも晴れようとはしなかった。永劫に霽れることのないような深い霧だった。夏のおわりだというのに秋のようにつめたい日であった。

加藤はひとりをつよく意識しながら歩いていた。木村敏夫とも別れ、また新納友明とは永久にさよならを言わねばならない運命を呪った。

（おれはひとりになった）

そう思うと涙が出そうになる。加藤はそれをこらえた。泣くものか泣くものかと心にいいきかせながら霧の道をどこまでも歩いて行った。おれはひとりなんだ。彼はときどきそう叫んでいた。

4

静かな揺れ方だったが、揺れはすぐにはやまなかった。風がさわさわと竹やぶを渡っていくような音が聞えた。

外山三郎は黒板に抗力という字を書き終ったままの姿勢で、じっとしていた。立っている彼にも、その地震動は感じられたのである。

「地震だ！」

誰かが叫んだ。低い声だったが、恐怖に満ちた声だった。外へ飛び出すほど大きな地震ではないけれど、静かに長くつづくその揺れは、その地震がどこに起きたとも分らないだけに無気味なものだった。その声に応ずる者はなかった。研修生たちは一様に不安な顔をしながらそのゆるやかな振動のおわるのを待っていた。十秒そこそこの揺れだったが、二分にも三分にも長く感じられた。

地震は終った。外山三郎は、持っていたチョークをそこに置くと、研修生たちの方へ向き直って、ひどく厳粛な表情をしていった。

「海へ行くなよ、つなみがあるかも知れないからな」

そして外山は、研修生たちの礼を受けると、いつものように冗談をいったり、笑いかけたりはせずに、なにか緊張した顔をして教室を出ていった。

大正十二年九月一日土曜日の正午だった。研修生たちはなんとなく浮かない顔のままで食堂へ入っていった。彼等はいつもの土曜日とは比較にならないほどもの静かに食卓についた。

第二の地震があった、前よりも小さく、周期も短かった。歩いていればおそらく気がつかないほどの揺れだったが、地震がつづいて起っていることが、彼等の不安を大きくしたようだった。

「きっと大地震がどっかにあったのだ」

「外山先生がいったようにつなみが起るかも知れない」

「どこだろうな、ひょっとすると東京かも知れないぞ」

それらの話を聞きながら、加藤文太郎はだまって飯を食べていた。彼もまたどこかに大地震が起きたに違いないと思っていた。九州か四国か関東か北陸か或いは東北かそれらの何れかであっても、故郷の浜坂ではないと思いたかった。遠くの海の中で起った地震かも知れない。そうだとすれば、外山三郎のいうような津波があるかも知れない。加藤は頭と骨だけになったサンマの皿を前に置いて、この地震が日本の将来をひどく暗くするきっかけをつくるような気がしてならなかった。欧州戦争のあと、急速に不景気になっていく世相を彼はよく知っていた。彼は神戸市付近の労働組合員がのぼりを立てて市中行進をするのを何度か見ていた。各会社が馘首を始め、失業者が街にあふれていることも知っていた。

また地震があった。正午に感じた地震から数えて三つ目か四つ目であった。

「いったい日本はどうなるのだろう」

加藤はそんなことをつぶやいて、はっとした。そのことばと、地震とはなんのつながりもないことだったが、彼は地震によって感じとった不安と世の中の不安とを一つに考えていた。

「日本というよりもわれわれはどうなるのだと考えないのかね」

加藤の前の席で飯を食べていた金川義助がいった。加藤以外には聞えないように、声をおしころしていっただけになんとなく威力があった。金川も加藤と似てどちらかといえば無口の方だった。友人も少なく、こつこつと勉強する男で、成績もいつも上位にいた。青いやや神経質な顔をしていた。

「加藤、外へ出ようか」

金川は加藤にそういうと、やかんを引きよせて、うまそうにお茶を飲んだ。

「話を聞きにいかないか」

外へ出るとすぐ金川がいった。

「話？」

「そうだ、話というよりも話し合いなんだ。みんな若い真面目(まじめ)な者ばかりが集まって勉強をするのだ」

「勉強をね……」

加藤は金川の顔を見た。

（最近、主義者たちが勉強会と称してひそかに会合を開いて、新しい党員の獲得につとめている傾向が見られる。当社研修生はいかなることがあってもかかる勧誘に応じてはならない）

加藤はつい最近研修所の教室の入口にかかげられた一文をすぐ頭に浮べた。

「な、加藤、一緒にいかないかい、勉強になるぞ、おれたちの知らなかったことがいろいろと分って来るのだ」

「その勉強会はいつから始まるんだ」

「二時からだ、一緒に行こう」

金川は、加藤が時間を訊いたので、急に乗り気になっていった。

「いや、よそう、おれは山へ行くことにしているのだ」

金川は、それが加藤の嘘かほんとかを確かめるような眼で加藤の顔を見ていたが、それ以上勉強会へ出ようとはすすめずに、ただひとことつけ加えた。

「加藤、すまないけれど、おれがこんなことといったなんて、誰にもいわないでくれないか」

急に哀願に変った金川の眼を加藤は気の毒そうに見ているだけだった。返事のかわりにしきりにうなずきながら、加藤は、友人の前で嘘をいったことを悔いていた。土曜日の午後近所の山へ登ることはちょいちょいあったが、別にどうしても登らねばならないことはなかった。いわば土曜日の山登りは、日曜日の地図遊びのための足ならしのようなものであった。加藤は、やや背を丸め気味にして去っていく金川にすまないことをしたと思った。誘われるままに勉強会にいったところで、そこが主義者の集まりだとは決っていないし、たとえ、主義者の集まりだったとしたら、いったいどうだっていうのだろうか。

（主義者ってなんだ、主義者は悪人なのであろうか）

それに答えるものを、彼はなにも持っていなかったが、少なくとも、主義者といわれている人たちが単なる悪人というかたちでほうむりさられるべき人たちではないことだけは、加藤も本能的に感じ取っていた。主義者がなにものであるかは、その主義者のやっている勉強会に入ればわかることなのだ。それなのに金川の勧誘を拒絶したのは――臆病なのだとは思いたくないが、嘘までいって金川をさけたことが悔いられた。

（結局、おれはおおぜいの人の中に入って議論をやったり、理屈をこねたりすることがきらいなのだ）

加藤は部屋に帰ると、払い下げになった作業服にゲートルをつけて、壁の釘にかかっている麦藁帽子に手をかけた。同じような帽子が、二つ並んでいた。一つはついこの間死んだばかりの新納友明の帽子だった。

帽子を手にとってから加藤は反射的に部屋の中を見廻した。彼のテーブルの上のアインシュタイン博士の写真が彼を見つめていた。

加藤は乗物が嫌いだった。同じ乗物でも船が好きなのになぜ汽車や電車やバスが嫌いなのだろうか、彼にはその理由がよく分らなかった。

おそらくそれは、まわりに人がおおぜいいるからだろう、彼自身はそのように理屈づけても、それではなぜ、人がいるところがいやなのかと尋ねられても答えられないだろうと思った。

高取山への登り坂にかかってからは、もうなにも考えなかった。彼は同じ歩調で、とっとと坂を登っていった。

(目的地につくまでは、休まないこと、立止ってもいけない、したがって歩調は、かなりゆっくりと、汗の出ないていどに歩きつづけること)

加藤は彼に歩き方の手ほどきを教えた新納友明のことを思い出しながら、高取山への道を歩いていた。高度が増すにつれて、立止って海を見おろしたいという誘惑があったが、彼はそれをおしのけながら一気に高取山の頂上の神社まで登った。

彼のその日の予定はそこまでだった。土曜日だというのに、ここへ来ている人が比較的少ないことは彼の気をよくさせた。彼は海の見えるところに腰をおろして、はじめて、腰につりさげてある手拭で額の汗をふいた。

海の表情は静かだった。外山教官が津波があるかも知れないといったような不安はどこにも感じられなかった。すでに津波があったようにも見えなかった。少なくとも、そこから見える範囲の神戸港は眠っているように見えた。一隻の外国船が港を出ていくところであり、その向うに淡路島がはっきりと全貌を見せていた。いつもなら、煙霧に霞んでぼんやりと見えるのに、なぜ、今日はこんなによく見えるのだろうか、加藤はその異常な透明につらなる不安を感じた。やはり今日はどこかがなんとなくへんなのだ。会社の寮から、ここまで来る間もそうであって、これといってなにもないが、なにかいつもとは違う神戸がそこにあった。

加藤はそこにそうしてじっとしていることがこわくなった。不安のもとはお昼の地震だった。

「ひょっとすると浜坂が」

彼は自分のことばにはじかれたように坂を神戸の町に向ってかけおりていった。

加藤文太郎が号外の鈴の音を聞いたのは山をおりた直後だった。

関東大震災の発生とその後に起きたものは、加藤のみならず、あらゆる日本人に不安と焦燥感を与えた。東京は全滅した。数十万人の人が死んだ。朝鮮人の暴動が起ったなどというデマが次から次と流れこんで来た。デマだと否定するよりも、そうかもしれないと相槌を打つ人の方が多かった。

甘粕大尉が大杉栄を殺して井戸にほうり込んだのは九月十六日であった。そのことが新聞に出た夕べの食堂で金川義助は加藤文太郎の前でサンマをつついていた。

「主義者だから殺されるのは当り前だ」

北村安春がいった。金川はそのことばを耳にするとサンマに伸ばした箸を止めた。止めた箸の先を加藤が見詰めていた。やがてふたりはおたがいの顔をたしかめ合うように見て、なにごともなかったように箸を動かし始めた。

「こう毎日サンマじゃあやり切れないな、なんでも、大地震のある年にはサンマがすごく取れるのだそうだ」

北村安春は主義者からサンマに話題をかえ、また東京大震災に話を持ちこんでいった。

主義者たちは震災を利用して革命を起そうとしたのだそうだとか、大杉栄がその主謀者だったとか、いい加減な出たらめをしゃべりながらも、北村は眼を周囲に配ることは忘れなかった。彼のそのくだらない放言も誰がどういう気持で聞いているかを探る眼であった。北村の話は奇妙なかたちで食堂の話題の中心になっていた。ほんとにそうなのかという顔で聞いているものもあり、明らかに不満を表わして聞いているものもあった。てんから無関心を示している者はごく少数だった。その中に金川と加藤がいた。

「外に出ようか、まだまだ暑いな」

金川がいった。加藤と金川はなんとなく連れ立って外へ出るのを、北村安春の眼が追っていた。

「おい加藤、北村はスパイだぜ」

ほとんど寄りそうようにして外へ出る時金川が加藤の耳につぶやいた。スパイってことばは新納友明が生きているときに聞いたことがあった。われわれ研修生の中にはスパイがいる。新納は時折そんなことをいった。それが誰だかは分らないがいることは確かで、それを使っているのは影村一夫であることも確実だといっていた。

「なぜスパイを置く必要があるのだ」

「彼等（かれら）はおそれているのだ、自分の影におびえているのだ、自分の影だということが分らないからスパイを置いて密告させ自分で自分の影に斬（き）りつけ、ついには自分自身をもきずつけてしまうことには気がついていないのだ」

金川のいったことは加藤にはよく分らなかった。しかし、金川がふと声を落して、

「加藤、うしろをふりかえるのではないぞ、そのままきみは海の方へまがれ、おれは真直ぐいく……」

といった言葉の意味はよく分った。誰かがうしろから尾行して来るのだ。加藤は海の方へ曲った。ひとりで夜の海を見るのもここしばらくはなかったことだった。彼は汐風に吹かれながら、埠頭を歩いていた。

（このにおいを嗅ぐとおれは泳ぎたくなる）

加藤は汐のにおいにつながるかずかずの思い出と共に明滅する漁火をながめながら、こんなふうに漁火がきらめく翌日はきっと天気が悪くなるのだと考えていた。

「加藤君じゃあないか」

北村安春は加藤と肩を並べて立っていながら、加藤の肩を叩いていった。

よそよそしい空気がふたりの間を流れていた。北村がしゃべらないかぎり加藤はいつまでも黙っていた。黙っていることにかけては、誰が来ようと加藤に勝つ者はなかった。たまりかねたように北村の方から話し出した。

「加藤君、東京はたいへんらしいな、あっちこっちで主義者が煽動して小さな暴動が

起きているそうだ」

それはさっき食堂でいったことのむしかえしだった。

「神戸の主義者も動く気配があるのだそうだ」

急に声をおとして、加藤のはな先へ口をつき出すようにしていった。サンマの口臭がした。加藤はサンマが大好きだった。サンマに限らず、魚ならなんだって好きだった。飯のおかずだけでは満足できず、浜坂から送られて来る、干魚をひまさえあれば、ぼりぼり食べていた。それほど魚が好きな加藤でも、口臭となったサンマのにおいはけっして気持のいいものではなかった。彼は顔をしかめていった。

「君は主義者かね、ずいぶんくわしく主義者のことを知っているじゃあないか」

加藤の一言は北村を沈黙させるに充分だった。彼はあきらかに虚をつかれて狼狽(ろうばい)した。主義者の話のつづきに持ち出そうとたくらんでいたなにかが出せずに、いそいで、話をその問題からそらそうとする努力がこっけいなほど見えすいていた。北村はひとりでしゃべり、ひとりで相槌を打っていた。

「秋になると、一足とびに冬になる。いよいよ来年は五年生だな、来年の春も、おそらくきみが一番ということになるだろう。金川義助がいくら頑張(がんば)ったってきみにはとてもかなわないからな」

加藤は北村の顔を覗きあげた。暗くてよく分らないが、彼は半ばはお世辞半ばはほんきでいっているらしかった。加藤は北村のことばのなかに金川義助をつけたしのように出したのがへんだと思った。金川は成績のいい方だったが、加藤と一、二を争うほどの秀才ではなかった。北村が金川を話の隅の方に登場させたのは、北村が金川になにかの理由で大きな関心を示しているもののように考えられたからである。金川は北村のことをスパイといった。スパイだから、金川のことをなにかと探り出そうとしているのではなかろうか。

加藤はしきりに首をふった。

「どうしたんだ加藤、頭でもいたいのか」

「いや頭なんかいたくはないさ、ただおれはひとりでいたいんだ」

ひとりでねと北村はつぶやくようにいった。皮肉ではなく、ひとりでいたいと加藤がいい切ったことに或る種の感動と協賛を得て発したひとりごとにも思えた。

(北村もなやみはあるのだ。こいつはスパイなんて名前で呼ばれるほどいやな奴ではない)

加藤はそう思いたかった。

「おれはひとりで歩くのが好きなんだ。ひとりで山を歩くとほんとにいい気持だぞ」

「そうだろうな、おれにも君の気持はわかる。おれたちはみんなひとりぼっちだからな、ひとりぼっちでいるのが当り前なのにひとりでいることがおそろしくなって人につきたがるのだ」

「人につく？……」

と加藤が訊きかえすと北村はいや、なんでもないんだと首をふった。それからふたりはだまりこくって、暗い道を寮に向って歩いていった。

北村安春が予言したとおり、翌年の春（大正十三年）加藤文太郎は一番の成績で五年生に進級した。

「ついこの間、入ったと思ったがもう、五年生になったのか早いもんだな」

新入生をまじえてのパーティーの席上で外山三郎が加藤にいった。加藤は黙って頭を下げた。

「なあ加藤君、そろそろ、ぼくらの山岳会に入会してくれないかね、山岳会といってもこの付近の山を歩く、ごく気安い会なんだ。きみが新納友明君と地図遊びをはじめて、神戸付近の山の地図を塗りつぶしていることは聞いたよ、そういうきみが入ってくれたら、われわれ神港山岳会はたいへんありがたいんだがね」

加藤はなんともいわずに、外山三郎の口元を見つめていた。同じことはもう三年も前にいわれたことなのだ。それ以来、なんどか、神港山岳会に入ろうとしたが結局、入らずにここまで来たのは、深い理由はなかった。いわば気がすすまなかっただけの話でしかない。

「どうだ、今度の日曜日にでも、おれの家へ来ないか、珍しい山の本があるぞ」

加藤はわずかに微笑の浮びかけた顔で、外山に向ってうなずいた。ふたりの会話をすぐそばで北村安春が眼を光らせながら聞いていた。

次の日曜日の午後加藤は外山三郎の家を訪問した。

「食べないかね」

外山三郎は菓子鉢の桜もちを加藤にすすめてから、庭ごしに見える高取山の方向をゆびさして、

「神戸の山は常緑樹が多いといっても、やはり冬と春とではぜんぜん色が違うな、どうだい加藤君、春の山の色はおどるように見えないかね」

外山は袷を着ていた。

「おどるって形容はおかしいわ、ね加藤さん、もっとなんとかいい表わし方があるでしょう、たとえば陽のあたたかさに甘えたような緑だとか……」

みかんを盆に盛って来た外山三郎の妻の松枝がいった。

加藤はあいかわらず怒ったような顔をしたままそこに坐りこんでいた。顔はおこったような顔だけれど、心では、陽のあたたかさに甘えた緑という表現が、ものすごくすばらしいものだと感心していた。外山よりも、その妻の松枝のほうがはるかに教養の深いやさしいひとに思われた。加藤は桜もちに手を出した。

外山は、こちこちに固くなっている加藤文太郎を二階の書斎につれていって、書棚にぎっしりと並んでいる山の本を一さつ一さつ引き出して彼に示した。

「これはエドワード・ウインパーの書いたアルプス登攀記、知っているね、ウインパーはマッターホルンの初登攀をやったひとだ」

外山はそんなふうに説明しながらページを繰った。レスリー・スティーブンの〝ヨーロッパの遊山場〟とかエミール・ジャヴェルの〝或る登山者の回想〟などもあり、ウインスロープ・ヤングの書いた〝山登り術〟があった。

加藤はその本を手に取って、岩釘の打ちこみ方や、ザイルを使っての自己確保の仕方を興味ぶかそうに眺めていた。そばから外山が説明してやった。

加藤は、小島烏水の〝日本アルプス〟〝山水無尽蔵〟田部重治の〝日本アルプスと秩父巡礼〟辻村伊助の〝スイス日記〟などにもいちいち眼を通したあとで、

「日本アルプスへ一度行ってみたいな」

と加藤は、そういうことを口に出すのも恥ずかしそうにおずおずした様子でいった。

「ああ、いつだっていけるさ、山は逃げやあしない」

外山はそんな冗談をいいながら、この加藤がほんとうに日本アルプスへ出かけるようになったらと考えると、なにかおそろしいような気がした。無口で実行力のある加藤が、なによりも山が好きになり、山に情熱をもやすようになったら、たいへんなことになりはしないか。外山が加藤を山へ誘いこむのは、神港山岳会を充実させる目的以外になにものもなかった。登山家を作るためではなく、会社の中の親睦団体としての山岳会に彼のような男を迎え入れることによって、いつまでたってもハイキング趣味から脱し切れないでいる会員に新風を吹きこんで貰いたかったのである。

加藤文太郎は雑誌〝山岳〟に手をのばした。

「この雑誌は古くからあるんですか」

「明治三十九年からずっとあるんだ」

加藤はうなずきながら、その一冊を手に取って開いた。大正十年の夏、槇有恒がアイガーの東山稜初登攀成功によって、日本でも本格的岩登りが始められた。関東では慶応大学及び学習院が中心となり、関西では藤沢久造が中心となって芦屋付近の岩場で岩登り技術の研究を始めたことが書いてあった。

加藤はそのページを見つめたまま、しばらく動かなかった。

「岩登りに入る前には、まず山というものを完全に理解しなければならない」

外山は加藤が岩登りに相当な関心を示したものと見ていった。

「日本の登山も進歩しつつあるんですね」

加藤は本を閉じるとそういった。それが山の本を見せて貰った結論だった。

「そうだ、かなり進歩している。しかし外国の進歩はもっと早い、ぐずぐずしているとヒマラヤの山々は全部、外国人たちにしてやられてしまうかもしれない」

「ヒマラヤですか……」

加藤は彼と縁のない国のことのようにつぶやいただけで、それ以上は、もう山のことからいっさいの興味を失ったかのように、さっき、松枝夫人がいった陽のあたたかさにあまえているような色をした窓の外の新緑の山に眼をやっていた。

外山は加藤に裏切られたような気がした。加藤が山の本を見に来たことは、八分どおり、彼を山の仲間に引きずり込むことのできる証拠だと考えていたのが、そうではなく、加藤が山にはたいした感激も示さず、本から外の景色へ眼をやったのは、未だ(いま)に、加藤は山に対してさほどの関心を持っていない証拠に思われた。

「きみは山が好きなんだろう」

外山はいささかの焦燥を顔に浮べていった。

「好きです」

「それなら、神港山岳会に入ってくれないか」

「いやです」

それは加藤らしいはっきりした拒絶だった。

「いやなら、しょうがない、そのうち気がむいたら入るんだな」

外山三郎はやや、とがった声でいった。そして、彼は、この加藤文太郎という男をなんとかして神港山岳会のメンバーに加えたいと思った。こういう男こそ、山男の見本となる男なのだ。山岳会のリーダーの資格についていろいろ議論の沸騰している折から、このような男を山岳会に入れて、リーダーにしたら、神港山岳会は充実するだろう。外山三郎は気長に加藤を誘い入れるつもりでいた。

「実は先生、ぼくは山の本を見せて貰うために、こちらへうかがったのではありません」

加藤は気をつけの姿勢を取って、外山にいった。

「なにか話したいことがあるのか、それじゃあ応接間の方で聞こうか」

外山は階段をおりながら、最近、研修生の間になにかトラブルでもあったかなと考えたり、教官仲間の噂話などを思いかえしていた。思い当ることはなにもなかった。

「先生、ぼくはなんだか不安なんです」

応接間に来ても、加藤は立ったままでいった。

「話すがいい、立っていた方が話しよければ、そのままでいうんだな、たいていのことは話してしまえばさっぱりするものだ」

外山は静かな眼を加藤に誘うように投げかけていった。

「十日ほど前、ぼくは影村さんに呼ばれていろいろ訊かれたんです」

加藤はひどく緊張した顔で話し出した。影村は研修所の事務室に加藤を呼んで、去年の東京大震災の日をおぼえているかと聞いた。

「あの日の午後君はどこへ行ったかね」

「高取山へいきました」

「ひとりかね」

はいと答える加藤の顔を影村は詮索するように見詰めていたが、

「なにか証拠があるかね……きみが大正十二年九月一日の午後、高取山の頂上にひとりでいたのを誰か見た人がいるかね、いればよし、いなければ、それが君の嘘だといわれても仕方がないだろう」

影村は妙にひっかかるようなことをいった。

「あの日の午後のぼくの居どころが、なぜそれほど大事なんですか」

加藤は一応いうことだけはいった。

「それをきみにいうことはできない。きみはただ、あの日の午後の居どころを正直にいえばそれですむことなのだ。きみはあの日の午後、山へは行かなかったろう」

影村の眼は執拗に加藤を追った。

「いいえ、高取山へ登りました。高取山の頂上に坐って、しばらくの間、海を見ていました。外山先生がいったようにほんとうに津波が来るかどうかを見ていたことを覚えています」

それはあきらかに影村の訊問であった。加藤を或る種の容疑のもとに取調べようとしている刑事の態度にも見えた。加藤は自分の顔のほてっていくのを感じていた。いかりが顔に出て来たのである。

「いったい、あなたはなぜ私にそんなことを訊ねるんです」

「あなただと？」

影村はむっとしたような顔でいった。先生といわずにあなたといったことが影村には不愉快に思えたにちがいない。

「もう帰ってもよろしい」

影村は立上ると、ポケットから鍵の束を出してテーブルの引出しに鍵をかけた。

「それだけのことなんですが、影村さんがなぜそんなことをぼくに訊ねたかを考えると心配なんです」

加藤は外山三郎にいっさいをぶちまけると、肩のあたりから力を抜いた。

「ぼくにもなぜ影村技師がそんなことをしたかよく分らないな、全然見当もつかないんだ。彼は研修所の指導主任という職責上、いろいろと気にかかることもあるのだろう、それだけですんだから、それだけのことなんだ、なにもなかったと同じじゃあないか」

しかし、外山三郎の顔にはわずかながら動揺がみとめられないでもなかった。関東大震災と同時に、全国の警察署がひどく神経質になって主義者狩りを始めたことを外山は知っていた。影村が加藤を調べたのは、或いはそういうこととなんらかのつながりがあるのかも知れなかった。

「いったいどうしたらいいのでしょうか」

加藤は不安そうな顔でいった。

「会社は大量の首切りをやるそうじゃあありませんか、研修生だって、今年の新入生は例年の半分でしょう。近いうちに、上級生の数も半分にするという噂もあるんです」

「なにが?」

加藤はいつになく早口でいった。

「たとえ半分にされても君は残るだろう、なぜならきみは一番だし、きみのような者を馘首にしたら会社は損をするからな」

すると加藤はひどくきびしい顔をして、

「冗談じゃあないです。勉強の途中でほうり出されたひとはどうなるんです、家へだって帰れないでしょう」

ほんきでつっかかって来る加藤に外山はあわてたように手をふっていった。

「冗談なんかいって悪かった、大丈夫だ、研修生の首切りなんて絶対にあり得ない、つまらないデマに迷わされずに一生懸命勉強するがいい」

外山はなだめるようにいった。

加藤が帰ろうとすると、松枝が、桜餅と、ミカンをそれぞれ別包みにして加藤に渡しながらまたあそびにいらっしゃいといった。

春だというのに加藤には、春らしい浮いた雰囲気はどこにも感じられなかった。船の出入が急に減って来た神戸は全体的に、灰色に濁って見えていた。街にも、街を歩いている人にも活気がなかった。それでも、繁華街に出ると、日曜だけに人はいっぱい出ていた。放心したような眼で飾り窓を覗きこんでいる男や、あるかなしかの財布をにぎりしめてでもいそうに見える、ふところ手の男もいた。

加藤はそれらの人ごみの中をあっちこっちとくぐり抜けながら、近いうちに不況の波が神港造船所にやって来たとき、彼もまた、ふところ手で、町を彷徨する一人になるのかと思うとやり切れないような気がした。

三間ほどはなれたところに金川義助の後姿を発見した時、加藤はあやうく声をかけるところだった。が、それよりも驚いたことは、金川義助より一間ほどうしろに、北村安春がいることだった。ハンチングを深くかぶった北村安春は時折鋭い視線を金川義助の背に投げかけていた。

(北村は金川を尾行しているのだ)

そう感ずると、もうどうにもならないほどのいきどおりがこみあげて来た。加藤は群衆をおしわけて北村に追いつくと、

「おい北村、きさまなにをしているのだ」

北村は加藤の声にひどくびっくりしたようだったが振りかえると、

「ぶらぶら歩きさ、君は……」

なんでもない声だった。なにをとぼけやあがって、きさまはあの金川義助を尾行しているのじゃあないか、このスパイめ、そういうつもりで、金川を探したが、金川の姿はもうそこには見えなかった。

5

金川義助はひとりでいることが好きだった。寮に帰らず、食堂の隅(すみ)で勉強していたり、放課後教室に残って本を読んでいる姿などよく見受けられた。その彼も、月一回第三土曜日の午後開かれる研修生の懇親会には、出ないわけにはいかなかった。もともとその懇親会は、目的のあるようなないような会だったから、やることもまたいい加減なものであった。一年生がひとりずつ立上って歌を歌ったり、三年生の合唱があったり、時には、盆おどりの真似(まね)ごとなどをみんなでやったこともあった。五年生の幹事が、懇親会のスケジュールをたてるのであるが、何年もやっていると、新鮮味が失われ、無為に時間を過してしまうような場合が多かった。教官が出席しないことが、この会の特徴だったが、そうかといって、ひどくはめをはずすようなことは行われなかった。

つまらない会ということになってはいても、毎年入って来る研修生の中には一人かふたりぐらい芸達者のものがいて、それらの人によって懇親会はあるていど維持されていたといってもいい。

金川義助は詩吟が上手だった。研修生一年の時の懇親会の席上、頼山陽の本能寺を吟じて、その才能が認められた。以来、懇親会があると彼は必ず詩吟をやらされた。一年生の時は真先にやらされたが、二年生、三年生となるにしたがってあとに廻され、五年生になるとその懇親会の真打としての重きをなしていた。指名されると、にこりともせず立上って、ちゃんと用意して来た紙片をひろげて、堂々と吟じた。研修生たちには、詩吟の上手下手の判断力はなかった。ただ、金川義助の詩吟を聞いていると、なにかしんみりさせられた。ものかなしげな節の引きまわしも、研修生たちの心をうつものがあった。極端にいえば悲愴感をむき出しにしたうたい方だった。五年生になって四カ月目の懇親会の席上、彼は棄児行を吟じた。今まで一度もやったことのない詩だった。それを聞いて一年生の一人が涙を流した。

「わが子捨てざれば、わが身立たず……」

と金川義助が吟ずるあたりは真にせまっていた。涙にさそわれたのは、その一年生の研修生ばかりではなかった。加藤文太郎もまた、涙にさそわれそうになったほどだった。それほど、金川義助の詩吟は人を感動させる威力を持っていながら、ひとたび、彼はその任務を果すと、集まってくる研修生の讃辞の眼を、かたくなと思われるほど、冷酷にはねかえして坐ると、いかにも面白くなさそうな顔をしてそっぽを向くのが常だった。

加藤文太郎はなにか金川義助の気持が分るような気がした。もし金川義助ほど上手に詩吟を吟ずることができたならばやはり、あのような態度を取るだろうと思っていた。

「いつもながらうまいもんだな」

加藤は金川をほめた。無口のことに於いては、金川とひけを取らないほど無口な加藤が、金川にそんなことをいうのはめずらしいことだった。金川が、びくっと顔を動かした。金川には加藤の讃辞が皮肉に聞えたのである。そう思われるほど、加藤のいい方はぶっきら棒であり、彼の顔には感動がなく、むしろ皮肉と受取られそうな微笑が浮んでいた。

「こういうところで、やったところで分る者はいやあしない」

加藤のことばを軽蔑と受取った金川義助は、青い神経質な表情をいよいよ固くしてそういった。加藤は自分の失敗に気がついた。そうじゃあない、おれはほんとうにほめているのだぞと、いおうとしたが、それはいえなかった。

「こういうところで駄目なら、どういうところがいいのだ」

加藤の第二の言葉は彼の心とは正反対に妙に突っかかるようなひびきを持っていた。周囲の顔がそっちを向いた。

「おれは人に聞かせるつもりで詩吟をやっているのではない。おれは海や山に聞いて貰うために勉強しているのだ」

金川義助ははっきりいった。

「詩吟なんか勉強するところがあるのか」

なんかという言葉は金川に取って許しがたいものだった。

「あるかないか詩吟の道場へつれていってやろう」

ふたりの私語に対して幹事がとがめるような眼を向けた。二人は黙った。

「どうだ加藤、詩吟道場へ行くか」

懇親会が終った直後金川がいった。

「いってもいい、が、その前に、きみが海か山に向って怒鳴るのを聞きたい」

どなるだと？　金川義助はきびしい眼で加藤を睨みつけると、

「よし、聞かせてやろう、山がいいか海がいいか、神戸にはどっちだってあるぞ」

金川義助はこうなったら、たとえ加藤の方がいやだといっても山か海へつれていって彼のほんとうの詩吟を聞かせてやるぞという剣幕だった。加藤は困惑した。金川の詩吟のうまいことは認めている。なにも海や山へ行かないでも、彼の才能については疑いもなく認めているのに、妙なふうに話がこじれてぬきさしならなくなっていることを悲しんだ。

「さあ山へ行くか海へ行くか」

「そんなにいうなら山へ行こう」

加藤は答えた。これが自分の大きな欠点の一つではないかと思った。おそらく、自分自身相手をほめているのに結果としては相手に敵対視されるのは、おそらく、のあらゆる表現が悪いのではないかと思った。

（いや、俺のことばづかいが悪かった。おれは心から君の詩吟のうまいことに敬服しているのだ）

そういえば、済んでしまうのにそういえない。かたくなな加藤の性格を横から揶揄するかのように、

「だいぶ、面白くなったな、それではおれが、審判官として同行しようか」

北村安春がにやにやしながらいった。

「いや、ことわる、おれたちのことはおれたちで片をつける。おい金川、山へ行こう、高取山のてっぺんで君の詩吟を聞いてやろう」

加藤文太郎は拳(こぶし)をにぎりしめていった。ことばには似ずせつない気持だった。

ふたりは無言で神戸の町を歩いていった。どこの山でもよかったが、加藤は彼の好きな高取山をえらんだ。坂道にかかったときふりかえると金川の青い顔がより一層青く見えていた。加藤は、ゆっくりゆっくり坂を登り出した。いつもの彼の登る速度の半分以下だった。そんなおそい登り方をしていても、それに追いつこうとして金川義助がせいいっぱいの努力を払っていることがよく分った。加藤は靴(くつ)の紐(ひも)でも結ぶような格好をして、金川義助を彼の先に立てた。それからは、ずっと気が楽になった。それにしても金川はなぜ、こんな坂道で息を切らすのだろうかと思ったりした。心臓が悪いのかも知れない。山へつれて来たことが悔いられた。金川は途中で何回か休んだ。呼吸が整わないうちに歩き出そうとする金川に、加藤はもっと休んで呼吸が安定してから歩き出すようにいった。神港造船所の寮を出て、ふたりが口を利(き)いたのはその時が初めてだった。

頂上の神社の前の茶屋は既に店をしめていた。加藤は、神社の裏手へいって、やかんにいっぱいの水を貰って来ると黙って金川義助にさし出した。山の峰々を越えて来るその日の最後の陽光が加藤の横顔を照らしていた。金川義助はやかんに口をつける前に加藤の顔を見た。加藤の顔には相変らず表情はなかった。いたわりの感情も見えなかったし、優越もなかった。ただ義務的に水を持って来たに過ぎないという顔だった。金川はがぶがぶ水を飲んだ。しばらくは夢中で飲んでから、まだ加藤が一口も飲んでいないのに気がついてやかんを彼に渡そうとした。加藤は首をふって、いらないといった。

「高取山へ登るのは今ごろの時間が一番いいのだぜ」

ベンチに並んで腰をおろしたとき加藤がいった。

「そうだな、まるで、天と地と海とが溶け合っていくように美しい」

金川は暮れていく海を見ながらいった。ふたりの心はそこまで来る間にすっかり通じ合っていた。加藤は金川義助の詩吟をここで聞こうなどと思ってはいないし、金川義助だって、あらたまってここで詩吟をやる気はさらになかった。ふたりは海を見おろしているだけで満足だった。

足音がした。神社から出て来た老人が、そろそろ山をおりるからやかんを返してくれといった。加藤は立上ってかしこまってお礼をいうとポケットのさいふを探した。この山のいただきでは水が貴重なことは知っていた。当然、いくらかの金を置かねばならないことは心得ていた。だが、彼も、金川義助も、いそいで寮を出て来たためにさいふを忘れていた。老人は別にいやな顔もしなかった。お金はいらないと何度もいった。

「いいえ、ただで水をいただいては悪いです。ではぼくが、神社に詩吟を納めさせていただきます」

金川はそういうとつかつかと神社の拝殿の方へ登っていった。老人もちょっと驚いたようだったが、金川のほんとうの気持が分ると、神主を呼んで来るからと、小走りに姿を消した。

金川義助は帰り支度をして出て来た神主の前で乃木(のぎ)大将の金州城外の詩を吟じた。斜陽に立つと吟じたが、斜陽の時刻は既に過ぎて急速に夜がおとずれようとしていた。

「立派なものだ、わしは久しぶりに詩吟らしい詩吟を聞いた」

神主は金川義助をひどくほめたたえて、これからも、ちょいちょいやって来て詩吟を聞かせてくれといった。

「いいひとだな」

山の途中で神主の一行と別れてから加藤がいった。

「うんいい人だ。……それで、加藤、これからどうする」

金川がいった。

「どうするって、寮へかえるしかないだろう」

加藤は、例のぶっきらぼうな調子でいった。

「勉強会を覗(のぞ)いて見ないか」

「詩吟の勉強か……さあ……」

加藤はちょっと考えこんだ。詩吟をやったってうまくなれるとは思わないが、やって悪いとは思わなかった。覗くぐらいなら悪くはないだろうと詩吟の方へ傾きかけた
加藤の耳もとで、

「じゃあ急ごうぜ、もうすぐ七時だからな」

「寮の食事はどうする」

「あとで支那(しな)そばでも食うさ」

登るときは時間がかかったが帰りは早かった。高取山をおりて長田神社の前のあたりを通ってから、金川の足が急に速くなった。その辺は何度か来たことがあると見えて、上ったりおりたりの坂の町をさっさと歩く。詩吟道場の始まる時間を気にしてい

そいでいるのかと思うと、角を曲って、急にゆっくりした歩調になったりする。金川義助が、なにか他人を意識しているのではないかと加藤が気がついた時に、ふたりはせまい路地に入っていった。

「いいか、おれが先に入る。きみは、知らん顔をして行き過ぎてから、しばらくして引きかえして来て門から入るんだ、いいな」

金川は早口でそういうと、加藤とはなんの関係もないような顔で数歩先に立って歩いていって、突然、黒い塀(へい)の家の門の中に消えた。そこに詩吟道場という小さな看板がかかげられていた。

加藤は金川の態度を不審に思った。金川にいわれたようにすること自体がなにか犯罪を犯すようでいやだった。詩吟道場という看板をかかげながら、その中でなにかよからぬことが行われているような気がした。よくよく考えて見ると高取山の頂上で金川は加藤に勉強に行かないかと誘ったが詩吟の勉強だとはいってはいない。

(或(ある)いは主義者たちの勉強ではなかろうか)

もしそうだとすると金川義助もまた主義者ということになる。

そしてすぐ加藤は、

(そんなばかなことが……)

と彼の想像を否定した。

金川義助は無口で、人づき合いが悪い。いわばおれとよく似たような人間だが、主義者なんかではない。危険な思想なんか持った人間ではない。

（それなら、あの門を入ったらいいじゃあないか）

加藤はためらった。ためらいながら、百メートルも歩いたところで、加藤は北村安春にひょっこり出会ったのである。

「おい加藤どうした、今ごろなんでこの辺をうろうろしているんだ」

北村安春の眼はなにかを探る眼であった。加藤はいつぞや、金川のあとを尾行している北村をこのあたりでつかまえて、なにをしているのだといってやったことがあった。丁度そのときとは逆に、今度は北村に、なにをしているのだといわれたのである。いうほうには、いうだけのなにかの理由があり、いわれるほうには、なにかそこに受け身となるべき要素があった。それが加藤にはよく分らなかったが、北村になにをしているといわれた瞬間、どきっとしたことだけは確かだった。しかし、加藤は、すぐ立直った。なにも、北村安春ごときに、訊問を受けるようなひけめはなにも持ってはいないのだ。

「どこをどう歩こうが勝手だ。帰寮時間に間に合いさえすればどこへ行ったっていいだろう。君だって、ここをうろついているじゃあないか」

そういわれると、北村安春はへらへらと追従笑いをして、そう怒るなよ、加藤、寮へ帰るなら一緒に帰ろうといった。

「いやだよ、おれはいつだってひとりがいいんだ」

加藤が口をとがらしてそういうと、北村はじろじろと加藤の身体中を見廻してから、

「それじゃあどこへでもいくがいい」

口ではそういいながらも、そこを去らずに、執念ぶかく加藤のうしろ姿を見守っているのである。加藤はさらに百メートルは歩いた。速足で歩いたから汗が出た。ふりかえると北村はもういなかった。加藤は詩吟道場、主義者の勉強会、金川義助などをひとつのものに組上げた。北村安春はそのへんのことを嗅ぎつけて、このあたりを徘徊しているのかも知れない。その北村をスパイに使っているのは影村一夫なんだと考えると、それまで沈んでいた怒りが一度に顔に出た。加藤は赤い顔をしてふりかえると北村を探しにいった。つかまえて、詰問し、場合によったらぶんなぐってやろうと思ったからである。研修生同士が会社の外でやった喧嘩まで会社は口を出さない。

北村はどこを探してもいなかった。北村さがしをあきらめて引きかえそうとすると、その前が詩吟道場の門だった。加藤が立止ると、門の戸が細目に開けられて、金川義

助の眼が加藤を呼んだ。

「どうしたおそかったじゃあないか」

「北村安春の奴が外をうろついている」

「なにっ、北村が」

金川の顔に恐怖の色がさした。

「きみがここに入ったのを見ていたんじゃあなかろうな」

「大丈夫だ、誰も見てはいなかった」

加藤がそういうと金川はほっとしたような顔をして彼の手を取って、玄関をあけ、すぐ二階へ案内していった。八畳の部屋に十人近い男女が集まっていた。頭を丸坊主にした若い男が机を前にしてなにかしゃべっていた。加藤と金川が入って来ると、十人の眼はいっせいにそっちを見た。どの眼もなにかを恐れている不安な眼だった。金川と加藤は部屋の隅に膝をそろえてきちんと坐った。丸坊主の男はひどくむずかしいことをしゃべっていた。いったいなにの勉強をしているのだろうと、男の机の上の本を見ると、それは男のいっていることとは全然関係のない詩吟の本だった。坊主頭の男はカール・マルクスの資本論の講義をしていたのである。そのことも、金川が耳打ちしてくれなければ分らなかった。

「社会集団的所有における対象となるべき私有は、労働手段と労働条件が私人のものである場合に限り許される」

坊主頭の男はそういってから顔を上げてそこに居ならぶ人たちをぐるっと見廻(みまわ)して、

「さてこれはどういうことをいっているか分りますか」

坊主頭の眼が加藤のところで止った。加藤は眼を伏せた。なんにも分らなかった。

加藤文太郎は金川義助の渡して寄こした、電気学大要と書いてある本の間にはさみこまれてある紙片を読んだ。

(今度の詩吟の勉強会は日曜日の午後二時)

加藤は紙片を丸めてポケットに入れると、例のおこったような顔で、ぺらぺらと教科書のページをめくりながら、詩吟の勉強会に引きつづいて出ようかこのままやめにしようかと考えていた。勉強会には二度出たが、二度とも、なにがなんだか分らなかった。聞いているうちに分るようになるのだと金川がいうけれど、加藤には、とても、それは無理なことのように思われた。カール・マルクスがほとんどその一生をかけて書きあげた資本論が、一度や二度で分るはずはないけれど、たとえ、十度行っても二十度行っても、おそらく、了解することは困難のように思われた。新しい知識を得たいという希望はあったが、詩吟という名を借りてのかくれた勉強会に出席していることが加藤を本能的な不安感に追いやった。彼は主義者という者を知らないが、もし、そこに集まって来る人たちが主義者だったら——いつか突然、そこに集まっている人たちに、おれたちは主義者だぞ、加藤お前も主義者になったのだぞといわれたらどうしようかと思ったりした。そこへ集まって来る人たちの顔を見ると、そんなことをいって、彼を脅迫するようには見えなかった。彼等のことごとくはインテリであり知識欲が旺盛な人たちばかりだった。ただ彼等に共通したものはなにものかをおそれる態度だった。加藤はその眼が嫌いだった。人の眼をおそれ、こそこそと勉強するくらいなら勉強しない方がいい。加藤自身で考えた理屈だった。

　加藤はノートの端をやぶいて、

(日曜日は山へ行く、詩吟会には出られない)

　そう書いてから、たんに山と書いて、嘘と思われたらまずいと思って、芦屋から東六甲山へ登ると書きたした。加藤はその紙片を、電気学大要のページの間にはさんで、金川義助に渡した。

　食堂で金川と眼が合っても、加藤は知らん顔をしていた。金川がとがめるような視線をときどきとばして寄こすのを知りながら、加藤は、頑強によそ見をしていた。

日曜日の朝、洗面所のところで、加藤は金川に話しかけられた。

「加藤、山よりも勉強の方が大事だぞ」

低い声だったがつきさすように鋭いものを持っていた。

「おれは、山のほうが詩吟の勉強よりも必要だと思う」

「おい、加藤、きさま、おれを裏切る気なのか」

「裏切る、裏切るってなんだ」

加藤は、なぜ金川が裏切るなどというおそろしいことばを使わねばならないのかが、分らなかった。金川の眼には憎しみといかりと悲しみがごっちゃになって燃えていた。

加藤は朝食をすませると、いつものように、古い作業服にゲートルを巻いて、すっかり色のあせてしまった帽子をかぶって、手拭(てぬぐい)を腰につけて、寮を出た。

「加藤、ほんとうに勉強会へは出ないのか」

加藤のあとを追って来て金川義助がいった。

「出ない、出たくない。おれは山の方がいいんだ」

「そうか、どうしてもいやなら、しょうがない。だが加藤、誰にもいってくれるなよ、な、たのむ」

拝むような金川義助の眼に加藤は何度かうなずきながら、ひょっとすると、金川は、ほんとうに主義者かもしれないと思った。金川が主義者だとすれば、世間は主義者に対する見方を取りちがえていると思った。

芦屋川にそっての広い道を歩いていって、やがて住宅地をはずれて山道に入ると川のせせらぎが近くに聞えて来る。そして間もなく、せせらぎが滝の音となるあたりの滝壺(たきつぼ)のほとりにお堂がある。加藤はそこまで来て一息ついた。セミの声と滝の音とが入りまじって、なにか深山にでも入ったような気がした。加藤は滝の方を見上げたがそっちの方へはいかずに、指導標に書いてあるとおり、道を東六甲への尾根道に取った。意外なほど、荒々しい白い肌(はだ)の露岩にまつわりつくように松が生えていた。やはり山へやって来てよかったと思った。勉強会では汗が流せないが、山では流せる。汗さえ出せばおれはごきげんになれるのだと、岩に腰をかけて汗をふきながら、左手の谷に眼をやった。

妙なことがその谷を形成する岩壁の傾斜面でなされていた。綱に人と人とがつながれて、垂直にも近いような岩壁を登ろうとしているのである。いつか外山三郎の家へ行ったとき見せて貰った外国の本に、たしかそんなような挿絵(さしえ)が載っていたが、眼の前で、それを見ることは初めてだった。

加藤にはそれがきわめて異常なことに思われた。第一、岩壁は人が登るところではない。岩壁を登らないでも、その山のいただきには尾根伝いにいくらでも、行きつくことができるのに、なぜ岩壁を攀じ登る必要があるのだろうか。しかし、その疑問はすぐ彼の頭の中でとけた。岩壁を攀じ登らなければ頂上に達することができない山だってあるのだ。そういう山へ登る準備練習として、あの岩壁を登るのだと考えればいい。第二の疑問は、一つの綱になぜ三人もの人が結ばれるかということだった。

(ひとりで攀じ登ればいいじゃあないか、ひとりで攀じ登れないようなら、やめたらいいんだ)

加藤は、三人が一本の綱につながれて、岩壁登攀をするということは、いかなる理由があったにしても、許すべからざることのように思えてならなかった。

だが見れば見るほどその光景は興味深いものだった。それに、時折、カーンカーンと胸のすくような金属音が聞えて来ることも、加藤をじっとさせては置かなかった。加藤はせっかく登った尾根をまたもとへ引きかえして、岩登りをやっている谷の方へ廻りこんでいった。

岩場の下はせまい砂場になっていて、そこにいる数人の人が岩壁を見上げていた。それらの人たちは、長靴下を穿き皮の靴を穿いていた。茶色のチョッキを着た男がどうやら指導者らしく、岩壁登攀中の三人の男に、鋭い声で指示を与えていた。加藤の知らない外国語がつぎつぎと飛び出していた。

「そこで一服だ」

茶のチョッキの男は上に向ってそう怒鳴ると、そこにいる人たちに、

「たいしたもんだね、あの連中は、だが岩登りは馴れたころが一番あぶないんだ」

そういって、ふと近くに立っている加藤文太郎に眼をそそいだ。

「やあ、加藤君、来たのか」

加藤にそう呼びかけたのは茶のチョッキの男ではなくその男のすぐうしろにいた外山三郎だった。外山三郎もまた加藤から見ると、まるで外国人のような気取った格好をしていた。

「丁度いい、加藤君、ロッククライミングってどんなものかよく見ていくがいい。なんなら、あとで藤沢先生から手ほどきして貰ったらいい……」

そして外山三郎は加藤の手を取るようにして、藤沢先生という人の前へつれていって紹介した。加藤は藤沢久造の名前は知っていた。

「いつかお話ししたことのある加藤君です。たのもしい男ですよ、ものすごくファイトがあるんです」

藤沢久造は微笑をうかべながら加藤を迎えて、

「ロッククライミングをやってみますか」

といった。加藤は即座に首をふった。緊張すると、加藤は、赤くなり、やがて怒ったような顔になる。

「いや、無理にロッククライミングをやる必要はない。山はまず歩くことですよ、冬でも夏でも、山が立派に歩けるようになってから、それから岩に取りつくのがいいですよ」

藤沢久造は静かな眼を加藤に向けた。加藤という少年については外山三郎からその噂を聞いていた。地図を持っては、神戸付近の山や村々を歩き廻る、ものすごく足の速い少年というのが藤沢久造が得ている加藤文太郎の概念だった。

「歩くことなんですね」

加藤は藤沢久造のおだやかな眼がなにか外山三郎と通ずるものがあるような気がした。加藤は、素直な気持で、藤沢久造の前に頭をさげた。

「そうです、歩けばいいんです。そのうちにいろいろとおぼえる」

「あれもですか」

加藤は岩壁にへばりついている三人をゆびさしていった。

「いや、ロッククライミングはひとりで覚えるというわけにはいかないだろうな」

藤沢久造はチョッキのポケットから、ハーケンとカラビナを出して、それを加藤の手にわたしながら、

「たとえば、こんな道具にしても、正しい使い方はやはり指導者から教わった方がいい。独学は危険だ」

藤沢はカラビナに、ハーケンを一本かちんとはめて見せた。

「こんな道具まで使って……ロッククライミングはなんのためにやるんですか」

加藤のこの質問には、藤沢久造もかなりびっくりしたようだった。

「それはむずかしいね、なんで山登りをするのかと全く同じように、答えるのはむずかしい」

「山登りをする理由は簡単じゃないですか、それは汗を流すためなんです。山登りをしなくたって、汗を出す遊びはいっぱいあるけれど、その中で、一番私の肉体条件に適しているのが山登りだからぼくは山へ登るんです」

「汗を流す、なるほど、汗を流すために山へ登る……」

藤沢久造は加藤のいったことばを何度か口の中で繰りかえしていた。

外山三郎は、へいぜい無口な加藤が、関西きっての登山界の大だてものであり、指導者である藤沢久造の前で、なぜ山へ登るかについての議論をはじめたのを見て驚い

た。やはり加藤は山にかけての大ものになる男かも知れない。その素質が藤沢久造の前であありことをいわせるのだ。

「汗を流すために山へ登る。そして、その汗のにおいをあびるほど嗅いでから、ロッククライミングをやるのがいいね。これはまた別な意味で心の鍛錬になる」

「いいえ、私は、これはやらないでしょう。他人といっしょでないと登れないようなところなら私は登りません。私はひとりで汗を流すために山へ行くんです。それが私の山へ行くほんとうの理由なんです」

藤沢久造はそれに対して何度も何度もうなずいてから、加藤の方へ背を向けると姿勢を正して岩壁の三人に怒鳴った。

「さあ、始めろ、始める前に、もう一度ハーケンをよく調べるんだ」

加藤はその声を、彼自身とはほど遠いところのことのように聞いていた。

6

加藤文太郎にとっては暗い靄に閉ざされたような毎日が続いていた。暗い靄は神港造船所をおおい、神戸港をおおい、神戸の市街をおおい、そして日本全体をおおっているようにも思われた。暗い靄がなにものであるか加藤にはわからなかったが、その陰鬱な気体は研修所の教室の中にも、工場の中にも、寮の中にも瀰漫していた。なにかの折にふと、その靄の存在に気がつくと、息のつまりそうになるのも事実だった。食堂においても以前のように活発な議論もでないし笑いも起きなかった。研修生たちは、さっさと食べてさっさと引っこんでいった。

（いったいこの底知れない憂鬱はなんであろうか）

加藤はまず自分に訊いた。わからない。他人に訊いたところで、答えは得られないことはわかっている。おもてだってはなにも変ったところはないのだが、やはり、どこか、なにかが変っていた。

研修生の五年生になると教室よりも工場にいる場合の方が多かった。工員とも直接つき合うこともあった。彼等は仕事中にはものをいわないし研修生に対しては、なんとなく他人行儀であった。それでも、なかには、

「おい、うちの会社でもくび切りをやるそうじゃあないか」

などという男もいた。不況、馘首、失業などということばが巷に氾濫していた。黒い憂鬱は失業に対するおそれであろうか。世界大戦の後、世界中が不況になやんでいた。日本にもその不況の波がおしよせて来たのだという理屈だけでは逃げ切れない黒

いガス体が、加藤の身辺を取りまいているような気がしてならなかった。

「おい、なぜ日本は不景気になっていくのか知っているか」

食堂で北村安春が、下級生をつかまえて大きな声でいっていた。

「資本家と政治家があまりにも目先のことしか考えないからなんだ。だからわれわれ労働者はにがい汁ばかり飲まされることになる」

そういわれても下級生はなんのことかわからず、ただ眼をぱちぱちしているだけだった。北村が大きな声で資本家、政治家、労働者などというのを聞いていると、歯が浮く気持だった。北村が下級生を相手に、資本家だの労働者だのということばを使い出すと、それまであっちこっちで話をしていた研修生たちが急におし黙ってしまうのもおかしなものだった。

会社で首切りが始まるという噂を加藤に知らせてくれたのは、村野孝吉だった。小柄だが足の速い男で運動会にはいつも一等を取っていた。足が速いように聞き耳も早く、そして比較的その情報は確かだった。十二月に入ってすぐだった。

(大量首切りの前にまずうるさい者の首を切るのだそうだ)

村野孝吉は大上段に刀をふりおろす格好を見せてから、あたりをきょろきょろ見廻して、

「研修生の中からも誰(だれ)か犠牲が出るかも知れないぞ」

村野はそういうと、彼自身がその犠牲者にでもされたように顔をこわばらせて、

「五年も勉強したのになあ」

と投げ出すようにいった。

村野孝吉がそのニュースをどこから仕入れたかはわからなかったが、加藤にはなにかそれが事実であるように思えてならなかった。誰が犠牲になるかは想像つかなかった。研修成績の悪い者を馘(くび)にするという方法もある。素行の悪い者を対象とするとなると——主義者ということばが加藤の頭の中に浮び上り、同時に金川義助の青い顔が見えた。

村野孝吉からそのいやなニュースを聞いた日の午後、加藤は、工場で顔を知らない工員に話しかけられた。加藤はその時、内燃機関部で試運転のテストのデータを取りおわって、それをグラフに書きこんでいる時だった。その工員は加藤の書いているグラフの誤りを指摘でもするかのように、グラフにゆびをさしながら、低い声で、

「きみの右のポケットに入れた紙を、金川義助に至急渡してくれ」

そういって、離れていった。男が去ってから、右のポケットに手をつっこむと、薬包ほどの紙片が手にふれた。その夜、加藤は金川義助にその紙片をわたした。

その翌日の朝の授業中だった。研修所事務室の給仕の少年が金川を呼びに来た。

「金川さん影村先生がお呼びです」

大きな声だった。一瞬、金川義助は蒼白な顔になった。なにか非常に不幸なことを予期したような顔つきだった。加藤は金川義助の死の影を見たような気さえした。机の両はじを持って立上った金川義助の手はふるえていた。それでも席を立って入口に向って歩いていくときにはもう立直っていた。金川は教室のドアーのところで、みんなに向ってぺこんと頭をさげた。金川が眼を上げたとき加藤とぴったり視線が合った。溢れるほど多くの感情がこめられていた。そして金川はその視線を、加藤の斜めうしろにいる北村安春に向けた。金川義助の眼はいかりに燃えていた。北村は金川の視線を受けこたえられずに下を向いた。

金川義助は二度と教室へも、寮へも戻らなかった。金川義助の部屋には刑事がやって来て、家さがしをした。彼の部屋は閉じられたままになった。

暗い靄はやはりおりて来たのである。研修生たちはひとことも口をきかなかった。ひとりずつになって自分を防衛し、他人と関連を持たないように努力していた。

「金川義助は主義者だったそうだ。神港造船所から一度に二十三名の主義者がひっぱっていかれたそうだ」

村野孝吉が加藤に教えてくれた。

「君だってあぶないぞ」

村野孝吉がいった。金川義助と加藤文太郎との交友関係を村野はいったのである。

「警察にひっぱっていって拷問にかけるのだそうだ」

村野はそんな余計なことまでいってから、だが、君は外山先生がついているから大丈夫さとつけ加えたり、

「いや、外山先生がついているから、かえって影村先生ににらまれるんだよなあ」

などとうがったようなことをいうのである。研修生は少数である。なにもかも筒ぬけに知られているのである。加藤は村野の顔を見詰めたまま黙りこくっていた。金川義助が姿を消した途端に村野が接近して来たのが、加藤には因縁という言葉以上になにかの宿命を思わせた。木村敏夫は会社を去り、新納友明は死に、そして、金川義助は主義者として警察に拉致されていった。

（おい、村野、おれのそばへ近寄って来るとけっしていいことはないんだぞ）

加藤は村野にそういってやりたかった。木村敏夫も、新納友明も、金川義助もいい奴だった。するとこの村野孝吉も悪い男である筈がない。

「加藤よ、きみ早いところ外山先生にたのんで置いた方がいいぞ」

昼食のとき食堂で、村野がいった。

「なにをたのむんだ。いったいなにをたのむ必要があるんだ」

加藤は食堂のテーブルをげんこつで叩きながらいった。

「加藤さんいませんか、加藤文太郎さん」

声がわりしたばかりの給仕は、いやに張切ってばかでかい声をして加藤を呼んだ。

「研修生指導主任が呼んでいます。すぐ来て下さい」

研修生指導主任などとわざわざいう必要もないのに、それをいわないではいられない給仕は、いくらか紅潮した顔をして食堂の入口に立っていた。給仕は彼を動かす、なにかの権力を意識しているのである。明らかに加藤を見くだしている態度だった。

「加藤文太郎か」

加藤が研修所の事務室に入ると、影村一夫と話していた男がいきなりふりかえっていった。眼つきのよくない男だった。

「ついて来るがいい、逃げようたってもうどうにもならないんだ、おとなしく署までついて来るがいい」

加藤は、そうなることを全然予期しないでもなかった。金川義助との交友が、疑われる原因になることはありうることだったが、なんの釈明もさせずに警察へ引張っていくのは無法に思われた。

加藤は影村一夫に眼を向けた。先生、なんとかいって下さいという気持だった。影村の顔には嫌悪に似た表情が浮んでいた。憐憫も同情もなかった。ふん、ざまあ見ろという、残忍な眼が眼窠の奥で光っていた。

加藤文太郎は木の椅子に坐らせられたまま二時間放置された。ドアーには外から鍵がかけられてあるから外へ出られなかった。前に机があり、その上に紙と鉛筆が置いてあった。おそろしく寒い部屋だった。廊下を通る人の足音がたえずしていた。時折は立止って、外から内部を覗くような気配が感ぜられたが相手の顔は見えなかった。なんのためにここへ引張って来られて、なんのために二時間も放置されているのか、加藤にはわからなかった。思い当ることといえば、詩吟道場に二度ほどいったことだった。

(やはり主義者と間違われたのだ)

おれは主義者なんかではない。おれはただ詩吟の勉強のつもりで……。

ドアーが開いて刑事が入って来た。

「どうだ素直にドロを吐くか」

刑事がいった。

「それとも、ここよりもっと居心地のいい留置場の方へ入れてやろうか」

刑事はそういいながら加藤の周辺をぐるぐる廻った。

「なにもかも正直に白状するんだな、そうすればできるだけ早くここから出してやる。もし嘘をついたり、だまっていたりすると、ひとつきでもふたつきでも、帰れないことになるんだ、よく考えてみるんだな」

刑事はそういって部屋を出ていったが、三十分もすると、今度は若い刑事とふたりづれで入って来た。

「いつ主義者の仲間に入ったのだ」

加藤の前に坐った刑事の顔は酒でも飲んだのか赤かった。顔も赤いし眼も赤くにごっていた。

「私は主義者ではありません」

加藤がいった。

「きさま嘘をつくか」

その声だけは聞えたが、あとの方がわからなかった。刑事の平手が加藤の頬を力いっぱいたたいたのである。加藤は痛いとは思わなかったが、自分の頬から発する音に驚いて本能的に身をかばう姿勢を取った。それが刑事に次の打擲をあたえる原因をつくった。

「きさま、おれに手向う気か」

刑事の拳骨(げんこつ)が加藤の耳のあたりにとんだ。加藤は椅子からすべり落ちた。

「詩吟道場へなんどいった」

刑事は次の拳骨を用意しながらいった。

「二度行きました」

「主義者たちとなにを話したのだ」

「なにも話しません、ただ非常にむずかしい講義を聞いただけです」

「共産主義者の講義を聞いたというのだな」

「それがなんだか私にはよくわかりませんでした」

なんだこいつ、刑事はもう一度殴るかまえを見せた。若い方の刑事がその手をおさえて小声でなにかいった。

「その時の講義のことで覚えていることをなんでもいいからいってみろ、よく考えていうんだぞ」

考えようとすると刑事に殴られた耳のつけ根がずきずき痛んだ。

「いってみろ、さあいうんだ」

刑事の高い声におびやかされるように加藤はいった。

「社会集団的所有における対象となるべき私有は、労働手段と……」

そこまでいったがその先がいえなかった。

「先をいってみろ」

「覚えていません。そんなふうなむずかしいことを話していたのですが、私にはなにがなんだかさっぱりわかりませんでした」

「どうして二度でやめたのだ」

「面白くなかったんです。わからない講義を聞くより山へ行った方がいいと思ったんです」

刑事はノートになにか書きつけてから、

「つまり主義者の仲間から足を洗ったというんだな。それならなぜ、レポをやったんだ」

レポといわれても加藤にはなんのことだかわからないから黙っていると、

「とぼけるな、きさまは、金川義助に手紙をとどけたおぼえがあるだろう、これでもレポはしなかったといえるか」

刑事はさらにもっと重大な訊問にでもとりかかるつもりか前に乗り出した。

ドアーが開いて、巡査が現われ、刑事になにか耳うちをした。刑事の顔に不満な色が浮び、そして、その色を加藤に対する憎悪にかえると、

「ふん、一晩とめて置いてやろうと思ったが、きさまは運のいい奴だ」

刑事はそういうと、

「だが、気をつけるんだな。今度ばかなまねをしたら、もう許さんぞ」

刑事は黙って入口の方をゆびさした。出ていけという合図だった。きしきし音のする廊下を刑事の後についていくと、署長室の前で外山三郎が待っていた。

「さあ、おれと一緒に帰ろう」

外山三郎が加藤の肩に手を置いていった。外山が貰い下げ運動をしてくれたのだということは、すぐ加藤にわかった。警察署長が外山の知人であることは以前に聞いて知っていた。

外山は速足で警察を出ると、

「きみのことは警察の方でもたいして問題にしてはいないが、金川義助のほうは簡単に出しては貰えそうもない」

「金川は主義者なんですか」

それに対して外山は鋭い眼つきで応えたきりで、主義者とも、そうでないともいわ

ずに、

「金川は向学心に富んだ少年だった……」

外山三郎は悲痛な顔をした。

「加藤、腹が減ったろう」

「いいえ」

「なにか食べたくないか」

「いいえ」

「じゃあ、ぼくの家へ行こうか、新しく来た山の本があるぞ」

加藤は首をふった。

「それもいやか、じゃあどこへ行きたいのだね」

「浜坂へ帰りたい、ぼくは浜坂の家へ帰りたい……」

加藤は唇(くちびる)をかみしめていった。いかりと悲しみの混合した顔で、けんめいに涙をこらえながら、加藤はほんとうにそのまま故郷へ帰りたいと思った。

「もうすぐ正月が来る、その時になったら帰れるじゃあないか。それに、君はもうすぐ卒業すれば技手になれるのだぞ、立派な技術者となれるのだ、今日のことは忘れるんだ」

「忘れられるでしょうか」

「忘れるように努力すればいい、努力するのだ」

加藤はなんどかうなずいた。うなずきながら、刑事になぐられた右の耳のあたりの痛みがいよいよはげしくなるのを感じた。

加藤が寮に帰った時間はちょうど夕食の時間だった。食欲はなかったが食堂に出た。みんなに無事に帰って来た姿を見せてやりたかったのである。食堂には三十数名の研修生が飯を食べていた。彼等(かれら)は加藤を、恐怖の眼で迎えた。喜びの眼は一つもなく、ことごとくの眼は来ないでいい人を迎える眼だった。安堵(あんど)の表情はどこにも見当らず、迷惑をむき出しにしながら、表面的には無関心をよそおっている顔が多かった。あきらかに彼等は加藤を避けていた。加藤にそばに来られたり、加藤に話しかけられたりするのを極度におそれている顔だった。

「加藤が帰って来たんだって」

大きな声をしてかけこんで来た村野孝吉でさえも、食堂内のつめたい空気にしばらくはたじろんだほどだった。

「よかったなあ加藤……」

村野孝吉だけは、加藤の無事帰還を心から喜んでいた。

「さあ、めしを食べよう。そして今夜は早く寝よう、忘れるんだ」

村野も外山三郎と同じようなことをいった。加藤はめしには手をつけなかった。お茶を飲んだ。やたらに喉(のど)が乾いてしようがなかった。

「加藤、きさまの耳のあたりがひどくはれているぞ」

村野孝吉の眼にも、殴打(おうだ)のあとがはっきり見えるほどになっていた。

その夜、おそくなって加藤は熱を出した。もともと風邪気味だったのに、寒い部屋に二時間も置かれたことと、耳を殴られたことが重ね合わさった。彼の発熱は自分でもわかるように急上昇していった。

村野が加藤の看病をした。氷嚢(ひょうのう)を加藤の額に置いてやりながら、

「なあ加藤、がまんしろ、おれたちはやがて技手になり、技師にもなれるんだ。技師になれるのだぞ」

技師は技術者として最高の名誉である。技手から技師まで何年かかるかわからない。生涯(しょうがい)技師になれずに終るかもわからない。しかし道は開かれているのだ。

加藤は、技師ということばを頭の中で繰りかえしているうち、いつかそのことばとは遠ざかり、浜坂の海で父がひとりで舟の櫓(ろ)をおしている姿を眼(ま)のあたりに見た。父はいくら呼んでも返事をしなかった。日本海の沖へ沖へと漕(こ)ぎ出ていく父を加藤はし

きりに呼んだ。

加藤が急性中耳炎で入院した日は朝から強い風が吹いていた。風塵(ふうじん)の中を病院に運ばれていく加藤を、もうひとりの加藤が見ていた。

「加藤もとうとう死んだ。あいつは火葬場へ行くんだ」

加藤の耳にそう聞えた。

「死ぬものか、おれはちゃんと生きている」

加藤はうわごとのようにいいつづけていた。入院中、村野孝吉と外山三郎がしばしば見舞いに来た。そしてたった一回だけだったが影村一夫が見舞いに来た。

「加藤、どうだね」

その影村に加藤は顎(あご)を引いただけだった。外山や村野が来ると、ありがとうと小さな声でいう加藤が、影村にはそれをいわなかった。いう必要はないと思った。卒業までにまだ三カ月ある。その間に影村がどんないやがらせをしようとも影村に頭をさげたくはなかった。加藤は白い天井を見詰めたまま頑強(がんきょう)におし黙っていた。

退院を許された加藤は、その足で外山三郎のいる内燃機関設計部第二課を訪れた。もう何度も来たことのある設計室である。机や人の配置は変っても、部屋に入ったときの感じは少しも前と違ってはいなかった。

設計室は白色に溢れていた。製図板の白さ、明るい白熱灯、そして、白い上衣を着ている技師たちの姿、それは加藤文太郎のあこがれの場であった。いつかは、その設計室で、一つの机の前に坐り、一つの白熱灯スタンドからそそがれる光量を独占して、七つの海を航海する船の機関部を設計することが彼の理想だった。

設計室はいつものように静かだった。技師や技手たちは、設計図に向ったままで、よそ見をする者はいなかった。その部屋の中ほどの外山三郎の机のそばに見馴れない背広姿の紳士が立って外山と話していた。加藤は外山に来客と見て、引きかえそうとした。

「もう出て来ていいのか」

外山の方から声をかけてくれたから、加藤は、設計台の間を縫っていって、彼の前へ行くと、ぺこんと頭をさげて、いろいろお世話様になりましたといった。

「まだ顔色がよくないな、もう二、三日、休んだらどうかな。今のうちに身体を丈夫にして置いて、研修所を出たらうんと働いて貰わねばならないからね」

加藤は外山に黙って頭を下げ、そのそばに立っている紳士にも頭を下げて、廻れ右をした。外山三郎からそう遠くないところに、影村が坐っていることも、影村が、加藤の挨拶に来たのを意識しているのもちゃんと知っていながら加藤は、影村のところへはいかなかった。

「研修生かね」

加藤が去ってから、海軍技師立木勲平が外山三郎に訊ねた。

「そうです、五年の研修が終って来年はここへ入って来る予定になっています。研修生のなかでも、飛びぬけて優秀であり、かつ変り者なんです」

外山三郎は笑顔でそう説明した。

「変り者か、それはいい。内燃機関の技術は今のところ行きづまっている。この壁を突き破って前に進むには、変ったものの考え方や設計をしなければならない。おれは変り者大いに歓迎だな、なんという名前かね、あの男は」

「加藤文太郎、泳ぎと山歩きが得意です」

外山は自分の弟子を自慢するような口調でいった。

「加藤文太郎、立派な名前だな、大将か元帥になれるような名前だ。外山さん、あなたはあの男を、内燃機関の設計の大将か元帥に仕上げるんだね」

海軍技師立木勲平は外山三郎に言い残すと、大股で設計室を出ていった。

加藤文太郎の健康は急速に恢復していった。一時痩せていた身体もまた肉づきがよくなった。食欲が増した。彼は浜坂の家から送られて来る、乾し小魚をポケットの中にしのばせて、暇あるごとにぼりぼり食べていた。これまでにもよくやったことであった。

「乾した小魚なんかなんで旨(うま)いんだろう」

加藤が、乾した小魚を食べるのを見て友人がそういったことがある。漁師の子として育った加藤はむしろ、そういう相手の方がおかしく思われた。農家出身の子どもたちが、芋をおやつがわりに食べるように、漁業をいとなむ家に生れた加藤が乾し小魚を好んで食べてもちっともおかしくはなかった。

「文太郎や、乾し小魚さえ毎日食べていたら人間は病気をするものではない、乾し小魚は眼をよくするし歯をよくする」

加藤の幼少の頃(ころ)、祖母が彼にいって聞かせたことを彼はよく覚えていた。実際加藤は虫歯が一本もなかった。小柄(こがら)ではあるが、他人には負けない体力を自負していた。日頃乾し小魚を食べていたからこそ、今度の病気にも勝てたのだとも思っていた。

乾し小魚は噛(か)めば噛むほど味が出た。故郷の味と日本海のにおいがした。彼は寮にかえってひとりの部屋に寝そべって乾し小魚を噛みしめながら、おれはけっして孤独ではないと自分自身に言った。

大正十四年の一月を迎えた加藤は、浜坂から多量に送って来た乾し小魚でポケットをふくらませて、研修所と工場と寮との間を三角形に歩いていた。どこへも、いくつもりはなかった。村野孝吉が映画をさそいに来ても、村野以外の同級生たちが声をかけても、一緒に行動はしなかった。研修生全員の懇親会の席上にさえ彼は姿を見せなくなった。もはや、金川義助の詩吟は聞くことはできない。うっとりさせるように語尾をころがしていくあの名調子は、おそらく永久に聞けないだろうと思った。金川義助の消息は、情報屋の村野孝吉でさえ知らなかった。

北村安春が、彼の家から送って来たという乾し柿（がき）を加藤のところへ持って来た。

「いらないよ、おれは乾し柿はだいきらいなんだ」

加藤は、卒業近くなるにしたがって、北村が急に、同級生たちのご機嫌（きげん）を取って歩くのをにがにがしい眼で睨（にら）んでいた。

加藤は北村にかぎらず、同級生のすべてに必ずしも好感を持ってはいなかった。

（あいつ等（ら）は、あの瞬間おれを裏切った）

刑事にぶんなぐられて帰って来た夜のことを思い出すと、いまさら彼等とつきあう気にはなれなかった。村野孝吉は別だったが、特別なかたちでの彼との交友が続くと、村野もまた、加藤の今までの友だちと同じように、加藤のもとを去らねばならないことになるかも知れない。近づいた友が必ず離れていくという現実は、加藤にとっておそるべき恐怖だった。

二月になって、加藤の地図遊びがまた始まった。土曜、日曜は例外なく神戸の背稜の山を歩き廻った。雨が降っても、時には、小雪が降ることがあっても、彼は山行きをやめなかった。日曜日には朝早く寮を出て、夜になると疲れ果てて帰って来る。加藤がどこの山へ出かけていったのか誰も知る者はなかった。

ルックザックを背負った加藤は、いっさい乗物を使わずに、寮を歩いて出て、歩いて帰って来た。加藤がナッパ服に巻脚絆をつけ、鳥打帽子をかぶり、時には、毛糸の飛行帽をかぶって、芦屋の辺や武庫川のほとりをひとりで歩いているのを見掛けた者があった。

神港山岳会の中条一敏が加藤と六甲山脈縦走路で会った。中条は神港山岳会長の外山三郎にそのことを報告した。

「加藤文太郎という男は風のような男ですね」

中条が話し始めた。

神港山岳会は冬季六甲山脈縦走を計画した。縦走といっても、須磨から宝塚までの山路五十キロを一パーティーでやるのではなく、縦走路を四つに区分して、それぞれの区分に一パーティーずつを送りこんで、全縦走路をつなごうという計画だった。会長の外山三郎は横須賀へ出張中だったから、副会長の中条一敏が総指揮に当った。二月の第三日曜日の朝、四班はそれぞれ目的地点に向って出発した。

第一班の受持区域は塩屋から市ヶ原までであった。比較的楽なコースだったから年輩者がこのコースに参加した。この一行が加藤文太郎に追い抜かれたのは鉄拐山のあたりであった。加藤は風のように近づいて来て風のように去っていった。第二班は摩耶山の天狗道の急登路の途中で加藤に追いぬかれた。加藤は縦走路中もっともつらい登りとされているこの傾斜面を、まるで平地を歩くような速さで、すたすたと登っていったのである。ひとりが声をかけたが加藤は返事をしなかった。

中条一敏は六甲山のいただきで加藤が防火線上を頂上に向って真直ぐ登って来るのを見たのである。ここを直登する者はいなかった。そういう馬鹿げた登り方をやる奴は誰であろうと思って眺めているうちに、その人影はぐんぐんと近づいて来る。休もうともしない。たたずんであたりを見廻すようなこともない。頂上に向って一定の歩調で近づいて来るその男の歩き方には威力さえ感じられた。男は六甲山のいただきに立った。彼はハンチングを取って、腰の手拭で額の汗を拭きながら、海の方へちらっと眼をやった。それが加藤文太郎だった。

「おい加藤、加藤君じゃないか」

中条一敏は工場の方の係長をやっていたから、実習に来た加藤を知っていた。

中条に声をかけられた加藤はにやっと笑った。そして近づいていく中条をふり切るように、笹藪（ささやぶ）の道へ消えた。

「その加藤の笑いが、ひとを馬鹿にした笑いなんだ。嘲笑（ちょうしょう）といったほうがいいかも知れない。とにかくひどく癪（しゃく）にさわる笑い方なんです」

中条がいった。

「いや、そうかも知れない、そう受取れるかも知れない。しかし加藤の笑いには、なんの悪意もないのだ。彼はもともと表情を持ち合せない男なんだ。いつも彼は怒ったような顔をしているだろう。あれが彼の普通の表情であり、そして、加藤が笑う時は、よほどの親近感を持った時なんだ。彼ははにかみ屋でもある。はにかみながら、せいいっぱいの親愛の情があの笑いになるのだ。他人には、皮肉とも軽蔑（けいべつ）とも嘲笑とも受取られる笑いになるのだ」

外山三郎の説明で中条一敏はどうやらわかったような顔をした。

「しかし、加藤は損ですね。山の中であんな笑い方をされたら、たいていのものなら腹を立てる」

「そういうな、加藤ももう子供ではない。彼もそのことを充分知っているのだ。知ってはいるがにわかに表情をかえるわけにはいかない。むしろまわりの者が理解してやらねばならない」

「できそうもないですね」

中条ははっきりいってから、

「もう、彼の山歩きは、常識を越えていますよ」

「というと」

外山三郎はさぐるような眼を中条に向けた。

「私と六甲山頂で会った加藤はその足で、石の宝殿、譲葉(ゆずりば)峠、塩尾寺、宝塚と縦走し、宝塚から電車にも乗らずに、和田岬(わだみさき)の会社の寮まで歩いて帰ったんです」

「冗談いっちゃあいけない」

外山は中条一敏の言葉をおしとどめた。

「須磨から宝塚まで五十キロある、夏のいい状態のときでさえ足の達者な者で十四時間はかかる。六時に須磨を出て宝塚へつくのが夜の八時だ。冬場の霜溶(しもど)け道の悪路を一日で踏破することは不可能に近い。しかし加藤のことだからやれるかもしれない。が、宝塚から和田岬まで歩いて帰ったなどということは……、宝塚から和田岬まで歩いたら朝になる」

「そんなことは外山さんにいわれなくたって、ぼくだって知っています。しかし、その不可能と思われることを加藤はやったのです。加藤は日曜日の夜の十一時三十分に寮へ帰っています」

中条一敏はそこまで話すと、身体全体から力を抜くようにして、

「とにかくおそるべき山男ですよ、加藤文太郎という男は」

外山は大きくうなずきながら、おそるべき山男ということばをくりかえしていた。六甲縦走路はまだ完全ではない。よほど調査してないと道に迷うおそれがある。おそらく加藤は長い間、何回となく自らの足で歩き廻って、縦走路を熟知しているのであろう。それにしても、あまりにも常識はずれの加藤の山歩きを、ただ黙って見ていていいのだろうか。

「会長、あなたは加藤を神港山岳会へ入れようと思っているでしょう、もうその時期はすぎていますよ。あいつは、われわれの山岳会なんかでくすぶっている男ではありません。それに、ああいうとびはなれたのが入ることは会の統制上かんばしくありません」

中条一敏は外山三郎にだめをおすようにいった。

「もう、加藤は手のとどかないほど遠くを歩いているというのか」

外山三郎はひとりごとのようにいってからすぐ、

「いや、あれをひとりで置いてはならない、ひとりで置けば、彼はいよいよひとりになり切ってしまうのだ、それはいけない、彼にとっても日本の山岳界にとっても、それは大きな損失なんだ」

「なんですって」

中条一敏は、外山三郎が、日本の山岳界のためなどということをいきなりいい出したので、ひどくびっくりした眼で、外山三郎の顔を覗（のぞ）きこんでいた。

7

窓の外で小鳥が鳴いていた。一羽（わ）ではない、二羽か三羽がさえずっている声が、研修所卒業生代表として謝辞を述べようとしている加藤文太郎の耳に入った。神戸は山が近いから小鳥が多い。山手の住宅地の庭に野鳥の訪れることはめずらしいことではないが、海に近い和田岬にまで小鳥が姿を現わすことはまれであった。卒業式は会社の講堂で行われていた。講堂と隣接している庭が小鳥を呼びよせるにふさわしいほどの広さを持っているとは思われなかった。おそらく小鳥の訪れは春の陽気のせいにあるのだろう。その日は、小鳥たちが、その遊飛範囲を拡大するにふさわしいほどうららかに晴れていた。

加藤文太郎は謝辞と大きくおもて書きをしてある、包み紙を取りのぞき、折目をつけてたたみこんである紙を開いた。胸の鼓動が高まっていくのがはっきりとわかる。彼は力強い声で、読み出した。ほとんどその内容は暗記するほど頭の中に入っていたが、晴れの席でそれを読むと声が震えた。謝辞の半ばまで読んでようやく落ちつきを取り戻していた彼はちょっと顔を上げた。前に研修所長がひどく緊張した顔で立っていた。その背後にずらっと並べられた椅子には、会社の幹部が坐り、やや離れたところに研修に参加した教師たちがならんでいた。卒業する十六名よりはるかに多い人がそこに坐っていた。

「無事卒業の栄に浴することができたわれわれ十六名は……」

加藤文太郎はそこまで読んで来たとき、彼の視角のはずれにいる影村一夫が、ぴくっと身体を動かしたように感じられた。加藤はその謝辞の草案を影村一夫に見せたときのことを思い出した。影村は机上からペン軸を取り上げると、

「五年前にこの講堂で行われた入所式に参加したわれわれ新入生の数は二十一名であったが現在ここに晴れの卒業免状を手にするのは十六名……」

と書いた一節を赤インキで乱暴に消してから、

「卒業生十六名だけでいい、余計なことは書くな」

影村はきびしい口調でいった。卒業生十六名中には、途中で補充入学して来た者が三名いる。従って、五年前に加藤と一緒に研修所の門をくぐって、今卒業証書を手にすることのできる者は十三名である。五年間に八名という脱落者がでたのである。

加藤は謝辞を読み終って研修所長の前に置くと一礼して席にかえった。重荷をおろしたという気持のあとから、五年間に消えていった八名の同級生の顔がつぎつぎと浮んで来る。

木村敏夫、新納友明、金川義助の三人は加藤に多くの影響を与えた友人であった。自ら研修所に見きりをつけて、出ていった木村敏夫はその後どうしたろう。刑事に手を取られて寮を出たまま二度と姿を見せない金川義助はどこにどうしているのだろうか。加藤は研修生中一番の成績を持って卒業した自分と、自分以上に実力がありながら卒業できなかった友人のことを考えると胸のつまる思いがした。

「起立、礼」

の声が聞えた。加藤ははっとなって立上って正面を向いて礼をした。卒業式は終ったのである。卒業式に引きつづいて、研修所の食堂で卒業祝賀会が催されることになっていた。卒業生と教官たちはぞろぞろと講堂を出ていった。講堂を出てすぐの廊下の窓が開け放されていた。加藤はそこで立止って、庭の方へ眼をやった。さっきから鳴いていた小鳥の姿を見たかったからである。庭の桜が散りかかっていた。小鳥の姿はみえず、白い上衣(うわぎ)を着た男が庭の隅(すみ)にテーブルを持ち出して、なにか実験をやっていた。

祝宴会場にビールが用意されていた。卒業生十六名のうち三名は既に徴兵検査が終っており、あとの十三名は、ことし徴兵検査を受ける予定の者ばかりだった。祝宴にビールが出ても、少しもおかしくはない年頃(としごろ)の若者たちだった。さすがに卒業という喜びが一般的には祝宴を明るくしてはいたが、隅々に暗いかげがうずくまっているのを見おとすことはできなかった。

「金川義助がいたら、この辺で詩吟をやるだろうなあ」

村野孝吉が、祝宴会がなんとなく気勢のあがらないのを見ていった。

「そうだ金川義助がいたら……」

加藤は突然襲われた悲しみに声をのんだ。加藤ひとりだけではなく、十六名の研修生すべての悲しみだった。陽気な顔をして、ビールを飲み、大声で話していても、彼(かれ)等(ら)の心の中には、八名の脱落者への同情と、彼等と同じような立場にいつ立たされるかも知れないという不安があった。社会全般の暗いかげは業のように彼等につきまとっていた。十六名は卒業した。しかし、その中から何名かは、不況対策の犠牲者として会社を去っていかねばならないだろう。会社を去らずとも、会社の内部にいながら、火の出るような生存競争が行われるのだ。技術者としての優秀さを認められて抜擢されるものもあるにはあるが、特別に目立つような仕事をしないかぎり、同期の研修生を抜いて昇進することはまずあり得ない。技術が同等だと仮定すれば、あとは黙って年功序列を待つか、空いている椅子に向って上手に泳いでいくしか手はなかった。どっちみち技師になるのは容易なことではない。技手としてこつこつ働いて、退職間際に技師になるのが、先輩たちの歩いた道だった。十六名の研修所卒業生たちは、卒業免状を手にした瞬間、彼等が老いさらばえても尚且つ技手としての肩書きのもとに、大学出の若手技師の頤使に耐えねばならない人生を見つめていたのである。

　隅の方で拍手が起った。田窪健が椅子の上に立上ってしきりに手をふった。田窪という男は剽軽者だった。人を笑わせることがうまく、こういうパーティーにはなくてはならない男だった。

「これより、はだか踊りをはじめます」

田窪がどなった。わあっと歓声が湧いた。気の早いのが、田窪のズボンに手をかけた。

「はだか踊りは当世流家元北村安春君の枯れすすきでございます」

田窪がはだか踊りをやるならば、うなずけることだったが、北村安春がやるというので、みんな一瞬意外な顔をした。だが、すぐそのあとでとってつけたような喚声が上った。そろそろアルコールが廻っていたし、この際、田窪であろうが北村であろうが、かまったことはない。景気よくなにかやって欲しいという、ひやかし気分で声を上げたのである。

踊りの場があけられた。田窪の音頭で、祝宴とは似ても似つかぬ、枯れすすきの歌が歌い出された。すると、食堂の賄部の方から、素裸になった北村安春が赤い布一枚をふりかざしながら踊り出て来て、枯れすすきの合唱に合わせて踊り出したのである。テンポのおそい踊りであった。北村の持っている赤い布は、器用に動いた。あるときは、それは枯すすきになり、ある時は、船頭の持つ竿になり、ある時は、オレになりオマエにもなった。赤い布が、種々の役目を帯びて動いている間中、その一端は、北村安春の恥部をたくみにかくそうとしているようであったが、枯れすすきの歌がいよいよ最後に近づいて来ると、北村安春は背伸びするように立上って、赤い布を延ばした。彼の股間の動勁がぴょこんぴょこんとこっけいなすずめ踊りを見せてはだか踊りは終った。

拍手が湧くなかで、加藤文太郎ひとりはにがにがしい顔をして立ちつくしていた。会場には会社の幹部がいた。第一工場長は腹をかかえて笑った。第二工場の技師長は今年の卒業生の中にはなかなか元気のある奴がいるじゃあないかといった。服を着て出て来る北村安春にビールをついでやる技師もいた。

「ばかな……」

加藤は口の中でつぶやいた。北村は卒業と同時に自分を売り出すことを考えていたのだ。たとえ、まっぱだかになって、男性の象徴を人前にさらけ出しても、自分を他人より先に認めて貰いたいと考えている北村の根性がみえすいていた。加藤は宴会場に背を向けて廊下に出た。そのあとを追うように外山三郎が手を伸ばして加藤の肩をたたいていった。

「加藤君、はだか踊りをいちがいに軽蔑してはいけないぞ、あれだってなかなか勇気のいることだ。しかし君にはああいうことをけっしてすすめはしない。ぼくは君に、設計者としてのはだか踊りをいつか見せて貰いたいと思っている」

「設計者としてのはだか踊り？」

加藤は立止った。

「設計者となった場合、多かれ少なかれ、他人の真似ごとをするようになる。他人の真似をしないほんとうの独創的な考えはなかなか出ないものだ。きみは若い。旧来の方法にこだわらず、自由奔放な夢を製図板の上に描くことができる。従来の機械設計者たちがあっと驚くようなはだか踊り的新設計を見せることも、きみならできるのだ」

外山三郎の顔はビールのために幾分紅潮していた。それだけいうと、いつものようににっこり笑って、瀟洒なうしろ姿を加藤に見せながら足ばやに去っていった。

研修所を卒業すると、研修生は寮を出なければならなかった。村野孝吉が加藤に下宿を探してくれた。

「あの下宿がいやだったら、おれが入ることに決っている下宿に君が入ってもかまわないぞ、おれはどっちだっていいからな」

村野孝吉はそういってくれた。

村野孝吉の紹介してくれた下宿は池田上町にあった。加藤はその家が山手にあることで第一に気に入った。外山の家からもそう遠いところではなかった。南面に向いた二階の六畳間だった。同宿人はおらず老人夫妻と小学校に通っている孫娘がひとりいるだけだった。賄いつき十八円五十銭もそう高い下宿料ではなかった。

二階の雨戸をあけると、夕焼空が見えた。日はよく当りますよと婆さんが加藤が聞かない前にいった。気さくな婆さんだった。加藤を案内してさっさと階段を登るところを見ていると、身体はしっかりしていた。二階は二部屋あって、となりは四畳半だったが、その部屋には、ドアーがついており、洋室づくりになっていた。その部屋を見せてくれと加藤がたのむと、婆さんはきらっと眼を光らせていった。

「この部屋はせがれの部屋ですから」

「おられるんですか」

「せがれは外国にいっているんですよ、いつかえってくるか分りませんが、帰って来るまでこうしておくんです」

婆さんは加藤の顔をさぐるように見て、下にお茶が入っていますからといった。老人はほとんど口をきかなかった。軽く会釈しただけで、加藤の前から、のがれるように奥へ入っていった。

「主人は変りものでしてね」

婆さんはそういうと、学校からかえって来たばかりの孫娘の頭をなでながら、

「この子は学校で一番成績がいいんです。とくに作文が上手でね……、美恵子ちゃん

このおにいさんに作文見せてあげなさい」

美恵子はすきとおるように青白い顔をした、眼ばかりやけに大きな子だった。美恵子はその眼で加藤の顔を穴のあくほど見つめていた。

加藤は、この家——彼が下宿しようとしている多幡新吉の家に暗いものを感じた。日当りはいい、家人は悪い人ではなさそうである。同宿人はいない。加藤は彼をじっと見つめている美恵子の青い顔だけが気になった。

加藤はさめかけているお茶をごくりとのんで立上った。加藤が黙って立上ったのを見て、加藤がここに下宿することを嫌ったのだと見てとった婆さんは一瞬、固くなった顔に強いて微笑をつくろうとした。その顔が醜くゆがんだ。

「おばあちゃん、このおにいちゃん二階へ来ることになったの」

美恵子が訊いた。

「いいえ、まだそうとはきまっていないのよ」

婆さんは孫娘をなだめるようにいった。下宿人を置くことによって、多幡家の家計がいくぶん助かることと、この暗い家を明るくするために新しい人が来ることを少女は望んでいるのだ。加藤は美恵子の眼の中にその願いを見てとっていた。

加藤は黙って玄関に出ていって靴を穿いた。そして、くるっとふりかえって、婆さんのうしろに心配そうな顔で立っている少女にいった。

「明日、荷物を持ってやって来るからね」

そして加藤は二階につづく階段に眼をやってから、彼の新居となるべき、その家の玄関を出ていった。

加藤は内燃機関設計部第二課勤務を命ぜられた。

8

はじめて貰った俸給袋（ほうきゅうぶくろ）は加藤の上衣の内ポケットでかさこそと音を立てていた。立つときも、坐るときも、定規にそって鉛筆を滑らせるときも、俸給袋は鳴った。よくよく心を静めて聴くと、呼吸をするたびに上衣の内ポケットの俸給袋は鳴っていた。

加藤はその俸給袋を庶務係員の田口みやから受取るときは、もう十年も二十年も俸給を貰いつけている人のように、慣れた手つきで受取ると、記載事項にちらっと眼をやって、ほとんど反射的に俸給受取り簿に印をおした。はじめての俸給を受取る者の感激はどこにも認められなかった。そしてそのごくスムーズに行われていく、金銭の受け渡しについて、誰（だれ）も興味を持って眺（なが）める者はいなかった。加藤は、研修生活五年間、毎月一回、俸給ではないが、研修手当として若干の金を受理していた。その研修手当の金の入った袋も彼のふところで鳴ったはずだが、そのことは記憶にはなかった。はじめての俸給が内ポケットで鳴るのは、研修手当と比較しての金額が格段に多いからではなかった。金額よりも、自ら働いて得た喜びが紙袋の音となって聞えて来るのである。それにしても、その喜びをいっさい、外界に出そうとしない加藤のかたくななほど固定化された表情はむしろつめたいものにさえ見えた。

俸給は午後の二時に貰ったが、退社時刻近くになっても、まだ袋の音はやんではいなかった。俸給袋は歩いているときが一番よく鳴った。会社の廊下を歩いていて、彼のふところの俸給袋の音が、廊下を歩いている会社の人に聞かれはしないかなどと思ったりした。俸給を貰ったのは彼ばかりではなく、会社の人はことごとく、俸給袋をふところにしているのだから、どの人のふところでも袋は鳴っているはずであった。廊下で村野孝吉に会ったら、彼は加藤の耳もとでいった。

「みんなが集まって祝杯を上げようっていう話が出ているんだ。おれたちは初めての月給を貰ったんだ」

村野孝吉はふところをたたいて言った。加藤はうなずいただけだった。

上衣の内ポケットで鳴る俸給袋が気になる原因のもうひとつは、その金の処分であった。彼は頭で算術をする。下宿代十八円五十銭、昼食代九円、洋服の月賦、月に十円、小遣十円、交通費五円、計五十二円五十銭、月給が六十円だから差引き勘定七円五十銭残ることになる。その七円五十銭はなんに使ったらよいだろうか。そんなことを想像していると、手の動きがにぶくなった。いままで感じたことのない、妙にくすぐったいうれしさが彼を落ちつけなくさせた。

退社時刻が来たらなにかしなければならないような気がしてならなかった。このまま俸給袋を持って下宿へ帰ってはいけないような気がした。そうかといって行くあてはなかった。そうなると、俸給袋をいだいたまま退社時刻に近づくことが、かえって不安だった。

退社ベルは正確に鳴った。

しばらくは課の中は静かだった。三分、五分ぐらいたつと課員は持場から離れて、それぞれ帰宅の用意をはじめた。

「加藤君、今夜はなにか予定があるかね」

課長の外山三郎が加藤の机のそばに来ていった。

「別になにもありません」

「それなら、ぼくとつき合わないかね、ぜひ君に紹介したい人がいるんだ」

といってから、

「そうそう、きみはいつか芦屋（あしや）の岩場で藤沢久造さんに会ったね。すると、別にあらたまって紹介するまでのこともないが、藤沢さんのようなベテランに山の話を聞くのもなにかとためになるだろう」

加藤はうなずいた。別に行くあてはなかった。藤沢久造にどうしても会わねばならない理由はなかったけれど、外山三郎の前で首を横にふるほどの理由もまたなかったのである。

「どうかね、加藤君、俸給をはじめて貰った気持は悪くはないだろう」

外山三郎は歩きながらいった。

「いろいろと胸算用してみるのも楽しいが結局はこれがもっともいいという使い方も見つからないものだよ。自分で働いて得た金だと思うと、そうやたらに使うわけにもいかないしね。だがそれは、最初のときだけのことで、二度目からは、足りない、足りないの連続で、とうとう、結婚まで追いこまれてしまうんだ。ぼくはね、結婚するとき、貯金がたった三十円しかなかった。あまり自慢できた話じゃあないが、ほんとうの話だよ」

そして外山三郎は、急に思いついたように立止って、

「なにか将来金が必要になるようなはっきりした目的があったら、最初の俸給から貯金していかないと駄目(だめ)だよ。たとえば毎月十円ずつ貯金するんだったら、きみは五十円の月給取りだと最初から思いこんでかからないといけない、それはなかなかむずかしいことだ」

外山三郎と加藤は三宮駅の近くで電車をおりると、赤レンガの建物の地下室に入っていった。白いテーブル掛けが加藤の眼に真直(まっす)ぐとびこんで来た。焼き肉のにおいがする。外人が二組と、日本人が一組いるだけで、あとのテーブルはあいていた。

「さあ、加藤君……」

外山三郎が入口で突立っている加藤を誘った。一番奥のテーブルにいる藤沢久造が手をあげて合図した。

加藤は坐(すわ)ってもじろじろとあたりを見廻(みまわ)した。身分不相応なほど豪華なレストランに見えた。こんなところへ来ていいのかと自分自身を見直した。彼は、研修所時代と全く同じ、カーキ色の作業衣を着たままだった。

藤沢は外山三郎に課長に昇進したお祝いのことばを述べてから、加藤に坐るようにいった。加藤は、ぺこりと一つ頭をさげただけだった。なんの目的でこんなところへ連れて来られたのかと考えると、また別な不安が持上って来るのである。スープが運ばれた。そして、肉が運ばれて来る。さあ遠慮なくどうぞと、藤沢久造にいわれて、加藤はナイフとフォークを取ったが、それをうまく使うことはできなかった。おそらく神戸でも一流のレストランに違いないと加藤は思った。そういうところへなぜ呼んで御馳走してくれるのか分らなかった。外山三郎がそばにいてくれるからいいものの、もし相手が藤沢久造ひとりだったら、おそらく加藤は逃げだしたにちがいない。しかし、そばにいる外山三郎がいっこう平気な顔で、藤沢久造と、さかんに山の話をしながら肉を口に運んでいるのを見ると、この席が特に警戒を要するものとも思われなかった。

加藤は味のない夕食を終った。うまかったという感じはなく、石のように固い肉が腹の中にたまったような気持だった。

「加藤君、神戸ってところはいいところだね。前が海、うしろは山、神戸の町から歩いて直ぐのところに山があるんだ。岩登りをやろうと思えば、けっこう岩場もあるし、縦走で足をきたえようと思えば、それもある。信州が山に恵まれているといっても、松本から上高地に入るにはまるまる一日はかかる。信州にかぎらず、日本中どこを探したって神戸ほど、山男向きにできているところはない」

藤沢はその自説に対して外山の見解をうかがうように眼をむけてから、

「こういうところで規則的に登山の下地を作っておくことが、高い山をのぞむ者の絶対欠くべからざる条件なんだな。ぼくはね外山君、このような環境に恵まれた神戸から、やがてはヒマラヤを征服するような登山家がでることを信じているんだ。さっききみと話していたヒマラヤだって、結局のところは足で勝ち取る以外にないのだからね」

なるほどと外山三郎はいくどもうなずいてから加藤に向って、

「加藤君どうだね、ヒマラヤは」

外山三郎は微笑をまじえながら加藤に話しかけた。

「行けない山のことなんか興味はありません」

加藤はそっけなく答えた。

「行けない山だって?」

藤沢久造の眼がきらりと光った。それまでずっとおだやかな顔で外山と話していた藤沢とは別人のようだった。

「行けないのではない、行かないいんだ。行かないから未征服の山がそのまま残されているのだ。八千メートル級の山だって、いくつあるのかも、ほんとうはまだ正確には分っていないんだ。まして七千メートル級の山になると、地図にない山、あっても名前のついていない山が数え切れないほどあるんだ」

藤沢久造は加藤の眼をとらえたまま更につづけた。

「行けないんじゃあない、行かないんだ。日本人はまだ誰も行こうとしないのだ、第一に登山技術の未熟、第二に遠征費用……」

「登山技術のどういうところが未熟なんでしょうか」

加藤は藤沢の眼を真直ぐ見ていった。

「今の日本は西洋の登山技術を真似ることにいそがしくて、それ以上のものを創り出すことはできない。つまりまだ自信を持つまでにたちいたっていないのだ。登山の歴史と経験が浅いからやむを得ないが、少なくとも日本人の体力の限界なるものが未知数であるかぎりは、ヒマラヤに挑戦はできない」

体力の限界……加藤文太郎は藤沢久造のいったことばを口の中で反覆してから、

「たとえば登山技術が向上したとして、遠征費用はどのくらいかかるのでしょうか」

「かけようと思えば、いくらかけても充分とはいえないだろう。しかし、一人最低に見積っても二千円ぐらいは自己負担金を用意する覚悟でないと遠征隊は出せないだろう」

加藤の顔に小さな動揺が起った。彼は二千円を彼の月給の六十円で割ってみたのである。月給をそっくりためても約三年はかかる金高だった。

「しかし、日本人の誰かによって、いつかはヒマラヤのピークが征服されることは間違いない。ぼくはそれが、そんなに遠い将来とは思っていない」

藤沢久造は最後の方を自問自答のかたちでいった。

「藤沢さん、ぼくにヒマラヤがやれますか」

それは藤沢久造にとってもそばにいる外山三郎にもまったく思いがけない質問だった。

「自分に勝つことだ。そうすればヒマラヤに勝つことができる」

藤沢久造は加藤の視線をはねかえすような鋭い眼つきでそういうと、急に顔をほころばせて、

「まだまだヒマラヤのことなど考えないでもいい。ヒマラヤを口にする前に、登らねばならない山が日本にはいっぱいあるからな」

藤沢は怒ったような顔をしている加藤の肩を叩くと、手をあげてボーイを呼んで、支払いをはじめた。

「ぼくの分はいくらですか」

加藤が大きな声でいった。いいんだよと藤沢がいっても、外山が、加藤君こういう

場合は先輩にまかせておけといっても、加藤はきかなかった。彼は上衣の内ポケットから、今日貰ったばかりの俸給袋を出して、ぼくの分はいくらなんです、ぼくの分はぼくが払いますといってきかなかった。藤沢は負けた。そんなにいうなら君の分は君に払って貰おうと、二円五十銭加藤から受取った。加藤は、これで、いっさいのことがけりがついたというように、気をつけの姿勢をとって藤沢と外山に頭をさげるとさっさとレストランを出ていった。

「どうもすみませんでした、なにしろ、加藤は、まだやっと世の中に出たばかりなので」

外山は藤沢久造にわびを入れた。

「いやいや、あの男はたいした奴だ。この前、芦屋の岩場で会った時は、汗を流すために山に登るといっていた。あのときぼくはこいつはただものではないぞと思っていたが、やはりあれはほんものだよ」

「ほんものというと」

「いわゆる登山家という奴の中には、にせものが多い。こういうおれもにせもののひとりだ。きみもけっしてほんものではない。ほんものの登山家というのは、すべてを自らの力で切り開いていく人間でなければならない。加藤文太郎といったな、あいつは。彼はそう遠くないうちに日本を代表するような登山家になるだろう」

藤沢久造は、出ていった加藤のほうを見詰めながらいった。

「あの加藤を神戸登山会のメンバーに推薦しようという人がいるんですが、どうでしょうか。彼は冬の神戸アルプスを須磨から宝塚まで一日で縦走したあげく、余力を持って宝塚から和田岬まで歩いて帰るという驚異的な実績を持っています。彼のような活動的な若手登山家を神戸登山会に入れたら、神戸登山会ばかりでなく、関西の山岳界全体が強化されることにもなると思うんですが」

外山三郎は藤沢久造の顔を見ながらいった。

「そんなことをいったのは、神戸登山会の岩沼敏雄君あたりだろう。岩沼君は関東の山岳会を意識しすぎる。関東の山岳会に対して対立感情を抱きすぎるようだ。こんなせまい日本で、関東も関西もない。関東の山岳会に対抗するための選手に加藤文太郎を仕上げようなどというけちな考えはやめた方がいい。どうだね外山君、きみの考えは？　きみだって、加藤を神港山岳会に引っぱりこもうとして、結局あきらめたのは加藤をもっと広い世界に放してやろうと思ったからだろう」

藤沢久造に開き直ってそう言われると、外山は返答に窮した。

「だが、加藤を、どこの山岳会にも入れずに放って置いていいものでしょうか？　やはり、どこかの山岳会に入れてしこまないと」

　おいまて、と藤沢久造がいった。

「誰が加藤をしこむのかね。冬の神戸アルプスを一日で縦走して、尚かつ宝塚から和田岬まで歩いて帰るなどという、超人的な男を誰がしこむのだね。きみたちは基礎的なものを教えるというだろう。その必要はない。基礎的な教育が必要なら、彼を、外山君の書斎へ引張っていって本を与えておけばそれでいい」

「すると、藤沢さんはどうすればいいっておっしゃるのでしょうか」

　外山三郎はやや詰問のかたちで聞いた。

「放っておくことだ。彼の芽を伸ばすには放っておくのが一番いい。ああいう大物は下手な先生をつけずに置いた方が、素直なかたちで伸びる。ただ、誰かが常に見守ってやっていることだけは必要だ。そうしないと、とんでもない方向に伸びていってしまわないともかぎらないからな。その目付役には外山君がいい、どうやら加藤は外山君のいうことだけはきくらしいからね」

　藤沢久造は葉巻に火をつけた。

「ぼくの食べた分はぼくが払いますか、どうだね外山君。すばらしい根性をたくわえた男じゃあないか。あの精神が登山家の精神なんだと思わないかね。いかなることがあっても、自分のことは自分で処理する。偏窟にも思われるほど、妥協性を欠く、あの独立精神が、結局は山における人間に通ずるのだ。加藤に関するかぎり、彼が望まないかぎりは決して妙な色に染めようとしてはならない」

藤沢久造は静かに立上った。

加藤文太郎のふところの中の俸給袋はもう鳴らなかった。加藤は、怒ったような顔をいくらか紅潮させたままで、宵の町を彼の下宿の方へ歩いていた。彼の頭はヒマラヤでいっぱいだった。ヒマラヤ行きが不可能ではないと藤沢久造から教えられたとき加藤文太郎の人生観は変った。

「お帰りなさい、ごはんまだでしょう」

多幡てつは加藤の顔を覗きこむようにしていった。

「食べた」

加藤は答えると、てつの方は見向きもしないで二階へ登っていった。

二円五十銭とは高い夕食を食ったものだと思った。彼の一日の稼ぎ高よりも上廻った食事をしたのだと思うと、ひどくばかげたことをしたように考えられた。月給を貰ったら高級料理店で思い切り上等な洋食を食べてみたいと思っていた彼が、突如として、金をおしむ気持になったことを加藤は危ぶんだ。

（はたして、生涯の目的をヒマラヤにかけていいだろうか）

あらゆるものを、場合によっては、青春さえも犠牲にしてヒマラヤをのぞむことが、意義あることだろうか。加藤は机の前に坐ったまま考えつづけた。加藤はヒマラヤを知らない。ヒマラヤの写真は、いつか外山三郎の家で見せて貰った。その山が彼の頭の中で際限もなく拡大されていった。ふり仰いでも、いただきは見えないほどに高い。彼はためいきをついた。

彼は机上の鉛筆を取って、紙の上にヒマラヤという字を書いた。頭の中のヒマラヤを字としてそこに書くと、ヒマラヤはやはり、彼とは関係のない外国の山に思えてならなかった。加藤は、ヒマラヤの字を憎んだ。彼と関係のないヒマラヤがこうまで彼をとらえて放さないことにいきどおりを感じたのである。ヒマラヤという字は無限に書けた、またたく間にレターペーパーの一枚はヒマラヤで一ぱいになり、二枚目も三枚目もヒマラヤで満たされていった。レターペーパーの最後のページが残った。そこに加藤文太郎は数行の文字を書いた。

和田岬まで歩いて通う

洋服なんかいらない
交際費は使わない
下宿代、昼食代、小遣銭——
彼はその四行を書いてから、下宿代、昼食代、所要小遣銭を頭の中で加算して、その合計を月給の六十円から差引くと二十二円五十銭のおつりが出た。
加藤は彼の俸給袋の中から二十二円五十銭を取り出して、ヒマラヤの落書きでいっぱいになった紙片に包んでから更に、レターペーパーの余白で、こまかい計算を始めたのである。もし毎月二十二円五十銭ずつ積み立てていったら十年かからずとも、二千円の貯金はできる。そのことがヒマラヤへ行くこととつながるならば、ヒマラヤは夢でなくなるのだ。
加藤は鉛筆を置いた。頭の中は整然としていた。いよいよ繭（まゆ）を作る段階に入った蚕のように、自分の頭の芯（しん）まですきとおって見えるような気がした。すきとおった頭をとおして、ヒマラヤが見えた。
翌朝加藤は前日より一時間早く下宿を出た。和田岬まで歩いていくつもりだった。彼の足で一時間はかからなかったが、最初だったから、もっとも通勤に便利な道を選ぶためにそれだけの時間をかけたのである。その日の昼食休みに村野孝吉が洋服屋をつれて加藤のところへやって来た。既に村野孝吉は仕立ておろしの紺の背広を着こんでいた。

「どうだい、似合うだろう」

村野は加藤に彼の洋服を見せびらかしてから、洋服屋を紹介した。薄い口唇をして、金縁の眼鏡をかけた洋服屋だった。ぺらぺらと一方的によくしゃべる男だった。加藤が、作るとも作らないともいわないうちに、見本を出して、これがいい、こっちがお似合いですなどといった。

「おれは五カ月月賦にしたよ」

と村野孝吉はいった。

「おれは月賦なんかいやだ」

加藤文太郎は、洋服屋の顔を敵の顔でも見るような眼で睨みつけていった。

「全額お支払いいただけましたら一割はお引きいたします」

洋服屋は腰をまげた。

「洋服が買えるだけの金がたまったら買うよ」

加藤はそれ以上洋服屋の相手になろうとはしなかった。洋服屋が帰ってから、村野孝吉がいった。

「きみ、どこか洋服屋のあてがあったのか。どうもすまなかったな」

村野はさしでがましいことをしてしまったという顔で頭をかいた。

「いや洋服屋のあてはないんだ」

「じゃあ、きみ……」

「きみたちは新しい背広を作ればいいだろう。おれは当分このナッパ服で通勤する。おれにはこの服がほんとうに気に入ったのだ」

「だが加藤それじゃあ――」

「神港造船所の技手になったんだからそれらしい服装をしろっていうのだろう、ぼくは服装なんかどうだっていいんだ。現に造船所に働いている半分ぐらいの人は、この服を着て通勤しているじゃあないか」

村野孝吉は何度も頭を下げた。村野は人を疑う男ではなかった。技手になったからすぐ洋服を着て、工員たちに見せびらかそうとする、あさはかな魂胆をこっぴどく加藤に指摘されたような気がした。いかにも技手になった。だが仕事はまだなんにもできないのだぞ、と加藤に面と向っていわれたような気がした。

「やはり、きみはちがうなあ」

村野は嘆声をもらした。尊敬と畏怖と、ごくわずかながら揶揄のひびきがこめられていた。

加藤は黙っていた。村野孝吉に悪いと思っていた。月賦で背広を買うつもりだったが、ヒマラヤという目的ができたのだから、それをしないのだとはいわなかった。加藤はヒマラヤのために貯金をするという秘密は誰にも話すまいと決心していた。父にも兄にも、外山三郎にさえもこれだけはいうまいと思った。誰がなんと批判しようと、ヒマラヤへ行くためには、それだけの犠牲は払わねばならないと思った。

「加藤君、同級会のことな。今度の土曜日の夜にきまったんだ。北村安春にはだかおどりをさせようとみんながいっている」

村野は話題をかえた。場所は銀水という中くらいの料亭で、会費は二円だった。

「ぼくはでないよ」

加藤はぶっきらぼうにいった。

「なぜなんだ。え、加藤なぜでないのだ」

村野孝吉は不審と不満の同居した顔でいった。

「理由はいいたくない。でたくないんだ」

村野は加藤の顔をさぐるように見詰めていたが、しばらくたっていった。

「そうか、君のきらいな北村安春が出るからだろう。な、加藤そうだろう。しかしな加藤、もうおれたちは会社員なんだぜ。いやなやつとも、時にはつき合わねばならないだろう。君の席を北村と顔を合わせないようなところに取るようにするから出ろよ」

しかし、加藤は首をふった。はげしく振って、くるっと村野に背を向けた。

「やっぱりだめか。きみは、北村安春にひどい目にあったからな。あいつに密告されて警察でぶんなぐられたうらみを、そう簡単に忘れろといっても無理だろうな——加藤、おれが悪かった。もう誘わないよ」

悄然と去っていく村野孝吉を見送りながら、加藤は、そうではない、会に参加しないのは、二円の金がおしいからなんだよと心で詫びていた。なにもかも、善意に受取っている村野孝吉が、いつまでも、その気持で加藤を見ていてくれるとは思われない。いつか、村野孝吉は、加藤に向ってきさまは、けちだ、友人とのつき合いもおしんで金をためてなににするのだ、というに違いない。

（その時はその時のことだ）

加藤はポケットに両手を突込んで廊下を事務室の方へ歩いていった。ヒマラヤを望むならば、或る程度は友人との交際を犠牲にしなければならないと思った。その覚悟でないと、目的は、達成されない。彼は休み時間中でも社員のために窓口を開いている社内預金係へ行って、二十二円五十銭を貯金した。

事務室を出て空を見上げるとよく晴れていた。青い空を見ると青い海が見たくなる。彼はちらっと腕時計を見てから、海の方へいそぎ足で歩いていった。

外国船が一隻神戸港を出ていくところだった。国籍旗は遠くで見えなかったが、なんだかその船がインドの港へ向っていくような気がしてならなかった。インドという国が加藤の頭に浮び上ったのは、インドの北にあるヒマラヤが彼の中にあったからだった。

(少なくとも、日本人の、体力の限界なるものが未知数であるかぎりは、ヒマラヤに挑戦はできない)

藤沢久造のいったことばが思い出される。山における、日本人の体力の限界が未知数であるということは、日本人の登山が技術においても経験においても頂点に達していないことを意味していた。藤沢久造がいった未知数という抽象語の中には、かずかぎりない、日本の登山界の懸案があった。加藤にはその一つ一つは分らなかったが、日本において、未だに開かれない分野が今尚多く残されている事実に勇気づけられていた。

（ヒマラヤを望む前に、まず日本の山に登れと藤沢さんはいっているのだ）

加藤は海の青さを見つめながら、山の上の空の青さにあこがれた。六甲山あたりをうろついていたところで、日本の山の未知数なるものを発見はできない。

（おれは日本の山のことをなにひとつとして知ってはいないのだ）

加藤は、なにか足もとに蛇(へび)でも発見したように、飛び上ると、力いっぱい会社へ走りかえった。一時までにまだ五分あった。庶務係員の田口みやが事務机の前で本を読んでいた。

「ぼくも休暇が貰(もら)えるんですか」

田口みやは、びっくりしたような顔をして立上ると、静かな声で、はいと答えた。

「一年に何日休暇が取れるのです。続けて休んでもいいのですか。その休暇をいつ取ってもいいのですか」

田口みやは加藤の立てつづけの質問にこまったような顔をしていた。

「ね、何日取れるんです」

「日曜祭日のほか二週間の休暇は認められています。続けてお取りになる方もございますし、ばらばらに取る方もございます。仕事の都合で、なかなか思うようにはいかないようですわ」

田口みやは低い声で答えると、さらに、休暇は二週間認められているけれど、上役の許可がないと、病気以外は勝手に休むことができないのが実情であることをつけ加えた。

その時から加藤はその二週間をいかに有効に使うかについて考えはじめていた。

その日、会社が終ると、加藤はいつになく元気な、はきはきした声で外山三郎にいった。

「ぼく、日本アルプスへでかけようと思うんです、日本アルプスのことを書いた本を貸していただけませんか」

「そうか、いよいよでかけるか。山の本ならいくらでもあるぞ、必要なときは、いつでも来るがいい」

外山三郎は期待していた日がとうとうやって来たなという顔で加藤を見ていた。

「それでいつ日本アルプスへでかけるのだね」

「夏がいいと思います。七月までに準備をととのえます」

外山三郎は何度もうなずいた。

「そうだ、高い山にはまず夏山から入らねばならない。その前に予備知識をたくわえることと、用具、服装を準備するんだな。日本アルプスと神戸アルプスとはたいへんなちがいだからな」

加藤は、はいはいと威勢よく答えながら、自分にそそがれている影村一夫の視線を感じた。課長の外山三郎から、そう遠くないところの設計台に向って、居残りの仕事をつづけている影村一夫の横顔に、かげのような笑いが走っていた。

9

バスは非常にゆれた。うっかりしていると、天井に頭をぶっつけそうにも思われるくらい、バスは悪路を白いほこりを上げて走っていた。十人ほどの乗客がいたが、ゆれるのがあたり前だという顔で黙っていた。有明(ありあけ)の駅を出て、バスはすぐ田圃(たんぼ)の中をしばらく走るが、ひといきつく間もなく畑地帯に入り、やがて山地へ向っての勾配(こうばい)を登りだした。

加藤文太郎は、ルックザックを足元に置いて、食いつくような眼(め)で窓外を見ていた。生れてはじめての信州入りであり、生れてはじめての山入りの日でもあった。窓から富士山によく似た山が見えた。彼がそれまでに調べたところによると、その山は有明富士に違いないのだが、有明富士だと決めてしまうほどの自信もなかった。車掌は、景色についても、客についても無関心な顔で、時々思いついたように次の停留所の名前を呼んだ。加藤文太郎の他には登山者はひとりもいなかった。途中の村々で五人ほどが下車すると、あとは中房温泉へ湯治にいくらしい客だけになった。この地方の人らしく、老人を混えた家族で、食糧でも入っているのか大きな荷物を持っていた。

バスはやがて木のしげみの中へ入り、すぐ渓流にそって走り出した。バスの動揺は相変らずはげしかったが、木陰に入ると、道が湿っているせいかほこりは前ほど上らなかった。バスが徐行すると、川の流れの音が聞えた。日本アルプスから流れ出して来る中房川にからむようにして上流へさかのぼっていくことが加藤にはうれしくてたまらなかった。バスは狭い道を窮屈そうに走り、上からやって来た、幌をかけた自動車とのすれちがいで、何分間か時間をかけ、さらにそれから十五分も走ると終点の一の瀬だった。そこからは歩かねばならない。

茶屋があったが、そこでは休まず、加藤は大きなルックザックを背負って歩き出した。

(おれはヒマラヤへの第一歩をいま踏み出したのだ)

加藤は自分にいった。ヒマラヤへのその道は、薄暗いほど木の繁り合っている道であった。木陰には青い苔がしっとりとした色を見せているし、樹木の種類も、神戸の山や彼の故郷の山々のものとはたいへんなちがいだった。そのちがいがいったいどこにあるだろうかを加藤はまず考える。高度はそれほどではない。木の種類においても根本的な相違はない。渓流の音、これだって、そう違っているとは思えない。それならいったいなにが違うのだ。加藤文太郎は歩きながら深い呼吸(いき)をついた。

（そうだ、においが違うのだ、山のにおいが神戸の山と信州の山とでは全然違うのだ）

加藤はその相違について、それ以上の追求はしなかった。ただ、このすばらしい山のにおいを嗅(か)いでしまったら、この信州の山々と永久に離れられない関係になるのではないかと考えていた。道は山峡(やまかい)にそって続いていた。見上げても山のいただきは見えず、永久に続くかも知れないような森林の道を登りつづけていく気持もまた楽しかった。道は川と離れたり、近づいたりしていた。川の水はかなり豊富だったが、時々見せる河原の白さもまた印象的だった。谷の幅がいくぶんか広くなり、あたりがあかるくなって来るとにわかに前方が白くひらけて、遠く犬の哭(な)き声を聞いた。樹間をすかして見ると、紫の煙が見え、硫黄くさいにおいが鼻をついた。

中房温泉は、意外に大きな宿だった。二階建ての客室が、庭をはさんで建てられていて、廊下の手摺(てすり)にずらっと手拭(てぬぐい)がぶら下っているところを見ると、かなりの数の逗(とう)

留客(りゅうきゃく)がいるものと思われた。

加藤は玄関に立った。なんていったらいいか黙って突立っていると、

「お泊りですか」

と宿の番頭がいった。そして、加藤のうなずくのを見てすぐ、

「ウエストンの泊った部屋にしましょうか、ちょうど今日あいたところだで」

とひとりごとのようにいうと、加藤のルックザックをかついでさっさとわたり廊下を歩いていった。ウエストンの泊った部屋へ案内されることはありがたいけれど、宿泊料のことが心配だった。だが、ウエストンの泊ったという部屋はけっしてそう上等なものではなかった。加藤は番頭の好意に感謝してから、明日の日程を相談して、ルックザックをそのままそこに置くと、宿の外へ出た。夕食までの時間を利用してその辺を歩き廻(まわ)って見るつもりだった。

彼は、中房川にそって登って来る間中、一度でいいから河原におりて、その白さをたしかめて見ようと思っていたことを実行に移した。宿の裏から河原に出る道があった。ちょっとした崖(がけ)のふちを廻りこむと、白い河原が眼の前にひろがり、河原からわざと遠慮したように向う岸近くに川が流れていた。白い河原を形成する石は花崗岩(かこうがん)が多かったが、花崗岩だけにかぎらず、いろいろな種類の石が、水に洗われて光ってい

た。

河原に大木が横たわっていた。山の奥から押し流されて来たらしく、きれいに木の皮はむかれていた。加藤は、その河原に立って、その川の荒々しさを思った。今でこそ、その河原の片隅(かたすみ)に流れている川も、ひとたび上流に雨がふれば、この河原いっぱいにあふれ出すのだ。そして、その流れはなにものをも砕く勢いで押し出して来るに違いない。加藤は川の両側にそそりたっている斜面を見上げたが、ここからも山のいただきらしいものは、はっきりとは見られなかった。

河原の上端に白いテントが一つ張ってあった。加藤は登山用テントを見るのが、今度がはじめてではなかった。神戸周辺の山でキャンプをしている学生に会ったことは何回かあったが、中房温泉に泊らず、河原にテントを張っているのは、山の仲間に違いないと思った。加藤の眼は自然にそっちの方へ向いていった。加藤が近づいていく足音を聞いたらしく、テントの中から男たちがつぎつぎと顔を出したが、すぐ引込んでかわりに一人の男がのっそりと現われた。

加藤はその男と視線を交わした。こんちはといえばよかった。こんばんはでもよかった。やあどうもでもよかった。にっこり笑うだけでもよかった。とにかく加藤はかぶっているハンチングを取って、なんらかの挨拶(あいさつ)らしいことをやればよかったのだが、加藤は、テントから出て来た男と視線を交わした瞬間、浮べようと考えていて、既にいくらか微笑になりかけていたその表情がこわばった。彼の癖である。心では話しかけていながら、顔は心とは反対に、不可解きわまる表情――見かたによってはそれが相手に皮肉な笑いとも、卑下した笑いとも、或いはまた嘲笑にも受取れる、妙に、ゆがんだまま停止した表情になったのである。

テントから出て来た男は一瞬、きっとなった。

「なにか用ですか」

テントに向って、加藤が歩を進めて来たから、テントの主人のリーダーたるべき人はそう訊ねたのである。

加藤は答えるかわりに首を横に振った。それがまた、相手の癇にひどく触ったらしかった。虚勢のように腕組みをしていた男はばらりと腕をとくと、わざと、加藤の頭からつま先まで何度も何度も眺めまわしてから、

「どこへいくんです」

と加藤に訊いた。

「今夜は中房温泉へ泊って明日はツバメ、あさっては槍……」

「けっこうだな」

男はそういうと、もう一度加藤の服装にじろりと眼をやってから、テントに引込んだ。テントから首だけだしていた二つ三つの顔が引っこむと、突然、テントの中で爆発したような笑いが起った。

加藤は笑い声を背に聞きながら、もと来た道を戻(もど)っていった。加藤と顔を合わせて短いながらも言葉を交わした男は、加藤が、外山三郎から借りて読んだ本にあるような服装をしていた。ニッカズボンに長靴下(ながくつした)、皮のふちとりをしたチョッキのポケットにパイプをのぞかせているあたりは、スイスからアルピニストをつれて来たようにさえ見えた。テントの中にいる男たちもおそらく、リーダーにおとらないような服装をしているに違いなかった。

加藤は自分の服装を見た。地下たびを履き、着ふるしたズボンにゲートルを巻き、上衣(うわぎ)は、いつも山へ着ていくカーキ色の作業衣である。テントの中の男たちが笑った理由が、加藤の貧弱な服装にあったとしてもそのことは、加藤にとって、問題にすることではなかった。ただ加藤は、同じく、日本アルプスという山をめざして来ている山の仲間に、お前なんかここへ来る人種ではないぞと、いわんばかりにそっぽを向かれたことがたいへん悲しく思われてならなかった。

加藤は、彼らと話をしてみたかった。それができないのは、加藤自身に責任の大部分があることを加藤はよく知っていた。加藤の表情が相手の誤解を招くのである。彼の無口とあの怒ったような顔つきが、相手に警戒心と同時に反発心を起させるのだ。加藤にはそれがわかっていても、お世辞笑いはできないし、ごきげん取りのようなことばをかけることもできなかった。

加藤はその朝七時に中房温泉を出て、宿で教えられた燕岳(つばくろだけ)への樹林の道を登っていった。木の根を踏みこえるごとに面白(おもしろ)いように高度をかせぎ取りながら、木のしげみの間から中房渓谷(けいこく)をへだてて反対側にそそり立っている山と対比して彼のかせぎ取っている高度を確かめた。谷をへだてて、自分の高位が間接的に判断できるということが、彼の過去の経験に全然なかったとはいえないけれど、いま彼が自らの足と眼で、原生林の中で発見しつつある一つの登山の法則は見事なくらいあざやかに実証されていて、ひどく彼の心をたかぶらせるものであった。面白いように足が出た。背に負った大きなルックザックも、けっして重くはなかった。むしろ彼は、これからの未知の山行に対処するため、力をセーブすることに懸命だった。森林の木々の中で、特に彼の眼を楽しませたのは、白樺(しらかば)の種族であった。その白い肌(はだ)に加藤はしばし足をとめ、それらの木々が、ここでは、けっして素直に育っていないのを見て取り、この静かな山が、冬を迎え、雪を迎えて、いかにはげしい自然の圧迫をこうむるのかを察知した。

谷をへだてて向うの山のいただきが、やっとその形状を明らかにして来て、その山が有明富士にちがいないという確信を持ちはじめたころ、加藤は一つのパーティーに追いついた。彼らはあとから登って来る加藤に道をあけるために立止った。その先頭にきのう河原で会った男がいた。加藤は、道をゆずってくれた礼をいったが男は黙って顎(あご)を引いただけだった。加藤が一行を追いこしてしばらくいったとき、あとからそのリーダーの声が聞えた。

「こういう坂を、無茶苦茶に急ぐのは素人(しろうと)なんだ、いいか」

いいかというのは隊員全体にいいか分ったかと反問したのであり、素人というのは、加藤を指していることは明瞭(めいりょう)だった。加藤は苦笑した。生れて初めて三千メートル級の山に登ろうとしているのだから、素人に間違いがなかった。傾斜が一段ときつくなり、やや明るさを増したあたりに貧弱な小屋があった。合戦(かっせん)の小屋である。加藤はこの奇妙な名称となんの関係もなさそうな小屋を、立ったまま眺めただけで、先をいそいだ。一刻も早くその上にあるものを見たかったからであった。樹林帯の背の丈が急速にちぢまり、やがて、突然彼は一叢(ひとむら)の這松(はいまつ)を足下に見たのである。そこからはお花畑がつづいていた。もう樹林はなく、彼からそう遠くない上部に稜線(りょうせん)があった。青空と稜線とのあざやかな交わりに眼をみはっていると、どこからともなく、霧が現われて彼の視界を閉じた。すべて未知なるものが彼の前に応接のいとまもないほど次々と現われて来るのを受け止めることはできなかった。彼は、ひねくれたダケカンバの幹の傾斜に、そのあたりの雪崩（なだれ）の方向を想像したり、かつて見たこともないほど美しく咲き乱れている自然のお花畑の中に、本で見たいくつかの花の存在をたしかめていた。期待したものと多くは違っていた。形態は似ていても、強烈に彼の鼻孔をついて来るお花畑からの芳香やこびりつくように触れていく山霧のつめたさは、神戸の山のものとちがっていた。霧は間もなく彼を解放した。そして、霧は二度と来る様子もなく、頭上には紺色の空があった。加藤はその空の色に日本海を思った。故郷の浜坂の城山で見た日本海の色が、ここで見る空の色だった。故郷で見た空の色も神戸で見ている空の色もこのように澄んではいなかった。海の上の空は、どこかにやわらかみがあった。青さの中に白さがとけこんだ色だったが、ここで見る空の青さは、むしろ黒色に近い感覚で読み取られた。白くとけこんだ、水蒸気のやさしさはなく、暗黒の宇宙へつづくきびしさだけが感じられた。

加藤は何度か溜息（ためいき）のようなものをもらしてから、一気に眼の前の岩稜の上に出た。日本アルプスはそこで加藤を迎えた。見える山々のすべてが加藤よりも低姿勢で彼の到来を迎えた。谷は雲でふたをされていた。雲の上にいただきを見せている山は、また意外なほど高く望まれるのであった。

これほど多くの山が、果てしもなく続いていたことに加藤はまず眼をみはらねばならなかった。山だけの営みがかくばかり大きなスケールで存在していることが、加藤には不思議に思われてならなかった。それにしても、この美しいものと、偉大なるものに、それほど労せずして対面することができたことが加藤には意外だった。腕時計は十時を示していた。中房温泉から三時間で稜線に出られたことが嘘のように思えてしようがなかった。歩く時間と、歩く難易さにおいては神戸近郊の山と大差はなかった。この道がヒマラヤへつづくものだとすれば、それはあまりにも平穏無事であり過ぎるように思われた。

燕山荘には、老人がひとりでランプを磨いていた。客はいなかった。部屋の隅にふとんが積みあげてあるけれど、せいぜい三十人ほども泊ればいっぱいになりそうな小屋だった。小さな小屋の割合に炉が広く切ってあり、大きな鍋の下で、太い薪がくすぶっていた。

「燕岳までどのくらいかかりますか」

「三十分もあればいけるずらよ」

老人はランプを磨く手を休めていった。加藤はルックザックをそこにあずけて、外に出た。暗い小屋から外へ出ると、燕岳一帯の白さで眼がくらむようだった。彼は燕岳の頂上への道をいそいだ。いちいち立止って、そのへんの景色を眺めるよりも、一刻も早くこの付近の代表地点、頂上に立つことが、ここまで登って来た目的の第一であることを、胸にいい聞かせながら、白い稜線を歩いていった。燕岳は緑の這松地帯の上に白いなめらかな奇岩を擁していた。風化現象によって細く鋭く磨きあげられた白い岩群は、遠い昔からきめられた作法を維持するかのように、ひとつひとつが欠くべからざる美の要素として、どの一部を取っても、すべて絵の主題になり得るような配列をなしていた。

加藤は、矢沢米三郎、河野齢蔵共著の日本アルプス登山案内の一節を思い浮べた。

（燕岳は中房温泉の西北に在り、海抜二七六三米、西林道より、常緑喬木帯及灌木帯を登ること三里強にして、頂上に達すべし。山頂花崗岩の風化によりて成れる奇岩多し。偃松其間を点綴す。眺望絶佳なり。高山植物乏しからず、また高山蝶の飛来するを見ることあり）

加藤は眼を遠くに投げた。彼が本で読み、写真で見た山々はそこにはなく、見ず知らずの峰々が谷をふさいでいる雲海をへだてて続いていた。

加藤は燕岳の山頂に立って一望すれば、どの山がどれと、すべて、そらでいえるように勉強して来ていた。彼は胸のポケットから磁石を出して方向を定めて、静かに眼を廻していった。知識の中の山はさっぱり見当らなかったが、それらの未知の山の中でたった一つだけ傑出して、鋭い槍の穂を青空に突き出している槍ヶ岳が眼に止った。それだけは彼の知識の中の山と一致した。彼はそのすばらしく、よくとがった槍ヶ岳に、満足の眼をそそぎ、槍ヶ岳という根拠点を中心に、北アルプスのすべての山は解読できるだろうと思った。だがやはり、どの山がどれだと指名することはできなかった。彼は黒い尖峰（せんぽう）に再び眼をそそいだ。黒い尖峰は二等辺三角形に見えた。そして、その象徴的穂先を支持している母体となる黒い峰は、その象徴を中心として、根を張り出しているように見えた。彼は足下の白い奇岩が、北アルプスを代表する岩の面貌（めんぼう）ではなく、槍ヶ岳を中心として発するその黒い、固い、強大な、そして永遠のつながりが、北アルプスの表情でなければならないと思った。

彼は地図を出した。槍ヶ岳が分った以上、地図と対照することによって山の名は分るように考えたけれど、たいがいの山は、それらしいと思うだけで、そうだと決めることはできなかった。谷を埋めている霧も、諸峰の一部をかくしている山雲も、彼の知識と現実との密着を疎外（そがい）させるものであった。

加藤文太郎はしばしば、槍ヶ岳から眼をはなし、そしてまた槍ヶ岳へ眼をもどした。槍ヶ岳だけが、加藤の到来を心から迎えている山に思えてならなかった。

加藤の胸の鼓動は燕岳のいただきに立ったときから鳴りつづいていた。呼吸の乱れによるものではなく、予期しないもののなかに突然飛びこんでしまった感激が彼の血を騒がしたのであった。

(山は地図で見ても分らない。本で読んでも分らない。写真でながめたものとも違う。自らの足で登り、自らの眼で確かめる以外に山を理解することはできないのだ)

加藤は、その通俗的な、山に対しての、理論が、彼のいままでの経験の中にきわめて稀薄(きはく)な存在でしかなかったことを恥じた。加藤が燕山荘に帰ると、途中で追い抜いたパーティーがちょうど小屋へついたところだった。

「はやいですねえ、もう燕岳へいって来たんですか」

パーティーのなかの一番若い男が加藤に話しかけた。

「あんまりゆっくりもできないんです」

加藤はその男に答えながら、ほかの隊員たち全部の視線が彼にそそがれているのを知った。

「すると、この小屋泊りではないんですか」

その男にかわってリーダーがいった。

「西岳小屋までいこうと思っています」

加藤はそう答えながら、ルックザックを開いて、中房温泉でこしらえて貰った弁当の包みを出した。

「きみ、この山、初めてだろう。初めてなら、そういうことはやめたほうがいいんじゃあないかな」

リーダーがいった。

「なあに、この人の足は達者だよ。いこうと思えば、いけるさ。だが、途中で、雷様にやられたらいけねえなあ」

小屋の老人は加藤のところへ茶を運んで来ていった。

「雷?」

加藤は老人の顔を見た。

「そうだ、どうも、きょうの雲は落ちつきがねえ、おめえさま燕岳で見て来つら」

老人はいろり端に坐った。加藤は老人のついでくれた茶を飲みながら、小児の頭ほどのにぎりめしを一つ平らげると、老人のいう雲のことが心配になって外へ出た。別にかわったものは見出せなかった。

槍ヶ岳は雲の上に浮いていた。もし高瀬川の渓谷を埋める雲がなかったならば、槍ヶ岳はもっとすばらしいものに見えたに違いない。雲海は加藤が、燕山荘を出たときから静かな表情をつづけていた。雲海が山と接するところでは、山の斜面にそって這(は)い上った雲は雲海から離別され、それぞれが形のちがったちぎれ雲となって尾根を越えていった。時にはその片雲が加藤の頰(ほお)をぬらしたけれど、それはたんに、山の静けさを形成する一つのアクセントにしか過ぎなかった。

加藤は蛙岩(かえるいわ)をこえるとき、雲海からのし上って来る霧に濡(ぬ)れた。いままでの霧とはちがって濃い密度を持っていた。加藤は、その霧と、霧を吹きあげて来る強い風に異質な山を感じた。恐怖ではなかった。大きな岩の重畳(じゆうじよう)した蛙岩のあたりが、彼をそのようにさせたのではない。彼はその霧と霧を運ぶ原因に、なにか、油断ならないエネルギーを受け取ったのであった。

道はしっかりしていた。面白いように足が運び、道の両側には、這松がせまり、或(ある)いは花畑の群落があった。そのような容易な道を通りながら、槍ヶ岳に近づきつつある彼の右側の高瀬川の渓谷から吹きあげて来る霧は、真夏の太陽のもとにおいてはまたとない冷気の贈りものでもあった。彼は、その雲海からけっして眼を離さなかった。

三千メートル級の山には未経験な加藤文太郎であったが、本能的にただならぬ気配を感じつつあった。

燕山荘で教えて貰った喜作新道にかかろうとして、左手にそびえる大天井岳（おてんしょうだけ）に眼をやり、その眼を右側の雲海にもどそうとしたとき、彼は奇妙なものを雲海の上に見たのである。

それまで静かだった雲海の表面がにわかに動き出したのである。温泉の湧出源（ゆうしゅつげん）から、ぶつぶつとたぎり立つ湯のように、雲海の一部の雲が頭を持ちあげはじめると、それにならったように、あちこちの雲海の表面が、垂直に立ちあがろうとする運動を始める。雲海の異状とともに加藤はなにか、山全体が、妙に静まりかえって、彼を包囲の体勢に持ちこもうとするように思えてならなかった。

加藤は周囲を見廻（みまわ）した。燕岳の方の雲の動きも尋常ではなかった。燕岳に向って、突きあげていく雲はそれまでになく、威力的な陰影を持っていた。山の雲全体が動き出したことはたしかだった。その動きに反比例して、あまりに静かなのは、なにゆえであろうか。加藤は、この広大な自然の、大きな動きの中に、ひとりで取り残されていることが不安でならなかった。

這松の中で音がした。音と、あきらかに動物の発する声を聞いた。眼を上げると加藤からそう遠くない這松の中を、数羽(すうわ)の子をつれた雷鳥がこっちに向っておりて来るところだった。遊んでいるのではなかった。目的地へいそごうとする親鳥の意志に反して、遊び廻っている子鳥を叱(しか)る親鳥の声が静寂をつき破って聞えた。雷鳥は夏のよそおいをしていた。もし動かないでじっとしていたならば、這松と見分けはつかないほど、這松のなかにとけこんだ羽根の色をしていた。

加藤は雷鳥を見たのははじめてであった。本で読み、一度は見たいと思った雷鳥の家族が、突然、眼の前に現われたことは加藤を喜ばした。加藤は、その雷鳥の親子が逃げようとするのは、加藤の出現をおそれたからだろうと解釈したが、彼より高いところにいた雷鳥が沢に向っておりて来る、つまり、彼が立っている方へ向っておりて来るのを見て彼の考えを訂正した。親鳥は、嘴(くちばし)と、時折発する声で子鳥に方向を示していた。そして一群は加藤の見ている前を、加藤をまるで問題にしないように、登山道を横切って、沢の方へおりていったのである。雷鳥の家族が姿を消すと、山は急に暗くなった。見上げると、大天井岳のいただきを山雲が越えるところだった。加藤はあやうく声をあげるところだった。高瀬川渓谷にうごめく雲海に気を取られていて、反対側の梓川(あずさがわ)渓谷から湧(わ)き上って来る雲にうかつだったことに気がついて、あたりを見廻したが、その時はもう、彼の頭上は雲でおおいかくされていた。

その急速な雲の動きは雷の発生以外には考えられなかった。加藤は、逃げこむべきところを計算した。西岳小屋へ走るか、燕山荘へ引きかえすか、彼の頭の中で描いた地図によれば、彼はその中間にいた。中間だとするならば、未知なるものへの逃避より、既知なるものへの退却の方がより安全のように思われた。もうひとつ彼は、雷鳥親子のように、這松の中を沢の下の方へおりていって、どこか岩陰にでも身をよせて雷雨の通過を待とうという考えもあった。だが加藤は、考えただけで、それを実行に移しはしなかった。

「雷様でも来そうだったら、無理しないで引っ返して来るほうがいいずらよ」

加藤は、燕山荘を出るとき、老人がいってくれた言葉を思い出した。北アルプスも未知であり、そこに発生する雷も未知であった。待っていてやり過すという考えには無理があった。加藤は廻れ右をした。雷にたたかれるか、雷より先にどこかへ逃げこむか、その先を加藤は、さっき通って来た蛙岩に求めていた。蛙岩の岩群のどこかに、きっと身をかくす場所はある。彼は尾根道を小走りに歩いた。

雷鳴はどこかで鳴った。どこかで鳴ったことは確かだが、その方向をきめることはむずかしかった。北で鳴ったようにも、南で鳴ったようにも、東から雷雲がおしよせたようにも、西から移動して来たようにも思われる。要するに、雷鳴を聞いた時、加藤は既に雷の勢力域の中にいたのである。

加藤は、雷が、予告なしに、彼を襲撃して来たことが解(げ)せなかった。彼の経験にないことだった。夕立雲が遠くの水平線に上るか、遠くの山の上にかかり、その雲の翼が、だんだんとひろがり、太陽をかくし、やがて大粒の雨となって降って来るという、夕立の法則を破って、ほとんど警告なしに、頭上から、圧伏しようとする、日本アルプスの雷のあり方に加藤は驚いた。それはきわめて意地悪いやり方だった。冷酷な、非情な無作法なもてなし方だった。

大粒の雨を予想していたが、それは雨というよりも霙(みぞれ)のようにつめたかった。加藤はルックザックを開いて、用意して来た、油紙で作った雨合羽(あまがっぱ)を頭からかぶった。だが、それは、それを着て、数分間だけの用にしか使えなかった。山のくずれるような音とともに、滝のような雨に見舞われ、その通過のあとに竜巻(たつまき)のような轟音(ごうおん)と共におそって来る風雨は、加藤の身体(からだ)からいとも簡単に油紙の雨合羽を奪い取ったのである。雨が上から降って来るという法則を無視して、風とともども、下から吹き上げて来ることにも、加藤は三千メートル級の山のルールとして教えられた。加藤は濡れた。つめたい水が胸を伝わり、臍(へそ)のあたりまで、しみとおっていくのを感じながら彼は歩いていた。そこには身をかくすものはなかった。かくれようとして、道をそれるよりも、明るいうちに燕山荘までかえりつくことが、今となっては唯一つの道のように思われた。立っていても濡れ、歩いていても濡れるならば歩けるだけ歩くという理屈は、神戸の山で、しばしば経験したことであった。雨にぬれて歩く自信はあったが、みぞれのようにつめたい雨と、風のために急速に冷えていく彼の体温をいかにしてもちこたえていくかは分らなかった。雷雨とともに、夜を迎えたように暗くなった。しばしば彼は稜線を這うようにして強風からのがれていた。来るときは、気がつかなかったような稜線も暴風雨の衝立が立てめぐらされ、そこを通るものは一人のこさず谷底へたたきおとそうとする気構えを見せていた。そうなった場合は、生きる道は、やはり、その稜線の道以外にはないことを加藤はよく知っていた。来た道と、帰る道とは、同じ道でありながら別の道だった。

鞭をふるような、雷鳴を聞いたのは、蛙岩をすぐ眼の前にしてからだった。ぴゅうん、ぴゅうんと山が鳴った。空気が鳴り、尾根が鳴り、彼自身も鳴った。雷光と雷鳴はほとんど同時だった。彼は這松の中に這いつくばって、天の声を聞き、天の鞭を受けながら、天の火を見た。雷光はアーチに走って山と山をつなごうとしているらしかったが、山は見えなかった。天の鞭の音とともに彼自身のそばを天の火が駈け通るときに、彼は自らの身体が浮き上るような気がした。音は天の火にくらべて、それほど恐ろしいものとは思わなかったが、天の火がちょっとでも彼の身体に触れたら、彼の命がたちどころに終ることは分っていた。

加藤は死を見詰めるということがこのようなことであろうかと思った。恐怖はあったが、死ぬとは思わなかった。生き得るという自信が、恐怖に打勝って、彼は這松の中に伏せたままで、天の鞭の音を聞き、天の火を見詰めていた。加藤の不敵な顔を雷光が照らした。彼の眼は正しく蛙岩の方向を睨(にら)んでいた。

10

夜のおとずれるころ、雷雨はおさまった。風はまだいくらか吹いてはいたが、風の存在が気になるほどではなかった。

加藤文太郎は、暗い稜線を燕山荘に向って歩いていた。提電灯(さげでんとう)を消すと、おそるべき暗黒が彼の周囲を取巻いていた。高いところにいるという感覚も、彼の歩いている稜線の左右に深い谷があるということも、想像するだけで、実感としては、暗黒以外なにものもなかった。三千世界は、彼の提電灯の光の及ぶ以外にはなかった。光の下に這松が見えたり、岩が顔を出したり、草があったりするというふうな平凡な、限られた景色だけがつづいていた。歩いたはずだが、記憶にはないところを歩いていた。生れて初めて歩く道のようだった。道ははっきりしているから提電灯を持っているかぎり心配はなかった。

彼はときどき提電灯を消して暗闇(くらやみ)の中に立った。じっとしていると、川の流れのような音が遠くから聞えた。それが、高瀬川の渓谷(けいこく)から伝わって来る音だとは考えられなかったが、風の音だときめつける自信もなかった。雷雨の最中にはあれほど、狂暴な音を発した山々が、いまはささやくような音しか残していないのが、加藤には不思議に思われた。彼は暗闇に立って一晩中この峰の音を聞いていたいと思うほど、山のいただきにおける音の存在が貴重に思われた。

加藤は濡れていた。手足もつめたく火が欲しかったが、それよりも、日本アルプスの稜線を夜ひとりで歩いているという感激が彼を有頂天にさせていた。おそろしいこともこわいことも、ひもじいこともなかった。彼の体内では若い命の火が炎をあげていた。おそらく一晩中歩いていても平気だろうと彼は思っていた。雷雨が上ったとき、彼は、一度は西岳小屋をと考えてはみたが、未知の縦走路を夜歩くことの危険をさけて、燕山荘へ引きかえすことにきめたのである。

彼を取りまいていた暗黒は時間の経過にしたがって薄らいでいくようだった。天と地の境界がうすぼんやりと区別ができるようになってから、間もなく天の一角に星が出た。そこから星空が急速にひろがっていった。

彼は浜坂の海でも、神戸の山でも星を見た。同じ星が、同じ天体の位置をしめて、同じ方向へ動きつつあったのだが、彼がこの稜線に仰ぎ見た星はそれらとは違ったものだった。天の雲がすべてぬぐい去られてそこに現出した星は、彼のいままで見ていた星とは違っていた。彼が少年のころから見ていた星、浜坂で、神戸で見た星は、空にあった。空という平面に投影された星であった。が、いま彼の見ている星は平面図上の星ではなかった。星は彼を囲繞していた。星の中に彼はいた。空間にばらばらと存在する星の中に、その一つの星のように彼は存在しているのである。星は平面図に投影された星ではなく、立体無限空間に存在する星であった。その一つ一つが手のとどきそうなくらい身近に輝いていた。

高いところに立っているという自覚、三千メートルの高所に立ったという自己暗示が、空の星を、平面感覚から立体感覚に昇格させたのではなかった。清澄した山のいただきが、当然そうあるべき星の世界を彼に見せたに過ぎなかった。

加藤が天上にいただく星の数は、信じがたいほど多量に見えた。暗黒の空に星が点在するのではなく、星の中に夜が点在するかのように、おびただしい星が彼を取りまいていた。加藤は、その星空の下に、胸をふくらまして立っていた。それを美しいと表現はできなかった。荘厳というふうな、古めかしいことばでも表わせなかった。それは人間の表現感覚を越えたものだった。背筋の寒くなるような美しさだった。ひとりで、噛みしめて、他人には告げることのできない景観だった。

彼は、星の下を歩きながら、こどもの頃、絵本で読んだ、星の国の王子のことを思いだした。星の国の王子の馬は、星によって飾られていた。王子のかぶっている帽子も、靴も、腰に帯びている剣もまた、星によってかざられていた。王子の馬のひづめが、ときどき小さい星をけとばした。それが流星となって流れ去った。加藤文太郎は、その一節をはっきり思い出していた。彼は今、星の国の王子だと思った。あのすべての星はおれのものだと叫んでも、うそではなかった。

加藤は、おそらく、こんな夜、アルプスの稜線を歩いているものは彼ひとりだと思った。そしてこの夜のすばらしさに触れることのできるのも、彼ひとりだと思った。ひとりで、できるかぎり貪婪にそのすばらしいものを享けようと思っていた。しかし彼は美しさや偉大さの中に自分を見失うようなことはなかった。涙ぐんだり、感傷的な歌など歌ってはいなかった。彼は濡れた小さい身体に大きなルックザックを背負って、おそらく、このようにすばらしいものにめぐり会うことができた以上、生涯、この世界からのがれ出ることはできないだろうと考えていた。

燕山荘の火を見たとき加藤文太郎はほっとした。やれやれと思った。そして、次の瞬間、燕山荘に泊っているだろう、あの五人のパーティーのことを思い浮べた。

「たいへんだっつら、さあ、濡れたものを脱いで、火にお当りな」

燕山荘の赤沼千尋は炉端から立上って、加藤文太郎を迎えた。

「雷様にはどのへんで、お会いなされたかね。きょうの雷様はひどかった、こんなのは一夏に一度あるか二度あるかだで……」

赤沼千尋は加藤の顔を見ながらいった。加藤は返事のかわりに、赤沼に向って、ぴょこんと頭をさげて、小さな声で泊めてくれといった。そして彼は、赤沼が炉のそばで着がえをするようにすすめても、炉の近くにはいかず、土間の隅で、ルックザックの中から、油紙に包んで来た下着を取り出して着がえてから、炉をかこんで、加藤を凝視している五人のパーティーの面々に挨拶した。

「あなたはどこの山岳会ですか」

パーティーのひとりが聞いた。

「どこの山岳会にも入ってはいません」

「すると、全くの単独行主義ってわけですね、遠くから、来たんですか」

神戸からですと加藤が答えると、その男は、

「ああ関西か」

といった。関西かといった中には、あきらかに意識的挑戦が感じられた。

「山をやったことがあるんですか」

別の男が、なじるような顔でいった。

「神戸付近の山ならたいてい歩きました」

すると炉をかこんでいる若い人たちはいっせいに笑い出した。

「神戸付近の山なんか山ではありませんよ。まあ丘のつづきみたようなものでしょうな」

それでまた笑いが起きた。

「ろくろく山を知らないのに、無茶をやっちゃあ困るな。だいたい、日本アルプスというところは、明治時代ならともかく、これからは、地下足袋なんかで来るところではない」

リーダーがとがめるような眼を加藤に向けた。侮蔑を強調した顔だった。

「それにきみは山の気象を知らない。雷雨が来ることが分っていてでかけて雷雨に会った。とんで火に入る夏の虫だよきみは」

加藤は夏の虫といわれて眼を上げてその男の顔を見た。どこか影村技師に似ているなと思った。

「北森さんは口が悪いねあいかわらず。なあに、気にすることあねえさ、きょうの雷様だって、ほんとうに来ると分っていたら、おらが止めたさ。来そうだと思ってはいたが、あんなに早く来るとは思わなかった。さあ、めしでも食ってあったまって寝るがいいずらよ」

赤沼は加藤文太郎になにかと好意を示そうとしていた。

加藤は黙っていた。なにをいわれても、聞いているような、いないような、不可解な笑いを浮べながら、眼は美しく燃える炉の火を見つめていた。五人のパーティーを無視しきったようなふてぶてしさだった。すき間から吹きこんで来る風が、炉の上で煙のうずを作った。加藤は煙にむせて、二つ三つせきをしてからいった。

「おじさん、明日の天気はどうですか」

煙にむせた瞬間、加藤は翌日の行程を考えていた。

「天気はいいね、雷様のあった翌日は、とてもいい天気になる。だがなあ、午後になるとまた夕立になるかも知れねえ。この山の夕立って奴(やつ)は、続くくせがあってな」

赤沼は炉にダケカンバの薪(まき)をくべた。白い皮がめらめらとまくれかえりながら橙(だいだい)

色の光芒を放って燃えた。

「おじさん、今夜のうちに弁当作っておいてくれませんか、あすの朝と昼の二食分……」

赤沼は加藤を見た。夕立は続く傾向があるとひとこと聞いただけで、早立ちを決意した加藤を改めて見直す眼であった。加藤はていねいに油紙に包んだ米袋をルックザックから出して赤沼の前に置いた。

「早立ちかね、それはいいずらよ」

赤沼はいった。

朝は空から始まっていた。星が消えて、淡い白さが空一面にひろがっていくと、空の下にあるものは、すべて、その外貌を黒くうつし出していた。だが表情はいまだにかくされていたし、もちろん声も聞えなかった。山々はまだ眠っていた。夜明けのひとときの深い眠りにおちこんで、眼覚めることを知らないようであった。

加藤文太郎は静かに起き上った。すぐそばで寝ている五人のパーティーの顔にはまだ朝の光はとどかず、彼等がどんな表情をしているかは分らなかった。加藤は土間の方へいざり出ていくと、地下足袋をはいた。ルックザックをかついで、小屋を出ようとすると、あとから、赤沼千尋が起き出て来た。

「きょうはどこまでいきなさる予定かね」

赤沼はまぶしそうな眼を空に投げながらいった。

「大天井岳、西岳小屋、槍ヶ岳、殺生小屋……」

「そうかね、あなたならやれるずら。じゃあ注意してやるがいい、雷様が出そうだったら槍ヶ岳へ登るのはやめた方がいいな」

加藤は赤沼千尋にていねいに礼をいって燕山荘をあとにした。赤沼が加藤のあとをしばらく見送ってから小屋へ入ろうとすると、中から出て来た北森と顔を合わせた。

「あいつ、もう出かけたんだね」

北森は加藤が黙ってでかけたのが気にくわないようだった。

「加藤さんはなかなかしっかりしている」

赤沼は加藤の去った方向へ眼をむけていった。

「しっかりしているんですって、あいつのどこが？」

北森はつっかかるようないい方をした。

「どこがって、加藤さんの歩き方は、やたらへいたらの登山者の歩き方じゃあねえ、長えこと山を歩いた人の歩き方だ、あの若さでね」

赤沼はひどく感心したように首をひねった。

「なんです、やたらへいたらってのは」

北森はやたらへいたらという信州の方言が分らなかった。寝不足なのか、いくらかふくらんだ顔を赤沼に真直ぐ向けた。

「やたらへいたらってのは、やたらにそこらあたりにはいねえってことだ。あの加藤さん、という神戸の御人は、いまに、えれえ登山家になる人だぜ」

「あの地下足袋の加藤がか」

北森は笑った。明らかに赤沼千尋の見当違いを笑ったような顔だったが、笑いの途中で急にきつい顔にもどって反問した。

「将来えれえ登山家になるという証拠は」

北森はもう笑っていなかった。赤沼の予言の基礎となるものがひとつでも間違っていたらこっぴどくやっつけようとする顔だった。

「証拠なんてむずかしいことをいわれるとこまるけど、加藤さんの歩き方を見ていると喜作そっくりだ。喜作の若いころはかもしかよりも速く歩くと評判を取ったものだが、そのころの喜作の歩き方によく似ている人だ。どこって口に出していえねえけれど、すいっ、すいっと、こう、体重を前に乗せかけていくところが、そっくりなんだ。

それにあの加藤さんてひとは、用意がいいんだ。そこも喜作に似ているな。ルックザックには一週間ぐらいの食糧が、油紙にこまかく分けて包んで入れてあったり、衣類の準備も完全だ。それになあ北森さん、ゆうべおれがあすも雷様があるかも知れねえといったら、この早立ちだ。なにもかも、あの人のやることは山の道理にかなっている」

北森はだまって聞いていた。赤沼千尋が加藤を喜作とそっくりだといったことが、北森の胸にこたえたようだった。喜作新道を開いた、名猟師喜作の天才的な山歩きは多くの伝説となって残っていた。その喜作と同じ歩き方をする加藤文太郎という男を、いささか甘く見すぎていたのではないだろうか。中房温泉で見かけたときも、合戦小屋の下で追いぬかれたときも、おかしな奴としか思われなかったけど、大天井岳の下までいって雷雨に会って引きかえして来ても、なにもなかったように、しゃあしゃあとした顔で着がえをして、飯を食うとさっさと寝てしまうあたりの、神経の太さは、普通ではない。北森はたいへん大きな失敗でもしたように小屋の中へ引きかえすと、

「おい、起きろ、もう夜が明けたぞ。きさまたちは山へなにしに来たのだ、朝寝坊をしに来たのか、さあ起きろ」

北森の突然のかわりようを、赤沼千尋は横目で眺めながら、炉に薪をくべた。煙が

小屋の床(ゆか)を這(は)った。間もなく、小屋の中は煙で見えなくなった。

加藤文太郎は槍ヶ岳を見ながら歩いていた。とがった槍の穂先に、陽光がぴたりと停止すると、そこから、朝は、順序正しく下界へ向っておりていった。槍は黒くは光らなかった。黒い地色の上に、薄い絹が一枚かぶせられていて、そのなめらかな、薄絹が朝日を受けて輝き出したように見えた。薄絹は、薄もも色に光った。薄紅色といったほうが、より事実に近かったかも知れない。だが、その薄絹はあくまで薄く、黒い穂全体を薄紅色に輝かせるほどの作用をしなかった。黒い穂の上に、わずかに、薄紅色を感じさせるていどのものであった。日の出の水平光が、槍の最頂点において、戸惑い遊ぶ、分光現象の一種のようにも思われた。加藤は槍のいただきに、ひどく女性的な美しさを感じた。本で読んでいたモルゲンロートとはいささか違っているように思われた。山全体が紅色に光り輝くというふうには見えなかった。薄絹は紅色からすぐ紫色にかわった。紫色にかわってからは、前よりもはっきりと、山肌(やまはだ)と、薄絹との間隙(かんげき)を感じた。薄絹は、山とは別な存在だった。山にすっぽりとかぶさりかかっている、ごく稀薄(きはく)な、靄(もや)の膜が朝日によって光りかがやくように思われた。

槍ヶ岳からは幾条もの白い線が谷底へ向って流れおちていた。その一筋一筋の白い線に日が当ると、そこは、ややはっきりと紅色に燃えた。その白い線が雪渓(せっけい)か、ガレ場かは、断定はできなかったけれど、Ｙの字型に太く、山肌に切れこんだあたりに、はっきりと雪渓と分るものがあった。

彼は懐かしいものを見るようにそのＹの字型の白い彫刻に眼を止めてから、再び眼を槍の頂上にもどした。槍の右肩に、寄生したように取りついている小槍が見えた。そこから、偉大なる尾根が北に向って延々と続いていた。その黒くたくましい尾根の名が、北鎌尾根であることは間違いなかった。槍の偉容にふさわしい、尾根の連続だった。槍の穂に比肩してもなんらおとることのない岩稜の一つ一つが、朝日にくっきりと姿を見せはじめていた。

北鎌尾根は雄大に続いていって、その末端には既に岩稜は見えず、樹林につつまれたこんもりとした山となって終っていた。

北鎌尾根と、加藤が立っている尾根との間にある深い谷の底は見えなかった。谷と尾根との間には原始そのままの静寂が、まだ、夜のままの姿で、朝の来るのを待っていた。

きのう、雷鳥の親子がいたあたりまで来ると夜はすっかり明けはなれていた。雷鳥はどこにも見えず、空を鷹が悠々と飛翔していた。大天井岳のいただきが、ほぼ鷹の飛んでいる位置と並んでいた。

加藤は喜作新道を東鎌尾根の方へおりていかずに、燕山荘の主人に教えられた、這松の中の道を大天井岳に向っていった。這松がなくなり、岩ばかりの急傾斜になったころ、加藤は朝日を顔にまともに受けた。彼は太陽に向って両手をあげた。声は出さずに、無言の万歳と朝の挨拶をしてから、頂上めがけてさっさと登っていった。

一坪もないような狭い頂上にケルンが一つ積んであった。特に感激は湧かなかった。彼はそこから、燕岳の方向をのぞんで、彼が朝のうちに踏破した距離が思いのほか長かったことに満足した。そして彼は、頂上の岩の上に腰をかけて、静かに、槍ヶ岳と対面した。

槍の偉大さを支えるものは、そこから見て、北と南に張り出している尾根であった。その中でも、北鎌尾根こそ、槍のいただきにせまるもっとも、厳粛な尾根に見えた。北鎌尾根こそ、槍の存在を価値づけるものであり、北鎌尾根を無視したら、槍はないも同然に考えられた。

加藤文太郎は、槍ヶ岳から、北鎌尾根へ、そして北鎌尾根から槍ヶ岳へと、なんどか眼を動かした。

「どちらからでもいいのだ」

と加藤はいった。

北鎌尾根をたどって槍の頂上へいってもいいし、槍の頂上から、北鎌尾根へ下っていってもいいのだ。

要するに、槍と北鎌尾根と離しては考えられないのだ。

「いつか、おれは北鎌尾根をやるぞ」

加藤は山に向っていった。

その誓いは絶対のもののように思われた。彼はその美しく偉大なものとの対面に、過ぎていく時間を忘れ果てていた。

西岳小屋がひょっこり眼の前に現われたとき加藤は、この稜線歩きが、その難易さにおいては神戸アルプスとさほど変りがないなと思った。そこまでが楽すぎたから、加藤には、それから先のことが心配だった。西岳から一度おりて、急傾斜の東鎌尾根を槍ヶ岳へ向っての道のけわしさは、遠望しただけでも相当な困難が予想された。

道端にひとりの男がしゃがんでなにかしていた。手に光るものを持ち、肩に大きなかばんをさげていた。よけて通れば、通れたけれど、加藤は、その男の奇妙な動作が気になったから立止った。

男はピンセットで、道端に生えている、草を引抜こうとしていた。手で引き抜けばいいのに、ピンセットを用いているところが、加藤には合点がいかなかった。草の名は知らなかったが、ひとところに、同じ種類のものが群生していた。一見苔(こけ)のように見える草だったが、苔でもなさそうだった。男は、その小さい植物の群れの中から、一すじのなよなよとした草を抜きとると、まるで、ダイヤモンドでも拾ったような顔をして、肩にかけていたカバンをあけて入れた。

男はその仕事が終ると黙って立上って、加藤の方を見て、頭をさげた。加藤も挨拶をかえした。ふたりとも無言だった。

「槍ヶ岳へ行くにはこの道でいいのでしょうか」

加藤は分りきったことを聞いた。朝からずっと口をきかなかったから、話してみたかったのではない。道端にしゃがんで、妙なことをした男になんとはなしに興味を持ったから話しかけてみたのである。

「槍へいくのですか、それならこの道を槍に向ってどこまでも真直ぐにいけばいいんですよ」

男は黒い詰襟(つめえり)の上衣(うわぎ)とそれとついになっている、黒のズボンを穿(は)いていた。ゲートルをつけ登山靴(とざんぐつ)をはいているのがいかめしく見えた。登山靴はかなり履き古されたものだった。

「植物の採集ですか」

加藤は率直に聞いた。

「そうです。この小屋に三日いましたから、そろそろ殺生小屋の方へ移ろうかと思っているところです」

男はそういった。

「さっきピンセットではさんで取ったのは……」

加藤は、男がつまみ取った植物の名を聞いたが、男は加藤の質問をピンセットを使った動作にあると取ったようだった。

「ほかの植物をいためたりしないように、なるべく群生しているのを見つけて、ほどよいところを間引きするのには、ピンセットがいいんです。ああいうふうにすれば他の植物に害を与えないばかりか、間引きすることによって、あの小群落の植物にとってはかえっていい結果にもなるんですよ」

加藤は話を聞きながらその男に好感を持った。

「この山ははじめてですか」

と男はふりかえって加藤にきいてから、はじめてならぼくが案内してあげようかなと、ひとりごとのようにいった。加藤はお願いしますとも、いいえひとりで結構ですともいわなかった。男と一緒に西岳小屋に入って腰をおろすと、その小屋も燕山荘と同じように、ひどく煙っぽくて暗かった。客は植物採集のその男しかいなかった。加藤がその小屋で休憩している間に、男は出発の身じたくをととのえていた。ルックザックの上に植物採集用の胴乱をつけた格好はあまりいいものではなかった。

「ふたりで歩くとなるとお互いに名を知って置いた方がよさそうですね」

男はそうことわって置いて、矢部多門、親の臑かじりの東京の大学生ですと奇妙な自己紹介をした。

「ぼくは加藤文太郎、神戸の神港造船所に勤めています」

造船所というと軍艦をこしらえるんですかと矢部はいった。加藤が自分のやっていることはエンジンの設計で、そのエンジンは主として小型商船に使われるものであると答えると、矢部は、商船でもいざ戦争となると軍艦に改造できるんだそうですねといった。

歩き出すと矢部は口をきかなかった。この道はもう何度か歩いたことのあるように、足の運び方がうまかった。急坂をおりて鞍部に出ると、そのせまいところを、音を立てて風が吹き通っていった。風の音が水の音に聞えた。矢部はそこに立止って左が槍沢、右側が天上沢であることを加藤に教えてから、槍ヶ岳までの険阻な登りについて、ただ、ゆっくり歩けばいいだけだと説明した。加藤は矢部のそのいい方がひどく気に入った。そして、矢部は、本格的登山について、かなりの知識を持っているに違いないと思った。

先頭に立った矢部はときどきふりかえった。加藤はその眼にうなずいた。矢部がふりかえる時には、そこにはなんらかの危険があった。道がくずれかかっていたり、浮き石があったり、時に、前方にすばらしい景色があったりした。休むことはなかった。ゆっくりだが、休むことなしに歩を運んでいく矢部のペースに加藤はいつの間にか巻きこまれていた。高度はぐんぐんとせり上っていった。

雲はたえず、湧き立っていた。燕岳の方は雲にさえぎられて見えなかった。いただきにも、沢にも、谷にも雲はあったがその雲と雲の間には連絡はなかった。勝手にできて勝手に消えうせる雲のようだったが、その雲がきのうのように、急にひとかたまりになって雷雨になりはしないかと、それだけが加藤の心配だった。

樹木から遠ざかり、這松地帯になり、そしてごつごつした岩稜に立ったとき、すぐ眼の前に加藤は槍の穂を見た。

そこで見る槍の穂は槍の穂には見えず、天にそびえたつ巨大な置きものに見えた。なぜ、そんなふうに、巨大な石のかたまりが、そこにあるのだろうかという、自然の配剤に対する感謝をこめた疑念が青空に向って突き出ている槍ヶ岳を見たときに起った。そして、その槍こそ、日本の山を象徴する中心であるような気がした。槍に向ってではなく青い空に向って歩き出して間もなく、加藤は、槍ヶ岳の肩のあたりで、小屋が作られつつあるのを見て取った。足下に見える殺生小屋とはかなりの距離があったが、よく澄んでいる空気のなかにいると、そのどちらへも声がとどくような気がしてならなかった。静かだなと彼は思った。まるで山は、彼等ふたりのために静かであるような気がした。

「さっぱり人は見えませんね」

と加藤は、矢部に話しかけた。

「七月から八月にかけてはかなりの人が登って来ますが、盆を過ぎると急に人が減って、八月も終りに近づくと山は全く静かになる。いわば今が登山のチャンスですよ」

矢部がいった。

「こんどはあなたが先に立って歩いてください。あの小屋をこしらえているところへ寄って、荷物をおろしてから、槍の頂上へ登りましょう。いまのところ雷様はなさそうだ」

矢部は道を加藤にゆずってから空を見上げていった。

小屋は完成に近づいていた。小屋の前で手をかざして加藤たちが登っていくのを眺めている人がいた。その男は、間もなく矢部多門に気がついたらしく、手をふりながら近寄って来て矢部と言葉を交わした。

「穂苅さんとうとうできあがりましたね」

矢部がいった。

「肩の小屋って名前をつけようと思っているんですがどうでしょう」

「いい名前じゃあないですか。ここへ小屋ができると、冬季槍ヶ岳登山だって、そうむずかしいことではなくなる」

矢部はそういうと、そこへ荷物をおろして背伸びをするように、槍ヶ岳の頂上を見上げた。加藤もそれにならった。そこからほとんど垂直にも見えるほどに突立っている槍ヶ岳の頂上を見上げると、首の根っ子が痛くなるような気がした。

加藤は、ここまで来たことが嬉しくてしようがなかった。もうすぐそこに、日本アルプスを象徴する槍のいただきはあるのだ。矢部は三十分もあれば登れるといったが、三十分で登れそうにも見えないほど、ごつごつとがった恐るべき岩峰だった。

加藤は、話をしているふたりをそこへ残して、槍の近くへ寄っていった。

「あのひとは、あなたのお知合ですか」

穂苅三寿雄は加藤のうしろ姿を見送りながら、矢部多門に訊ねた。

「神港造船所の加藤文太郎という人です。きょうはじめて山で会ったんです」

そうですかと穂苅はひとりでうなずいていたが、

「あのひとはなんとなく嘉門次に似ていますね」

「歩き方がですか？」

「いや、登ってくるところを上から見ていると胸の張り方が嘉門次そっくりなんです。上体をこうぴんと張って、といってもけっして張りすぎているわけではない。ごく自然にぴんと張って、その張りを崩さずに登って来るところは嘉門次そっくりだ。ゆうべは西岳小屋泊りですか」

「ぼくは西岳小屋泊りですが、加藤さんは、今朝燕山荘を出て来たんですよ」

穂苅三寿雄は懐中時計を出して見た。十二時になるところだった。穂苅は時計の針と、加藤のうしろ姿を見くらべていたが、大きくひとつうなずいていった。

「あの若さで、あのように山についた歩き方をするひとはめったに見られない。あの人はもうかなり山を歩いた人ですね。山についた歩き方をするのはいいが、あまり速く歩くということは考えもんだな。足の速いことが、今後のあの人のさしさわりにならなければいいが……」

　加藤はふたりの会話を聞いてはいなかった。燕山荘で彼の歩き方が名猟師喜作に似ているといわれたことも、ここで不世出の名ガイド嘉門次に比較されたことも彼は露ほども知らなかった。加藤は、そのへんをやたらに歩き廻（まわ）っていた。岩にも触れて見た。神戸の岩とは性格がちがっていた。槍ヶ岳の岩は、彼が想像していた岩ではなく地球の骨であった。地球の骨の突出部が歳月と風雪を越えて彼の前にさらけだされているさまは、むしろ悲愴（ひそう）でさえあった。

第二章　展望

1

大正十五年十二月二十五日、大正天皇が崩ずると同時に、改元の詔書が発布されて、昭和と決定された。

詔書

朕（チン）皇祖、皇宗ノ威靈ニ頼（ヨ）リ大統ヲ承（ウ）ケ萬機ヲ總（ス）フ
茲（ココ）ニ
定制ニ遵（シタガ）ヒ元號ヲ建テ大正十五年十二月二十五日
以後ヲ改メテ昭和元年トナス
御（ギョ）名（メイ）　御（ギョ）璽（ジ）

各大臣副署

大正十五年十二月二十五日

その日は土曜日だった。

加藤文太郎は、大正天皇崩御の号外を手にして、関東大震災の日も土曜日で、やはりこうして号外を手にして神戸の町を歩いていたことを思い出していた。関東大震災の日は天気もいいし、暑かったけれど、この日はひどく寒い日であった。

大震災の号外を手にしたときも、加藤は、そのあとに来るものについてなにか大きな不安を予想した。その社会不安は、あれからずっと、じわじわとおしすすめられていた。不景気はますます、深刻になっていき、失業者は巷（ちまた）にあふれ、ストライキは各所におこり、労働者の声は政府を揺すぶるようになっていた。資本主義政党はこれに対して、護憲三派内閣を組織することによって、無産者運動、労働運動にようやく注視しだした国民の眼（め）をそらそうとはかり、さらに普選法施行によって、大衆運動にアメをしゃぶらせ、その一カ月後には治安維持法をつくり、民衆の政治的進出をおさえつけようとした。治安維持法は間もなく、その法力を発揮し、大正十五年、京大生三十八名は同法で起訴され、即日結社禁止となった労働団体もあった。この弾圧法に抵抗するかのように各地で大規模なストライキが起ったが、その労働運動自身にも、分解作用がおこり、労働農民党は社会民衆党、日本労働党、労働農民党に分裂した。

　加藤文太郎は労働問題には直接関係してはいなかったが強い関心を持っていた。会社を追放された金川義助がその後どうなったかは分らなかったけれど、おそらく強靱な神経を持った金川義助のことだから、どこかで、運動をつづけているような気がしてならなかった。

　大正が昭和に変ったことは、なにかそこに新しいものが期待されたけれど、すぐ、加藤は、新しいものが、大正時代より更に暗いもの、つまり、大正から昭和への移行は、暗転でしかあり得ないように考えると、見るもの聞くものすべてが、憂鬱に思われてならなかった。

　憂鬱は昭和二年を迎えてもつづいていた。会社全体の空気は沈滞しつづけていた。一時よりは静かになっていた、馘首の噂が、ひそかに、そして、ものすごい速さで神港造船所の中をかけまわり、首切りが始まった場合、それにいかなる方策を以て対処するかについて、組合幹部が研究しているという噂や、その幹部の動向を会社が、探知しようとあせっているなどということが、ほんとうらしく伝えられていった。そういうニュースをいちはやく加藤のところへ持って来るのは、村野孝吉だった。

「こんどこそ、会社は首切りをやるらしい。だが、おれたちは大丈夫だ、月給安いからな」

村野孝吉はそんなことをいった。

三月になったころ、加藤は浜坂の兄から手紙を貰った。父が急病だから帰って来いという手紙だった。文面は簡単だったが、なにか父の身辺に容易ならぬ災禍が見舞ったように思われた。加藤は土曜日一日の休暇を取って、金曜日の夜、汽車に乗った。

加藤の父の病気の原因をなすものは、加藤が大正から昭和と改元されたとき予感した杞憂が、杞憂ではなかったことの証明のようなものであった。

台湾銀行、第十五銀行の破産に端を発した金融恐慌は日本全国に波及し、加藤の父もまたその被害者のひとりにならねばならなかった。加藤の生家は、網元であり、彼の父は浜坂では知名人の一人であった。金融恐慌は、加藤家の土台をゆすぶった。加藤の父は、その心労で倒れたのである。

「おれは銀行を信じていた」

加藤の父は低い声で、文太郎にそういった。大きな声を出してもいけないし、興奮してもいけない、そういうふうな環境に持ちこむことが一番いけないのだと医者に言われていても、加藤の父は、彼が最も可愛がっていた、文太郎にその愚痴をいったのである。文太郎は黙って聞いていた。

「銀行が信用できないようになったら、日本はおしまいだ」

加藤の父は、そのひとことに、日本政府に対する万斛(ばんこく)の恨みをたたきつけているようだった。しゃべるだけしゃべると、父は眠った。

加藤の兄が、文太郎をかげに呼んでいった。

「お父さんは、お前にやろうと思っていた山林が、銀行倒産のあおりを食って人手に渡ることになったのを、ずいぶん気にしているようだ。それだけではないが、少なくともお前を呼んだのは、そのことをいいたいためなんだ」

兄のいったとおり、文太郎の父は、ひとねむりして起きると、そのとおりのことをいった。

「お前にやるものはなくなったかわりに、おれはお前に、いい嫁を探してやる。いい嫁を探すまではどんなことがあっても死なないぞ」

文太郎は、そういう父の眼が、まちがいなく、その約束を果すだろうことを疑わなかった。

文太郎は父の眠った折を見計らって町のはずれの宇都野(うづの)神社へでかけていった。裁判所の前をとおり、学校の前を通って、坂道を登りつめたところに神社があった。

加藤はここが好きだった。ここからは町が一望のもとに見え、岸田川の河口からひろがる浜坂の湾が見えた。

加藤はこの石段を登りながら、子供のころ、この石段をなんべんとなく登ったことを思い出した。いつもひとりだった。加藤は、なぜこどものころ、こんなところにひとりでかけ上って来たのだろうかと、その理由を考えながら、ふと、彼は、たいして意味もなく、神戸の高取山へ登っていたのは、つい二、三年ほども、前だったのに気がついて苦笑した。

（だがいまはちがう。今は、ヒマラヤという目標があるのだ）

加藤がそう自分にいい聞かせていると、すぐ近くで子供たちの騒ぐ声が聞えた。今も昔も変りなく、ここはこどもたちに愛されているのだなと、ちょっとこどもたちの方に眼をやってから、神社の裏に廻（まわ）り、こどものころよじ登った松の老樹に触れた。こどもたちの声は遠ざかり小鳥の声が聞えた。加藤は、お前が嫁を貰うまでは生きているといった父のことばを思い出した。

（おれがヒマラヤへ行って帰って来るまでとなるともう十年はかかる）

加藤は大変愉快になった。嫁を貰うまで父が生きていてくれるなら、嫁を貰わないほうが親孝行になるのだ。

加藤はもとにもどると、もう一度海を見た。汀線（みぎわせん）は白く、弧をえがいていた。海の色は、まだ当分春のおとずれを見合せているかのように灰色ににごっていた。

石段を下りかけると、つい走りたくなる。膝小僧が笑うのだ。かけおりたい気持をおさえながらおりていくと、石段の途中で十歳ぐらいの女の子がひとり、鼻緒の切れた下駄を片手にさげて、しょんぼり立っていた。その少女を置いてきぼりにして逃げた、年上の女の子たちは、石段の下で、顔をそろえてその少女の災難をからかうように見上げていた。

「どれ、こっちへよこしなさい、ぼくが鼻緒をすげかえてやろう」

少女は、どうしていいやら困った顔で、加藤の顔を見詰めたままだった。つぶらな澄んだ眼をした少女だった。泣いてはいなかったが、いまにも泣きそうになった眼をそのまま加藤にむけていた。

どれ、といって加藤は少女の下駄を取ると、彼の腰にさげていた手拭をやぶって、鼻緒を立ててやった。

「さあ、これでいい、履いてごらん」

少女はにっこり笑って、その赤い鼻緒の下駄を履くと小さな声で、やはり恥ずかしいのか、小首をかしげてありがとうと言った。

加藤はこの美しい眼の少女と、神社の参道であったことが、久しぶりで故郷に帰ったなによりの収穫のように考えていた。

少女は元気よく石段をかけおりて、彼女を置きざりにして逃げた年上の少女たちのあとを追っていった。

「名前を聞いとけばよかったな」

加藤はころがるように、石段をかけおりていく少女のうしろ姿に眼をやりながらつぶやいた。

〝海の見える館〟からは海はよく見えたが、館というほどの建物ではなく、ごく平凡な、二階建ての古びた商館ふうの建物だった。かなり前に建てられたものらしく、ペンキははげ、持主はかわったが、もとここに、英国の大貿易商がいたという伝説だけは残っていた。階上も階下も、いくつかのこまかい部屋に分けられ、貸し事務所になっていた。こうした建物がところどころに見受けられるのは、やはり神戸という港町の持つ特徴のひとつであろう。

海の見える館という名称は最初この建物を建てた英国人がつけたもので、今では館ビルと呼ばれていた。ビルディングとはおよそかけちがった建物だけれども、海の見える館より、館ビルの方が貸し事務所として、利用価値があるものと、この所有者は考えて、名前を変えたものと思われた。

神戸登山会の事務所は館ビルの二階にあった。神戸登山会事務所の小さな看板がかかげられてその横に梅島貿易株式会社と書かれた金看板がかかげられていた。神戸登山会は、会長梅島七郎の事務所と同居した格好になっていた。

「神戸登山会の発展策として、まず考えられることは若手の優秀なメンバーの獲得であり、それらのメンバーをできるだけ早くリーダーに仕上げて、実績をつくることだ」

岩沼敏雄は神戸登山会の拡張発展について力説していた。会を維持するためには、たえず新入会員を受入れねばならないし、新入会員が集まるように、或るていどの会としての業績を作らねばならないと考えていた。当然なことだったから、誰も反対するものはなく、具体策として、岩沼敏雄がなにを持ち出すかだけをじっくり待っているようだった。

「関西には人材はいくらでもいる。この神戸にだっている。この間、東京へ行ったとき、明正山岳会の北森大四郎に会ったとき、彼が地下足袋の加藤って知っているかと聞くんだ……」

「加藤文太郎のことかね」

神港山岳会の中条がいった。

「そうだ加藤文太郎のことだ、北森大四郎は、加藤と燕山荘でいっしょに泊ったことがあるそうだ。加藤の歩き方を燕山荘の赤沼千尋さんが見ていて、喜作とそっくりだといったそうだ。かもしかの喜作のように足が速いのと、用意のいいのをほめていたそうだ」

岩沼敏雄は、北森大四郎から聞いた話を自分が見て来たように話した。いささか誇張が加えられていたけれども、話としては面白いし、翌朝、明正山岳会を、みごと出し抜いたあたりになると、関東を代表する一つの山岳会を相手取って、加藤が関西の山岳会を代表して戦ったかのごとき語気さえ感じられた。

「地下足袋の文太郎についてはおれも聞いた」

摩耶山岳倶楽部の会員の能戸正次郎がいった。

「また聞きだから、真相は分らないけれど、加藤は燕山荘を朝発って、十二時に槍ヶ岳の頂上に登り、中岳、南岳、北穂と、あの岩稜を通って、穂高小屋には、まだ明るいうちにつき、その翌日は奥穂から前穂を朝食前に往復して西穂をやって上高地へ下山している」

「相当な足の速さだな、それでは眺めるなんてひまはないだろう、ただ歩きに歩いたってところだね」

その批判に対して能戸正次郎は、

「それが、ただ歩くだけではなかったらしいんだ。彼は歩く行程中に含まれている山のいただきには必ず立寄っている。槍ヶ岳の頂上には小一時間もいて、じっと考えこんでいたらしい」

そうだとすれば、その記録は、いかに夏季だといっても、速すぎるようだという批判が、あっちこっちから出た。

「加藤文太郎の歩き方を見ていた、槍ヶ岳肩の小屋の穂苅三寿雄さんは、足の速すぎるのが、欠点にならねばいいがといっていたそうだ」

しかし、信じられないなあという声が起ったとき、神港山岳会の中条が、

「いや、おそらくそれは本当だろう」

と前置きして、加藤が冬の神戸アルプスを須磨から宝塚まで完全縦走したその足で宝塚から和田岬まで、たった一日で踏破した話をした。

「それは人間業ではない、まさに天狗だ」

と岩沼敏雄は彼としては最大級な讃辞をはなって、

「そういう男こそ、われわれ神戸登山会のメンバーに望んでいた人じゃあないかな。

中条さん、その加藤を神戸登山会へ入れようじゃないですか、関東の登山界の名門、明正山岳会の北森大四郎をびっくりさせた男だ、その加藤が神戸登山会に入れば、会の名はあがるだろうし、やがては関西の山岳会が統合された場合、関西を代表する男として売出すのにも好都合だ」

　だが中条は首を横にふった。

「だめでしょうね、たとえ加藤を、入会させることに成功しても、加藤はメンバーにはなり切れないだろう」

「それはどういうことなんです」

　岩沼敏雄はむっとしたような顔でいった。

「加藤は彼の会社の山岳会、つまり神港山岳会にも籍を入れてはいないんだ。彼はあまりにも、われわれとかけはなれ過ぎているのだ」

　中条は加藤文太郎の一面を説明するために、いつか、六甲山のいただきで見た加藤の歩きっぷりを語った。

「しかし、加藤にしても、ひとりで山歩きをしているのは淋しいだろう。たとえ、けたはずれの超人であっても、どこかの山岳会に名を連ねているということは、それなりに意味があるじゃあないか」

岩沼敏雄はあくまでも加藤を神戸登山会に引っぱりこむことを主張してやまなかった。

「外山三郎さんと藤沢久造さんに相談したらどうだろうかね、加藤文太郎のことは外山さんが一番よく知っているし、外山さんを通じて、藤沢久造さんも知っているはずだ」

中条は、その話にはもうあきらめかけたような低い声でいった。

「話すまでもないことだよ、加藤文太郎のことは、藤沢さんから聞いている」

それまで黙っていた、神戸登山会の会長の梅島七郎が口を出した。

「加藤を無理に山岳会へ引張りこむようなことはしない方がいい。それよりも、加藤にはただ山を歩き廻るばかりではなく、歩いた記録をなにかに発表するように、外山さんを通して話した方がいい」

梅島七郎はけっしてはや口ではなかったが、一言一言を嚙みしめるような確実さで話し出した。

「大正から昭和に年号が変るとともに、われわれの山に対する考え方も変えねばならないのだ。従来、登山はいうなれば貴族階級か大学山岳部の独擅場だったのが、その後普遍性を増し、いまや登山は大衆のものとなっている。社会人の登山、つまり、社会生活を基礎とした登山でなければ、登山とはいいがたい傾向になっていきつつある。いいことだと思う。社会人の登山ならば、なにも、発展などということをそれほど気にすることはないと思う。登山の好きな者たちが寄り集まって山へ行き、記録を書き、また山へ行く、それだけでいいのだ。まして、関西の山岳会を統合して、関東の山岳会と対抗しようなどという意識を持つものがあった場合は、そのこと自体が山を冒瀆することであり、自らを傷つけることである。さっき話に出た加藤文太郎にしても、彼が神港造船所の技手という肩書きの一般社会人だから、彼の足の速さが問題にされる価値があるので、彼が、時間にも金にも恵まれている男だったら、彼の存在価値もないのだ、そういう考え方で、今後、神戸登山会もやっていきたいと思っている」

梅島七郎の演説は消極的に見えた。岩沼敏雄は、あきらかに不満を現わして、いくらか紅潮した顔を、横にそらしながら、やや捨鉢的に、

「だが関東の山岳会は、われわれ関西の山岳会に対して、いたるところで挑戦的行動を取っているように見えますよ」

岩沼敏雄は窓から見える海に向っていった。岩沼の視線の先に夜の神戸港が見えた。光が海と陸とを区別し、海の上では一団の灯が、寄ったり離れたりしていた。

「それが偏見というものだ、きみがそういう考えでいれば、そう見えるだけのことだ、

ばかばかしい」

梅島七郎は最後のことばで岩沼敏雄をおさえつけておいて、

「それにしても、加藤文太郎という男に一度会ってみたいものだ」

といった。

「あまりいい印象は受けないかも知れませんよ、とにかく、彼は相当変っていますからね」

中条のひとことは、加藤に対して、好感を持っているとは考えられぬいい方だった。

加藤文太郎は無聊の毎日を過していた。少なくとも彼にとってその日その日は無為に感じられた。設計補助の仕事は半年もやれば馴れてしまって、あとは上からの命令どおりに動くだけでよかった。仕事は単純であり、変化は乏しく、同一種類の仕事を続けてさせようとする会社の意図は明瞭であった。少なくとも、飛躍的な構想を持った、まとまった仕事は、彼等には与えられず、大きな機械のごく一小部分を、ていねいに図に引いている日が多かった。

加藤はそういう仕事に別に不平を持っているのでもなければ、いやだとも思ってはいなかった。ただ、生涯をぶちこむ仕事としては、なにかたよりないような気がしてならなかった。なんでもかんでもやってみたかった。一カ月も二カ月もギアーばかり描かされたりするのは退屈だった。彼は、ありとあらゆる部品図を描いてみたかったし、それらの部品が総合されて動く、船という巨体そのものを設計したいという望みをけっして捨ててはいなかった。一つのまとまったエンジンの設計はできないにしても、その一小部分でもいいから、彼の創意を入れる余地のある仕事がしたかった。

それは加藤に限らず、研修所を卒業して、ひととおりの仕事を覚えた若者たちを訪れる一種の倦怠期でもあった。実はこの倦怠期こそ、優秀な設計者となるべき、研鑽の舞台であり、それに気がつくものは、仕事中に自ら疑問を発見し、その疑問解決に先輩の智恵を借りて、一段一段と階段を登っていくのであった。

加藤文太郎の倦怠期は、同級生よりも早く訪れて早く解消した。その動機となるものは、海軍技師立木勲平の来訪だった。

或る日立木勲平は、内燃機関設計部の中で講演をやった。その日は仕事を一時間早く切りあげて、内燃機関設計部全員がこの講演を聴きにいった。

海軍技師立木勲平は背広服のままだった。最近ヨーロッパの視察から帰ってきたばかりだというのに、それらしいそぶりは見せず、全体的には粗野な感じを与えているのが、かえって聞き手に好感を与えた。

立木勲平は主としてディーゼルエンジンについて講義をした。ディーゼルエンジンが如何(いか)に効率のよいものであり、近い将来には、あらゆる機械がディーゼルエンジン化する可能性があるという話と、そのディーゼルエンジンについては、今なお研究の余地が充分あり、各国が競ってこの研究に当っていることを話した。

「たとえば、燃料を噴射するノッズルの機構一つを取ってみても改良の余地は無限にあるのだ。いま私が、ここでこうして講演している間に、新しいノッズルがどこかの国の一技師によって発明されているかも分らない」

彼は講演を終った。

立木勲平の最後のひとことが加藤文太郎の胸を衝(つ)いた。誰かがどこかで研究している。そういう研究ができればすばらしいものだと思っていた。

加藤はそのまま下宿に帰らず、設計室に帰って、彼の設計台の前に坐(すわ)った。ここで、あの新しいディーゼルエンジンの設計ができたらいいなあと思うと、急に、その新しい機械についての知識を吸収したくなった。庶務係員の田口みやがひとりで机の上を整理しているだけで広い設計室には誰もいなかった。

「会社の本が借りたいんだ」

加藤は田口みやにいった。会社には備えつけの図書があった。また、各部にも、若干の必要図書が置いてあった。本の管理は田口みやがやっていた。

「なんの本ですか」

「ディーゼルエンジンの本が読みたい」

田口みやは加藤のいったとおりのことを紙に書きとめた。

歩き出すと彼の足は速かった。

池田上町の下宿まで来ると、サンマのにおいがした。秋が来たなと思った。

彼は、下宿の多幡てつが用意してくれた夕食の膳にひとりで坐って飯を食べた。病的なほど青い顔をした、孫娘の美恵子は見当らなかった。加藤はいつも無口だったから、多幡てつも、加藤には、強いて話しかけようとはしないのだが、その夜の多幡てつは、やや饒舌であった。うれしいことがあったようには見受けられないけれど、どこかに落ちつきをかいていた。気にかかることがあるのだなと加藤は思いながら多幡てつの顔を見ていると、彼女は、しきりに二階を気にしているようだった。二階に誰かいるなと思った。すると、となりの開かずの間が開けられて、そこに誰かが居ることになる。食事の終りごろ、二階から美恵子がおりて来て多幡てつになにか言おうとしたがやめた。美恵子は黙って加藤におじぎをした。美恵子の眼の中には加藤を警戒するようなそぶりが見受けられた。

「二階にお客様が来ているんです。東京の親戚の人でね、二、三日泊ってから帰る予定ですから、よろしく」

その、よろしくは、なんとなくおかしな響きに聞えた。となりの部屋に誰が来て泊ろうがおれの知ったことではないと加藤は思った。加藤は二階の部屋に上って新聞に眼を通してから、外山三郎から借りて来た山の本を読み始めた。十時を打つまで隣室ではことりともしなかった。

十時きっかりに加藤は読書をやめて、山行きの支度を始めた。いつもどおりの古びたナッパ服に、ハンチングをかぶって、外山三郎から借りた本の中にあった簡易テントに似せて、彼自身が、針と糸で縫い上げたテントを抱きかかえると、一度は玄関におりて、そこで地下足袋を履き、ゲートルを巻くと、懐中電灯をつけた。玄関の上りかまちの下に号外のような新聞が一枚落ちていた。彼はそれを拾ってポケットに入れると、家人には、別にことわらず、一たん玄関を出てから、身体をななめにしてやっと通れるような、壁と壁の隙間を通り抜けて狭い庭に出た。名ばかりのような泉水には幾年も前から水が涸れたままになっているらしく、青ごけが生えていた。庭の隅に、その貧弱な庭には不相応なほど大きな枝ぶりのいい、楠があった。加藤はその木の下に、彼のねぐらを作った。ルックザックの中から一枚のシートを出すとそれを尻の下に敷き、木の枝に自製の簡易テントを吊りさげるように引懸けて、その中で、膝を抱くような格好で眠りにつこうとしてから、ふとさっき玄関で拾った新聞の号外を思い出して、懐中電灯を当てた。無産者新聞と書いてあった。加藤はなにかたいへん悪いものを拾ってしまったように、それをもとどおりたたむと、懐中電灯を消して、そっとテントのすそをまくって二階を見上げた。

隣室からは電灯の灯が洩れていたが人の気配はなかった。加藤は無産者新聞を玄関で落したのは、二階の人に違いないと思った。そんなことはどうでもよいことだったが、加藤には、隣室の人と、家人とのわざとらしい関係に妙に暗いものを感じていた。やがて加藤はテントの中で眼をつむった。そのかがんだままの姿勢は苦しい姿勢だったし、明け方になるとけっこう寒かったが、彼はそういう姿勢ですぐ眠りつくことのできる練習をしなければならないと思っていた。かがんだままの姿勢でいるよりも虫のようにちぢこまって横に寝るほうが楽だということも彼は知っていた。そういう実験と訓練について下宿の多幡てつは、あきらかに軽蔑を含んだ眼でもの好きだと呼んだ。なんといわれようと加藤は、それを止めようとはしなかった。そんなことをやれと書いてある本はどこにもなかったし、すすめる人もいなかったが、加藤は彼の山の経験から、眠るということがいかに必要であるかという点から割り出した彼特有の試練の方法だった。

そういう格好で一週間野宿すると、疲労を感じて来る。そうなれば野宿はやめて下宿の二階で寝ることにしていた。どうしても、野宿をしなければならないというふうに、きびしく自分を責めてはいなかった。彼は下宿で布団の中で寝ることも、庭で膝小僧を抱いて眠ることも、寝ることにおいては同じであり、どっちにしても、そう苦にしないで眠れるように努力していたのである。

翌朝、彼は眼を覚ますと、テントをたたんで、玄関へ引揚げると、ゆうべそこで拾った無産者新聞を、まえのところにそっと置いた。

「物好きですね加藤さんは」

多幡てつは、いつものことをいつものようにいった。加藤は、それにはことさらに答えず、飯を食い終ると、さっさと会社へでかけていった。

会社につくまで無産者新聞という五つの文字が彼の頭の中にあったが、会社の門をくぐるともうそのことは忘れていた。

彼の部屋には田口みやが出勤していた。ほかには誰の姿も見えず、広い部屋に、いやに、ぎょうぎょうしく、製図板が並んで見えた。

加藤は彼の机の前に坐った。

製図板の隅に一冊の洋書が置いてあった。背文字を読むと、〝ディーゼル機関の構造〟と英語で書いてあった。

加藤はその本を取ると、すぐ庶務係の田口みやのところへ引返していった。

「この本はどうしたんですか」

加藤は大きな声でいった。

「きのう、加藤さんが帰ったあとにいらっしゃった影村さんが……」

田口みやはよけいなことをしたことをわびるようにひょこんと頭をさげた。

「影村さんが、この本をぼくに貸してくれるっていうのだね」

「そうです、その本は影村さんが、加藤さんの机の上に置いて帰られたのです」

加藤は、自分の机に帰って坐ると、洋書のページを繰った。知らない英語の単語ばっかりだったが、図や写真が多いから、辞書を引きながら読めば読めないこともないと思った。田口みやが、加藤がディーゼルエンジンの本を読みたいといっていることを影村技師に伝えたのだと思った。その親切よりも、影村の好意を、どう解釈していいか加藤には分らなかった。加藤は、単純にはだまされないぞと、自分の心に言いきかせて、すぐ、しばらくは黙って模様を見ようと思った。ページを繰っていくと、次々と図や写真がでて来る。ノッズルという章にぶっつかった。加藤は食い入るように、本の図に見入っていて、影村に肩を叩かれるまで知らなかった。

影村は笑っていた。

2

会社の門を出たときから加藤は、なにか異様なものを感じていた。いままで一度も、つき合ったことのない酒宴にのぞむのだから、異様だというのではなく、同期生たちにかこまれて歩いていることに、なんとなく圧迫を感じ、それが異様なものとなっていたのである。同期生ばかりであり、しょっちゅう会社で顔を合わせている連中だったが、彼等全体が加藤ひとりを意識しているようであり、その証拠には、彼等は、前後左右から加藤を取りかこんでいた。

(おれが逃げるとでも思っているのか、ばかな)

加藤は心の中で笑った。今夜は例年の忘年会とは違うのだ。今夜は金川義助が出席するのだ。だから、加藤、お前は出席しなければならないぞと誘ったのは田窪健であった。金川義助が神戸にいるのかと、加藤はおうむがえしにいった。会いたかった、研修所の卒業を前にしてやめた金川とは、かれこれ四年も会わないことになる。なつかしかった。

「金川はいまなにをやっているのだ」

「労働運動をやっているらしい」

田窪はそれ以上言わずに、加藤から会費を受取ると、じゃあ今夜一緒にいこうぜ、と別れたのである。

ひどく寒い夜だった。暮近いせいもあって、眼に触れるものがすべて、あわただしく、こせこせと、逃げ廻っている人間のいとなみに見えた。

「金川はほんとうに来るだろうな」

加藤文太郎は、彼と肩を並べている村野孝吉に言った。

「ああ来るよ、来ないことがあるものか、なあ」

村野は、彼の前を歩いている、同期生の肩を叩いた。その村野孝吉のなあが、加藤には、へんに思われた、来るなら来るでいい、なあといって、他人の同調を求めるのは、いかにも自信のないやり方に見えた。加藤は村野の挙動から、ひょっとすると、同期生たちは、自分をかついでいるのではないかと思った。金川が来るなどということは嘘で、彼等は加藤を引張り出すための口実に金川を出したのではないかと思った。

一行が、料理屋の前に来たとき、おい、とうとうここまで来たぞ、と北村安春がみんなに聞えるようにいった。それに同調するように幾人かが笑った。加藤はそれを聞いたとき金川義助は来ないのだと思った。金川義助を持ち出したのは、加藤を引張り出すためであることは、わかったけれど、それまでしてなぜ彼等が、自分を忘年会へ引張り出したいのか、加藤にはわからなかった。

加藤は腹をすえていた。ここまで来て逃げるつもりはなかった。加藤は靴を脱いだ。そして、その靴が、そこに並べられている、同期生たちのどの靴よりも、はき古されたものであり、自分ひとりがナッパ服のままでいることも自覚した。少しも、それが恥ずかしいこととは思わなかった。靴が古びているのも、背広服を買わずに、ナッパ服でいるのも、すべてヒマラヤという目標のためだと思えば、なんともなかった。他人が、それについて、なんと考え、なんと批判しようが知ったことではないと思っていた。

加藤は上座に坐らされた。そういう配置から考えても、友人たちが、加藤に対して、なんらかの意図を持っており、この忘年会はただでは済まされないように推測された。

床の間には大きな木彫りの大黒があった。それを背にして、あぐらをかいた加藤文太郎の前へ、同期生が、つぎつぎとやって来て酒をついだ。加藤は酒を飲めなかった。飲めないのではなく、飲もうとしないから下戸扱いにされていることも自分でよく心得ていた。加藤は飲めと、強くすすめられると盃を、まるで、薬でも飲むように唇に当てて、すぐ下におろした。

「飲まないか」

と同期生がいった。

「飲めないんだ」

加藤はそう答えて、にやにやと、笑うだけだった。忘年会へ、金川義助がいるといって無理に引張り出されたことなんか、少しも根にもっていないふうだった。

「悪かったな加藤」

村野孝吉は、さすがに、そのことを気にしているらしく、加藤の隣の席で、そういった。

「な、加藤、たまにはつき合いもしなければなるまい、いろいろとへんな噂が立つからな」

村野がへんな噂といったことがなんであるかが加藤にはすぐわかった。かなり酔った同期生のひとりが、加藤の前へ坐っていった。

「おい加藤、きさま金をためてるそうだな。電車にも乗らず、背広も作らず、酒も飲まず、一生懸命金をためているそうだが、そんなにまでして金をためてなににするのだ」

加藤は黙っていた。こんな奴にヒマラヤ貯金のことなんか話してもわかるはずがないし、説明したくはなかった。貯金のことは誰でも知っているらしいが、その目的は誰も知らないのだ。外山三郎でさえも、貯金の目的については知っていないのだ。加藤は貯金のことが他人に問題にされはじめたことがむしろおかしくてたまらなかった。

「おい加藤、人生は短いんだ。せいぜい楽しく遊ぼうじゃあないか。けちけち金をためて、なんになる。それよりも、その金で女でも抱いて見ろ、いいぞ」

そういった男がいた。

つぎつぎと同期生たちが来て、同じようなことを言って去るのは、彼等が、加藤に対して、平凡なつきあいをすすめているようであり、また、加藤の貯蓄が、単なる吝嗇から来るものと解釈しているようでもあった。しかし、同期生たちは、執拗に加藤を困らせようとはしなかった。そのうち、加藤は、ひとりぼっちにされて、赤い顔をして、友人たちが、踊ったり、歌ったり、大きな声でいい合いをしたり、それを止めに入った男が、そこで口論を始めたりといった混乱の中にひとり取り残されたように坐っていた。

「いいところへ行こうじゃないか」

と誰かが立上っていった。

「そうだ、いいところへ、今晩はお客様を案内しようじゃあないか」

「そうだ、加藤、いいところへ案内してやるぞ。きさまも、徴兵検査はとっくに終っているんだ。童貞なんか早いところ捨ててしまえ。そうすることが男としての躍進なんだ」

加藤のまわりを、数人の男たちがとりかこんだ。わっしょ、わっしょという声が起った。加藤は料理屋を、友人たちの喊声とともに出ながら、ここまで、ちゃんと、計画されていたことに、驚くというよりも、或る種の嫌悪を感じはじめていた。くどすぎるなと思った。しかし加藤は、別にあばれもせず逃げ出しもせず、彼等が宵のネオンの町の中を、あっちによろけ、こっちによろけ、同じような風体の若者たちと声を交わしたりしながら、巷へ踏みこんでいくなかに呑みこまれたままについていった。

福原遊廓については加藤はいろいろと耳にしていた。しかし、そこへ足を踏みこんだのは、その夜が初めてであった。加藤を前後左右から取巻くようにして、やって来た同期生たちも、その町だけが作っている一種異様な陰湿な雰囲気に、行手をはばまれたように、いままでほどの元気はなく、加藤をどこかへ連れこむことよりも、彼等自身の目的が表面に出て来たらしく、ほとんど同じような店がまえの、窓に並び立てられている、女の写真を覗き込みながら、ひととおりの遊び人らしい口調で、女を批評したりしているのを横目で見ながら、加藤は、脱出の機会を狙っていた。

加藤をとりこにして、ここまでつれて来た同期生たちはいつの間にか、六人が五人に減り、五人が四人に減っていた。その四人が二つに分れて、この家がいい、いやあっちがいいといい合いを始めたとき、加藤は友人のもとを去った。

「加藤が逃げたぞ」

そういう声をうしろに聞いたが追いかけて来る気配はなかった。

加藤は湊川公園まで来てほっとしたように息をついて、うしろをふりむくと、

「つきあいってのはこんなことか」

それをいうと、ひどくみじめな気持になった。自分の眼に涙が浮んでいるのがわかる。原因はよく理解できないが、とにかく、友人のすべてに裏切られ、軽蔑され、そして足蹴りにされたように悲しかった。加藤は、駈け足を始めた。夜の神戸の町を、いち、に、いち、にと自分で自分に声を掛けながら走っていると、やがて、汗がにじみ出て来る。彼はそのままのペースで高取山への登り口の鳥居をくぐると、そこからは、いつもの登りの姿勢で、暗い坂道を、まるで自分の庭を歩くような慣れた調子で頂上へ向って、ほとんど駈けるような速さで登っていった。

（昭和三年、十二月三十一日快晴　茅野六時三十分）

加藤文太郎は茅野駅で立ったままノートにそう書きこんでから、周囲を見廻した。汽車をおりたのは彼を含めてたった三人だけだった。毛糸の目出し帽子をかぶり、モンペを穿いた老人が、明けて間もない空を見上げていた。

「上槻ノ木へ行くには、どういったらいいでしょうか」

加藤は老人に聞いた。老人はじろっと加藤を一瞥してから、

「途中までいっしょにいかずか」

といった。たたけばかんかん音がするように道は凍てついていた。しばらくは、町というよりも村に近いような家並がつづき、三十分も歩かないうちに、坂道になり、それからは、雪におおわれた田圃と、葉をおとした桑畑と、屋根に石を置いた農家がつづいていた。

「どこへ行くだね」

老人は、ルックザックを背負いスキーを担いでいる加藤の姿を、もう一度ゆっくりとたしかめ直すように見廻してからいった。

「今夜は夏沢温泉まで行って泊って、明日は八ヶ岳へ登りたいと思っています」

「夏沢温泉じゃあない、夏沢鉱泉ずら。あそこには誰もいねえぞ」

「いなくてもいいんです。食糧は持っています」

加藤は背に負った大きなルックザックをゆすぶっていった。

「いくら食べものを持っていたって、着て寝るものがなけりゃあ、この寒さじゃあ眠れるもんじゃあねえ。上槻ノ木へいったら、もっとよく聞いていくだね。とにかくえれぇこった」

老人はえれぇこったということばを、二度三度繰りかえしてから、上槻ノ木へ行く道を教えてくれた。

老人と別れてからも加藤は、えれぇこった、えれぇこったと老人のいったことばを口にしながら坂道を登っていった。日が上ると、雪におおわれた八ヶ岳が近づきがたいほど遠くに見えた。それにしてもこの八ヶ岳山麓(さんろく)の広さはどうだ。加藤はしばしば立止って、彼の足元から八ヶ岳の山頂までつづいている雪の高原に眼をやった。だらだらと登っていく、きりもなく長い道を、時々、人に訊(き)いてたしかめながら、透き徹(とお)ったようにつめたい高原の大気を呼吸すると、やはり、出て来てよかったと思った。いつかは冬山へ入らねばならないと思っていた。冬山の経験なくしてヒマラヤなど思いもよらないことだった。その冬山に入る前提としていままで努力して来たのだ。

(山をやり出してから何年になるだろうか)

加藤はふとそんなことを考えたが数えて見ようとは思わなかった。とにかく、冬山へ入ることができたということで、ひどく心がはずむ思いだった。

上槻ノ木には十時についた。村で、夏沢鉱泉のことを聞くと、番人はいないが、ふとんが置いてあるから、中へ入って泊れるだろうということだった。誰に訊いても、親切だった。わざわざ外へ出て来て、あの道を左へ左へと歩いていけば、自然に鉱泉へ行きつくことができるから心配はいらないと教えてくれる人もいた。上槻ノ木の村を離れると、雪道になり、そこからが、いよいよ山の領分だった。茅野からずいぶん、歩いて来たように思ったけれど、八ヶ岳は少しも近づいては来ないばかりか、むしろ遠くにいってしまったような感じでもあった。雪道には馬橇(ばそり)のあとがついていた。やがて、そのあともなくなると、あたりは見渡すかぎりの雪の高原となり、どこを見ても、人影は見えなかった。そこで加藤は担いでいたスキーをおろして履いた。天気はよかった。これからはただ歩けばよい。鳴岩(なるいわ)川の音が聞えた。思いのほか、深く切れこんでいる川の底を流れている水が、光って見えるところまでいって、地図を開いて、道を間違えたのに気がついて引返したりなどしながらも、加藤は、高度をかせぎ取っていった。高原が尽きて、樹林帯にかかるあたりから道の勾配(こうばい)がきつくなった。シラビソ、ウラジロ、モミなどの針葉樹林の中へ入ると、寒気を感ずる。ひといき入れて、空を見上げると、いつの間に出たか、上層雲が空一面をおおっていた。薄日はさしていたが、弱い光であり、それに、森林地帯に入ってから、加藤ははっきりと風の音を聞いた。風の音というよりも、それは山の音だった。風が出たのである。

加藤は、天気が悪い方へ向いつつあり、それが、彼の山行の大いなる障害にならねばいいがと考えていた。

加藤は山陰の生れであるから、雪をそれほどおそろしいものとは思っていなかった。しかし、いま彼が足下に踏んでいる雪は、いままでの彼の経験にない雪の感覚だった。固くつめたい足応え(あしごた)のする雪だった。つぎに彼が予期以上に感じたものは寒さであった。夏山縦走中に雷雨に打たれたこともあり、みぞれに降りこめられたこともあった。南アルプスの稜線(りょうせん)を風雨に打たれながら歩いたこともあった。その時も、身を切られるように寒かったが、いま八ヶ岳の森林地帯に一歩踏みこんで感じとった寒さとは違っていた。冬山の寒さは、乾いた寒さだった。とぎすました刃物を眼の前へじりじりとおしつけてくる寒さのように思われた。

加藤は腕時計を見た。午後の三時を過ぎていた。歩いていても、頬(ほお)のあたりに感ずる、この乾いた寒さから、彼は、これから更に高度を高めていった場合の寒さを連想し、冬山のきびしさが、彼の前に大きく立ちはだかっているのを知った。

加藤は初めて北アルプスを訪問した夏、大天井岳（おてんしょうだけ）の下で大雷雨に逢（あ）ったことを思い出した。初めての夏山は雷光と雷鳴の御膳立（おぜんだて）によって彼を迎えたが、冬山はいかなる趣向を以（もっ）て彼を迎えるだろうかということが加藤にとっては大（おお）いなる関心事であった。

加藤は、彼の履いているスキーが雪を踏みしめて発する音が、今朝の老人のいったえれぇこった、えれぇこったという言葉に聞えてならなかった。急傾斜の道を登り切って、山腹を捲（ま）くように歩きながら加藤は、足下の深いところを流れている鳴岩川の谷底を眺（なが）めていると、どこからかただよって来る、鉱泉特有のにおいを嗅（か）いだ。

夏沢鉱泉には誰（だれ）もいなかったが、家の中へは入れるようになっていた。彼は大きな声でごめんくださいといった。誰もいないことはわかっていたが、そういわないと気が済まなかったのである。声は暗くしめった鉱泉宿の奥の方へ消えていった。その手応えのなさは腹の立つほどむなしかった。それほど、この鉱泉宿はあちこちに隙間（すきま）だらけだった。午後の四時を過ぎたばかりだったが夜のように暗かった。彼は提電灯をつけて、部屋の隅々（すみずみ）に光を当てた。明るいうちに食べて寝る準備をしなければならなかった。冬山では午後の三時までには、行動を停止して、夜の準備にかからねばならないということを本で読んで知っていた。

入って直ぐの部屋の隅に布団が重ねてあり、その上に、薦と筵がかぶせてあった。畳は上げられて、部屋の隅に立てかけられていた。

加藤は一畳の畳を床の上に敷いて、その上に坐った。やれやれ、という気持だった。ルックザックをあけて、塩尻駅で買って来た汽車弁を出して食べ、上槻ノ木の部落で魔法瓶に入れてきた湯を飲んだ。湯はまだ熱く、その熱い湯が喉を通ると、救われたような気持になる。食事を終ると彼は、畳の上へふとんを持って来て敷きならべてその中へもぐりこんだ。眼を閉じると山の音が聞えた。風がかなり強くなっていることは明らかだった。うとうとしていると風の音と、寒さで眼がさめた。ふとんを二枚も着ているのに寒いのは、肩のあたりから風が入ってくるからだと気がついて、襟巻を首に巻きつけてから、もしこの小屋にふとんがなかったら、自分はいったい、どうして眠ることができたろうかと思った。ふとんどころか、もしここまで来て、この鉱泉旅館がなくて、野宿することになったならばと考えると、また別な寒さが彼を襲うのである。

「おれは冬山へ来たんじゃあないのか」

加藤は自問した。夏沢鉱泉へ泊る予定ではあったが、冬山に対する準備はして来たはずであった。彼は夜半に起き上ると、提電灯をたよりに、彼が持って来たものをすべて身につけて、ルックザックの中へ足をつっこんで、畳の上に横になった。寒かったが、眠れない寒さではなかった。いくらかでも寒さから逃れるためには、でき得るかぎり、自分の身体(からだ)を丸く小さくおさめることが必要だった。彼はネコのように丸くなった。ネコのようになると背中がひどく寒かった。ぶくぶくと長い毛の生えた毛皮のチョッキが欲しいと思った。それをもう一枚だけ着ていれば、この寒気からはのがれることができるように思われた。寒さにこたえようとしていると身体中に力が入る。りきむといくらか身体があたたかになる。加藤は、もう少し、カロリーのあるものを食べて寝るべきだったと思った。もしこんなとき、ビフテキの二人前も食べていたら、と考えるほど、寒さはきつかった。

明方近くになって、彼は眼を覚ました。どうしても寒くてやり切れないから、ふとんをかぶった。それから朝まではぐっすり眠った。

昭和四年の一月一日は雪だった。

加藤は板戸をおしひらいて雪の吹きしきる外の景色にしばらく眼をとめていたが、すぐ家の中へ引返して台所の方へ行って見た。炊事用の竈(かまど)があって、薪(まき)が少々置いてあった。

彼は台所にあった大鍋をさげて外へ出て、それにいっぱい雪を掬い取って来ると竈にかけて火をつけた。

赤い火が燃え出し、煙が這い廻り始めると、寒々とした鉱泉全体が暖かい雰囲気に包まれる。加藤は、鍋の中にできた水で飯盒の米をとぎながら、ここが鉱泉である以上、どこか近くに水があるに違いないと思った。水があるのに、わざわざ、雪をとかして、飯を炊く自分が迂闊であったことが、おかしくなったが、考えて見ると、まだ、雪をとかした水で飯を炊いたことがなかった。飯盒の飯は間もなく煮えたから、鍋に湯を沸かして、カマボコとバターを入れた。

熱い飯とカマボコスープは元旦の朝食にふさわしい豪華なものであった。食事が終って、ミカンを食べようとしたが、石のように固く凍っていた。彼はそれを竈の上に置いた。

雪は降ってはいるがたいした降りではなかった。風はあるにはあるが、吹雪というほどでもなかった。加藤は支度をととのえると、非常食の入ったルックザックを背負ってスキーを履いて夏沢峠への道を登っていった。

道ははっきりしていたから迷う心配はなかったが、新雪の中へスキーがもぐるから歩きにくかった。

「えれぇこった、えれぇこった」

彼は、きのうから愛唱している例のことばを口にしながら、峠への暗い道を登っていった。夏沢峠までの往復が、その日の予定だった。降雪の中を、それ以上前進するだけの勇気はなかった。えれぇこった、えれぇこったといいながら峠の方へ登るにつれて、風が強くなって来て、どうやらほんとうに、えれぇことになりそうな気がした。が、それがどんなかたちで来るかはわからなかった。彼は昨夜の寒さとの対面によって、おそらく、今日もひどい目に会うにちがいないという予想のもとに、目出し帽をおろして、首のあたりを毛糸の襟巻でぐるぐると巻いた。そうすると寒さはしのげたが、ひどく息苦しく、活動に不便であった。

彼が吹雪を意識したのは夏沢峠の直下であった。一陣の風が起ると視界が煙り、その風が定常的な強さで彼の正面から吹きつけて来るようになると、眼をあけていられなくなった。しばしば彼は立止って眼をおおった。吹雪そのものより、森林のざわめきの方がすさまじかった。彼はその音に恐怖をおぼえた。峠まで来ると雪はかなり深くなっていた。その峠が、南八ヶ岳と北八ヶ岳の中間にあり、北八ヶ岳一帯の暗さが、そのまま峠にまでおおいかぶさっていた。そこから硫黄岳への登り口はあったが、そこへ踏みこんでいく気にはなれなかった。降りしきる雪と、登るほど強くなる風から判断して、そこから上が、大荒れに荒れていることが想像された。峠に立っているとひどく寒く、そして、そこにそうして立っている自分がみじめであった。視界は効かず、山の音だけが、彼を圧倒しようとしていた。

加藤は帰途についた。寒さからのがれることで一生懸命だった。なぜこんなに寒いのか、寒いことはかねて承知の上で、充分用意して出て来ているのに、寒いと感ずるのは、もともと、寒さに対して抵抗する能力がないのかも知れないと思ったりした。ヒマラヤへ行くというのに、八ヶ岳の寒さにおそれていてはしようがないと思うのだが、やはり寒かった。

加藤は、夏沢鉱泉に帰りついて、雪を払うと、そのまま寝床の中へもぐりこんだ。つかれてはいなかった。つかれるほど歩いてはいないが、寒いし、それにひどく眠かったから、寝床の中へもぐりこんだのである。やがて、あたたかみが彼を包むころ、彼は深い眠りに落ちた。眼を覚ますと、夕方だった。空腹を感じた。彼は起き上るとすぐ台所へ行き、火を焚く準備を始めた。薪がなくなっていたから、外へ出て、軒に積んである薪をひとかかえ抱いて来た。薪は濡れていた。家の中にまだ残っていた乾いた薪に火をつけてそれに外から持って来た薪をくべると直ぐ火が消えた。紙をたきつけにして火をつけると、紙だけが燃えて、濡れた薪には火はけっして燃え移ろうとはしなかった。

加藤は薪で火を焚くことはあきらめてアルコールバーナーに火をつけコッフェルで湯をわかし、飯盒の中の凍った飯を落しこみ、味噌を加えて、雑炊にした。カマボコをきざんでいれたけれど、噛むと、ざくざく氷の音がした。

それでも、アルコールの燃える明るさがあるかぎり、彼は楽しかった。腹一ぱい飯を食べてから加藤は、さっき、夏沢峠で感じた寒さについて考えた。充分に着こんでいた。飯も食べていた。ただ、昨夜はあまりよく眠ってはいなかった。考えられる原因としては、睡眠不足だけであった。寝不足が寒気を呼ぶという事実はあってもよさそうだった。

(だとすれば、今なら寒くないはずだ)

加藤は、火を見詰めながら、しばらく考えていたが、急に思いついたように、アルコールの火を消すと、提電灯の光で、支度を始めた。彼は昨夜やって見たと同じように、身につけられるものはすべて身につけると、雪の中へ出ていって、シートを敷き、その上に坐りこんでテントを頭からひっかぶった。

実験であった。冬山の寒さを知るには、自らの身体を、山の中へさらす以外にはないと考えてしたことであった。この行為に対して、彼を批判するものはここにはいなかった。バカだという者もないし、えらいとほめるものもいなかった。すべて彼自身の思いつきではあるけれど、そうした格好で正月の夜を過すことに、微塵の寂寥も感じていないわけではなかった。

「加藤君、正月の休みにはぜひ遊びに来てくれ。若い人達がおおぜい集まるから」

外山三郎がそういって誘ってくれた。若い人達の中には、何人かの娘さんたちが交わっていることも、外山三郎は言外にほのめかしていた。娘さんたちの晴れ姿に華やいだ外山三郎の応接間が見える。赤々と燃えているストーブ。加藤は首をふった。そういう世界もあるにはある。その世界を否定しようとは思わないが、その世界と逆の位相のところに、いま、彼が覗き見ようとしている未知の世界があるのだ。

加藤は寒気が、まず彼のどの部分から彼を攻めようとするかを見きわめようとした。足の先、手の先、そういうところから、しみこんで来る寒さ、背中からおしつぶすようにやってくる寒さ、敷いている、シートを通して、伝わってくるつめたさ、それらのすべての方向に対して、加藤は用心深く気を配っていった。眠くはなかった。眠らずに寒さと戦いながら朝を迎えることができるかどうかを試そうとした。

風は、彼がかぶっているテントをはぎ取ろうとした。風の当る部分の体温が奪われ、同じところを、風にさらしていると、そこから知覚が失われていきそうだった。足の先も手の先も冷たかったが、それらとは原因を異にした寒さが彼をせめた。それは濡れることであった。彼の体温が雪を溶かし、その水分を彼の着衣は吸収し、ごていねいに、それもやがては凍りついていくのである。彼は何度か家の中へ逃げこもうと思ったが、耐えた。

「えれぇこった、えれぇこった」

彼は口の中でつぶやいた。これを繰りかえしていると、不思議に気持が落ちついて来る。きびしい寒さは彼の頭を明晰にした。加藤は彼が踏みこんだヒマラヤへの道がいかに遠いかを考えた。夏山を歩くことにかけては、誰にも負けない自信がついていた。彼は大正十四年の夏、北アルプスを訪れて以来、大正十五年、昭和二年、昭和三年と四年間の夏期を通じて踏破した山々を頭に思い浮べていた。

穂高連峰、立山連峰、後立山連峰。南アルプス、富士山、乗鞍岳、御岳、木曽駒岳、山上ヶ岳、大山、船上山、白山、扇ノ山、氷ノ山、許される休暇のすべてを投入した結果だった。登った山はまだあったが、直ぐには頭に浮んでは来なかった。この八ヶ岳も夏に一度は訪れた山であった。冬山への招待は、加藤の名が、関西の山岳界に知れて来るに従って、しばしば彼のもとを訪れたけれど、彼は首を横にふった。冬山に入るまでに夏山のすべてを知ろうという彼の用心深さであった。

加藤は雨の中で野宿したときのことや、みぞれに打たれながら一晩中、歩きつづけたことなど思い出していた。それらの夏山の体験によって得たものと、いまここで得ようとしているものとは原則的に違ったものを持っていた。

(夏山と冬山との違いは寒さだけではない)

加藤はそれを考えつめていた。寒さだけなら、寒くないような、準備さえすればしのげるけれど、それ以外にあるものとすれば、――それは孤独であった。夏山にはどこかに人がいた。小屋もあった。鳥もいるし、動物もいた。花も咲いていた。だが冬の山には人はいなかった。小鳥の啼き声も聞えないし、草木も眠っていた。

加藤は身ぶるいをした。冬山の寒さは、孤独感から来るものではなかろうか。すると、冬山に勝つにはまず孤独に勝たねばならない。加藤は数日前の忘年会の夜のことを思い出した。孤独に勝つことのできない同期生たちが、酒を飲み、歌い、いい争い、そして、ネオンの街の中へ、よろめきながら出ていった姿が思い出された。彼等には彼等の生き方があり、自分には自分の生き方がある。

「おれは孤独に勝って見せる」

加藤は震えながらそうつぶやいていた。

3

吹雪は二日続いた。三日目の夜半過ぎてから西風に変り、星が出た。

加藤文太郎は午前三時に夏沢鉱泉を出発して、新雪の中を夏沢峠に向った。森の中は真暗で、提電灯をつけていないと、歩けなかった。スキーは新雪にもぐり、雪を踏みつける音がついてまわっていた。明け方の寒気が、ひしひしとせまって来るけれど、吹雪の止むのをじっと待っているあの孤独感はもうなくなっていた。歩くことによって気がまぎれるというよりも、未知のものへの誘惑が加藤を強く引張っていた。

六時に夏沢峠についた。夜が明け始めていた。彼はスキーの先を一度は硫黄岳の方へ向けたけれど、すぐもとへもどすと、そのまま峠を越えて、本沢鉱泉の方へ、急坂をおりていった。ひょっとすると、本沢鉱泉に番人がいるかも知れないと思った。人に会いたかったのである。加藤には丸々三日間、全然人の姿を見なかったという経験はなかったし、人の声を聞かなかったということもなかった。ここでは人の声はおろか、鳥の声さえも聞けなかった。三日間、人の世界から隔絶された加藤は、人が恋しかった。誰でもいいから人に会いたかった。だが、本沢鉱泉は閉鎖されたままだった。

彼は自分自身に裏切られたような気持でそこに立っていた。ヒマラヤを目指している加藤が、たった三日間の孤独に耐えられずに、山をおりて来たということが、無人小屋の前で事実として示されると、彼は、その自分の弱さに、猛烈な反発を感じたのである。

加藤は小屋に背を向けた。

朝の光が、硫黄岳の頂に火をつけたように燃えていた。彼はモルゲンロートということばが好きだった。それを彼は数多く見ていた。だが、彼がいま見るモルゲンロートは、それまで彼が見た、いかなるものとも違っていた。

硫黄岳のいただきの雪はバラ色にそまり、そのかげは紫色に燃えていた。朝日を受けて輝くという他動的なものではなく、山そのものの地核からそのたぐいまれなるバラ色が、にじみ出して来て雪肌(ゆきはだ)をそめているように見えた。それは、処女が示す羞恥(しゅうち)のためらいのように清楚(せいそ)な美しさを持っていた。

山が輝き出すと彼の胸が鳴った。全然予期しないことだった。その胸の高鳴りは彼がいままで経験したことがない、妙に衝(つ)きあげてくる鼓動だった。加藤はまだ恋をしたことはなかった。恋をするような女性に会ったことはなかったが、もしそういう女性に会ったならば、感ずるであろうと思うような胸の鼓動であった。その時、彼は、おそらくこのように美しいものを見ている者は、日本では自分ひとりであろうと考え、こういう美しいものとの対面が、彼と山とを永遠に別れさせないものにするのではないかと思った。硫黄岳のいただきはバラ色の冠となって一段と光り輝き、やがてその光は大地にしみこむように消えていった。

加藤は、スキーの締め具を直して、ふたたび夏沢峠へ向って急坂を登り出した。孤独感はモルゲンロートを見た瞬間、消えうせていた。

夏沢峠に立ったとき彼はまともに西風を受けた。思わずよろめくほどの風だった。天気がよくなれば、西風が吹くのが当り前だという、このあたりの山の気象についての概念はつかんでいたが、現実、その風に正対して、その風に追いまくられると、少々腹が立った。

加藤は、樹林を出て這松地帯まで登りそこでスキーを脱いだ。西風は、降ったばかりの雪を飛雪として撒布した。

アイゼンに穿きかえると靴が雪にもぐった。それもわずかの間で、岩と氷の道にかかるとアイゼンはよく利いた。

加藤は硫黄岳のいただきに立った。既に夏一度来たことがあったから未知の山ではなかった。大タルミを越え、横岳、そして赤岳とその姿こそ見違うことはないし、北八ヶ岳の峰々も、ひとつとして、知らないものはなかったけれど、加藤にとっては、それらの山々は未知の山に見えた。夏の八ヶ岳は、石ころの山だったが、冬の八ヶ岳は風と雪と氷の山だった。その風と雪と氷が、彼をどんなふうな迎え方をするかについて、彼は注意深くあたりを見渡した。硫黄岳はひろびろとした雪原に見えた。問題は横岳の稜線(りょうせん)にあるように思われた。

「横岳の稜線をゆっくりと時間をかけてやればいいのだ」

彼はひとりごとをいって、大タルミの方へ向って歩き出した。突風が彼を襲ったのはその時だった。突然、空気中の一点で大爆発でも起って、その爆風に飛ばされたように、彼の身体(からだ)は軽く飛ばされ、雪の上をころがった。気がついたときには突風はやみ、一定風速の西風が吹いていた。風につきとばされたという感じだった。眼(め)に見えないなにかが、どこかにいて、足をすくったように思われた。どこも怪我(けが)はなかったし、痛いということはなかったが、加藤は、驚きと、冬山への畏怖(いふ)と、わずかばかりの疑惑の中に立ちすくんでいた。吹きとばされ、雪の上をころがされたにかかわらず、ピッケルで身体を止めることもできなかった。それを考えると、自分がなさけなくもあった。

加藤は両手でピッケルをかまえてゆっくりと歩き出した。歩幅は前よりもこまかく取り、耳で風の音を聞き、眼で、付近の雪煙を見、足では雪と氷の反応を確かめながら、やや固くなりながら、歩き出した。しかし、第二の突風は、加藤を前よりもはげしくつきとばし、そしてその噴流のような風は、なかなか止もうとはしなかった。

彼は強風の中を這うようにして前進した。目出し帽をかぶり、首のあたりを毛糸の襟巻でぐるぐる巻いているのだが、風はどこからともなく入りこんで来て、彼の体温を奪っていった。

加藤は岩陰に西風をさけてひといきついた。風に吹きとばされながらも、どうにか風の強い領域を突破できたことが嬉しかった。なぜ、その部分だけに、風が収斂されて、まるで、大河の流れのような密度を持って吹きつけて来るのか分らなかった。

岩かげにしばらくじっとしていると、手足の感覚がもどって来る。彼は、ルックザックの中から、魔法瓶を出して、湯をいっぱい飲んでから、右のポケットに入れて来た甘納豆と左のポケットに入れて来た乾し小魚とを交互に出して食べた。彼が夏山で体得した簡易食事法は、冬山においてもまた効果的だった。左右のポケットの中身を半分ほど減らしたところで、彼は立上っていた。

腹に力が入った。稜線にかかると風はいよいよ強くなった。風のために雪は吹きとばされて、夏道が出ているところもあるし、思わぬところに、吹きだまりがあったりした。夏来たときは、稜線はかなりの幅に見えたけれど、雪の稜線はせまく、ひ弱に見えた。道は東よりについていて、足下の雪の斜面は、おそるべき急角度で下界に向って延びていた。風に吹きとばされたら、雪の上をそのまま谷底へすべっていってしまいそうだった。

彼は一歩一歩を慎重に運んだ。風に吹きとばされまいとする努力が彼の耳を敏感にした。地物をたくみに利用して、岩峰やこぶのかげを廻りながら風をよけていった。岩かげから吹きさらしへ出る場合は、飛雪の方向によって風の流線と速度を推測し、それに応じた用意をしなければならなかった。しばしば彼は、尾根のいただきで風に釘づけされることがあった。両足をアイゼンでしっかり雪に喰いこませ、ピッケルのピックを氷に打ちこみ、尾根の上に這うようにしていても、風が尾根と身体との空間に梃子をぶちこんで、尾根から引きはがそうとすることがあった。いかにこらえようとしても、力を入れる甲斐もなく、ふわりと空中に浮いてしまいそうになることがあった。そのように漸進的に風力が高まっていく風の吹き方もまた夏の山では経験しなかったことである。風は、どちらかと言えば、突風性のものを考えていた加藤にとって、この強烈な連続風は未知のもののひとつであった。加藤はこの風こそ、冬の季節風そのものであろうと思った。大陸から吹き出して来て、日本海を越え、そこにひかえている八ヶ岳という孤独な山群の山嶺においても尚その冬の季節風の面目を崩そうとしないのは見事でもあった。

風とは空気の移動する状態であるという、風の定義をなにかの本で加藤は読んだことがあった。それについて加藤は疑問を持った。川のことを、川とは水の移動する状態をいうと簡単に片づけることができない多くのものを持っていると同様に、風もまた空気の移動として片づけられる問題ではない。

(風とは空気の移動ではない)

加藤は岩稜で、強風にこたえながら考えた。

(風とは空気の重さである)

彼は全身に重さを感じた。十貫目、二十貫目の重さが今や、彼の全身にかかりつつあった。重さだけあって、その形体が確然としない、風はまぼろしの存在だった。風速にして二十メートルだか三十メートルだか想像もつかなかった。速さというよりも滝を肩に受けて立っている行者のように、彼は身を風圧にさらしたままじっとしていた。動けば、吹きとばされることは確実だった。彼の身体にかかっている重みが去るまではいかなることがあろうとも、そこにそうしていなければならなかった。待つことには自信があるぞと、加藤は自分の胸にいい聞かせて、腰をすえる気持になったとき、突然風の重圧が去った。と同時に、その風圧と等しい力で対抗していた加藤の身体は、風の吹いていた方向へ飛んだ。彼自身の力で飛んだのであった。運よく彼の持っていたピッケルが彼の身体を止めたから、彼は尾根から墜落することはなかったが、そのショックで、彼はしたたか腰を打った。

「畜生め」

彼は起き上っていった。怒りが彼の全身を廻った。風になんか負けるものかと思った。このおれを吹きとばせるものなら吹きとばして見やがれという気になると、風の暴威もまた別のものに感ぜられるのである。加藤は畜生め、畜生めといいながら歩いた。冬山とは風との戦いだと思った。風と雪と氷が冬山なのだ。そのどれにも負けてはならない。

「ちくしょうめ」

と風に毒づきながら、横岳の尾根を赤岳へ向って移動していった。横岳には三叉峰、不動尊峰、鉾岳(ほこだけ)、二十三夜峰などいくつかの岩峰があるが、どれがどれだかを調べて見る余裕はなかった。ときどき、岩かげでひといきついているときに、遠景を見ることがあった。北アルプス、南アルプスの秀麗な山々が眼に入っても、それを美しいと感ずる余裕さえなかった。

彼は戦うことで夢中だった。敵に対してちくしょうめ、ちくしょうめと罵倒を続けながら、勝つという実態がなんであるかを考えていた。

横岳の岩峰群を乗り越えて、眼前に赤岳を見たとき加藤は、八ヶ岳連峰の最高峰赤岳の頂上に立つことが敵に勝つことであると考えた。そして加藤が横岳と赤岳との鞍部へ向って、下降斜面を歩き出したとき、ぴしっという乾いた音とともに、眼前で雪面にひびが入るのを見た。彼は驚いて、もとの位置へ帰った。なだれを起す寸前にいたことが分ると、背筋につめたいものを感じた。ちくしょうめ、と彼は雪に向っていった。加藤文太郎をなめるな、と言ってやりたかった。なめるなといっても、亀裂の入った斜面に踏みこんでいく勇気はなかった。雪面は加藤を嘲笑した。雪面からの強烈な反射光線さえも、彼には、雪の挑戦に思われた。

加藤はピッケルをかまえたが、その雪面の挑戦には応じなかった。もともと、新雪の斜面を横切るような歩き方をしたのが間違いだったことに気がついた加藤は、あらためて降り道を検討してから、ゆっくりとおりていった。

赤岳への直登は息が切れたが、氷壁をよじ登るというほどおおげさなものではなかった。烈風に打たれながら、雪の急斜面を登攀する気持は、彼の初めての冬山訪問にふさわしい、緊迫さがあった。

彼は登りにかけては自信があった。アイゼンもピッケルも、登りの方が使いよかった。彼は、むしろ、ものたりないほどの経過で、赤岳の頂上に立った。

頂上には強い風が吹いていた。すばらしい遠望があったが、そこに突立って眺めていることは許されなかった。彼は一瞬、眼を白銀に輝く北アルプスの連山にそそいだだけで、すぐ、もと来た道へ引返していかねばならなかった。

風が体温を奪い取ることは、夏山で充分経験したことであり、強風を勘定に入れて、充分厚着して来たつもりだったが、計算以上に強風は彼の体温を奪い取っていた。それは主として防寒具の不備に起因するものであった。着衣は頭巾と、上衣とズボンとに分れているから、そのつぎ合せ目に寒気がしのびこむのは当り前のことだったが、これほどはげしいものだとは思わなかった。

足ごしらえは充分だった。靴の中に雪が入りこむことを防ぐために、ゲートルを使用したことはかなり効果があったが、しばしば深雪に踏みこんでいるうちに、左足のゲートルがずれて、靴の中へ雪が入った。強風の中でゲートルを巻きかえることは容易なことではなかった。

二重手袋は寒さを防いだ。潜水眼鏡式の紫外線よけの眼鏡は、まずまずだった。ときおりすき間から粉雪が入りこむ以外には、たいした支障はなかった。

ピッケルについては不安がつきまとっていた。彼はピッケルを氷雪に立てて強風に耐えているとき、もしピッケルがどうにかなったらとしばしば考えた。ピッケルに対する不信感だった。このピッケルは数年前に神戸の運動具店で買ったもので、その時は、ピッケルの良否にはあまりこだわらなかった。冬山のきびしい現実に立たされた彼は、ピッケルが彼の生命を左右するものであることを知らされた。

アイゼンは靴によく合うものを買って来た筈だったが、氷雪の上を歩くと、どこかに密着を欠くものがあった。

結局、加藤の冬山装備は完全ではなかった。成功したのは魔法瓶の利用と携行食料品だった。彼は朝三時に夏沢鉱泉を出て以来、食事らしい食事は取っていなかった。両方のポケットに入れて置いた甘納豆と乾し小魚を随時口に入れていることによって空腹を処理していた。

加藤は、赤岳をもと来た道へ引返し始めた。赤岳から、行者小屋へ下山するつもりだったが、それをやめて、もときた道をたどろうと決めたのは、一つには彼の装具について不信感を抱いたから、それ以上、未知への突貫はさけるべきであるということと、もう一つは、硫黄岳であの強風ともう一度戦って見たかったからである。来る時加藤は突風のために二度ダウンを喰ったが、帰途においては絶対に負けないぞというところを風に見せてやりたかったのである。

帰途にかかると風速は更に増したように思われた。北に向っての行進のために、北西の風をまともに受けた。雪煙が前方をさえぎり、このかけらが彼の顔をねらって吹きつけた。

「ちくしょうめ、ちくしょうめ」

と彼はまた風にむかって呪(のろ)いをたたきつけてやった。彼は戦争は知らなかったが、おそらく戦場における兵士の気持はこんなものだろうと思った。彼は、進め、進めの号令のかわりにちくしょうめを連呼しながら、一塁一塁と岩峰を占領しながら、横岳のやせ尾根を北に向って進んでいった。だが、硫黄岳の登りにかかると、そこには前にも増して強風が吹いていた。身をかくす適当な岩がないからでもあったが、その風の壁を突き抜けることは容易ではなく、さりとて、迂回(うかい)すべき道もなかった。彼はピッケルをかまえて、その強風の中へ突入した。そして、彼は、予期したとおり、吹きとばされて小犬のように雪の上をころがった。見事な敗北だった。彼は雪の上に伏したままで、風の音を聞いていた。火口壁に衝突して起る音、雪面を摩擦して起る音、遠い音、近い音、あらゆる風の音の中に混って、空高くから聞えて来る音があった。風がなにものかと摩擦して起す音とは違って、それは風自身の声に思われた。

風の声は威嚇にも嘲笑にも聞えたが、時によるとその咆哮を突然やめて郷愁をさそうような余韻を持って甘く流れることがあった。風の声には高低もあり、冬山の風の声らしいなまりもあった。声は、同じことを何度も繰り返していた。なにをいおうとしているか分らないけれど、少なくとも、風の声は、加藤を倒した勝利の凱歌を誇示しているとは思われなかった。もっと高いところから、なにかを教えようとしている話しかけに聞えた。

加藤は雪の上に起き上った。

「えれぇこった」

彼は茅野駅から道連れになった老人のことばを思い出した。

「えれぇこった、ほんとにえれぇこった」

そういいながら歩き出すと、不思議に気持が落ちついて来る。気持が落ちついて来ると、風の声がよく聞えた。突風が起る前には、瞬間的に風速が急減することや、旗をふるような音が遠くでするこことや、部分的に、噴射状の飛雪が風上で起ることなどをみとめることができた。突風が起りそうな予感がすると、彼はいち早く、ピッケルのピックを雪面に打ちこみ、身を伏せて、風の通過を待った。突風が去ると、彼はゆっくり立上って、

「えれぇこった、えれぇこった」

といいながら歩き出した。

もはや、加藤は風に吹きとばされることはなかった。そして加藤は、硫黄岳のいただきに立って、二度とふたたび、ちくしょうめという、不遜(ふそん)のことばを山に向って吐くまいことを誓った。

冬山への挑戦という観念が大きな誤謬(ごびゅう)だった。戦いであると考えていたところに敗北の素因があった。山に対して戦いの観念を持っておしすすめた場合、結局は負ける方が人間であるように考えられた。老人のいった、えれぇこったということばは、えらいことだのなまったものだろうが、その言葉は哲学的な深みを持っているように考えられた。たしかに冬山をやることは、えらくたいへんなことであった。たいへんなことをやろうとする以上、たいへんな覚悟でかからねばならない、いそがず、あわてずに、慎重にやらねばならないということが、えれぇこったと口でいいながら歩くとえれぇことにならなくて済むのだ。それは、あの長い八ヶ岳の山麓(さんろく)を歩きながらためしたことであり、それがまた、冬の八ヶ岳の頂上においても通用することに加藤は刮目(かつもく)した。

加藤は、赤岳に眼をやった。

（あの山をおれは征服したのだ）

そう思ったとたん、彼はまた伏兵のような突風に襲われて、あやうく突きとばされそうになった。挑戦も、戦いも、こんちくしょうも、征服もいけないのだ。そのように、冬山を敵視した瞬間、自分自身もまた山から排撃されるのだ。

彼は硫黄岳をおりた。

スキーは、彼が脱いだところにそのままになっていた。スキーを穿《は》いて樹林帯へ入ると、嘘《うそ》のように静かになり、急に頰《ほお》のほてって来るのを覚えた。

満ちたりた下山だった。彼は口笛を吹きながら、夏沢鉱泉へ引きかえすと、いそいで荷物をまとめた。

人間の世界へ帰りたいという意欲が、彼の帰途を早めた。

あれほど冬山をあこがれていたのに、たった三日間の山での生活が、もう飽き飽きしたようなそぶりで山をおりるのは、自分ながら情けない気持だった。新年早々から会社を休みたくないという気持もあるにはあるが、それよりも、早く人の顔を見たいという欲望のほうが強かった。

「こんなことじゃあとてもヒマラヤなんか行けないな」

加藤は樹林を出たところでひとりごとをいった。雪原には誰《だれ》も踏みこんでいなかった。彼のスキーのあとがどこまでもあとを曳いていった。八ヶ岳の全貌が見えるところまで来て彼はふりかえった。雪煙が八ヶ岳の頂上を這っているのが見えた。彼は腕時計を見た。午後四時を過ぎていた。

ショウウインドウに赤ペンキで好山荘運動具店とあまり上手ではない字が書いてある。ショウウインドウの中には、山道具が雑然と置いてあった。陳列してあるという感じはなく、たまたまショウウインドウがあいていたからそこへ山道具をほうりこんであるといったふうだった。店の中には、スキー用品やスケートや、テニスのラケットもあった。ピンポンの玉まで、一応運動具店らしくそろえてはあったが、山道具に比較すると量は少ない。

無精髭をはやした若い主人が木の丸椅子に腰かけて本を読んでいた。店番よりも、本の方に夢中なので、時折客が入って来ても声をかけないかぎりふり向きはしなかった。

加藤文太郎は店の中を二周した。二周といっても、ほとんど身体の向きを変えるぐらいの店の広さだった。

加藤は店の中の物を全部見てしまった。もう見る物はなにもなくなったから、店の主人が読んでいる本を覗きこんだ。それは藤沢久造著の『岩登り術』であった。おやという眼で加藤は店主を見た。その本は日本における最初の岩登りのことを書いた本であり、藤沢久造が四百部ばかり自費出版して同好者に配布したものであるから、この本を持っている者は、まず、日本における登山の先陣を担っている人であると考えてさしつかえないと、かねて外山三郎に聞いていた。加藤はその本を持っている店主の顔を改めて見直した。

加藤が店主に興味を持った時、店主の方も彼の前に突立って他人の読んでいる本を覗きこんだ失礼な客の顔を見たのである。

加藤はにやりと例の笑いをもらして、ポケットから外山三郎の名刺を出した。好山荘運動具店主、志田虎之助あてに、加藤君を紹介します、よろしくと書いてあった。

志田は名刺を受取るとゆっくり立上って、加藤に眼で挨拶した。

「このアイゼンが気に入らないのですが、見ていただけませんか」

加藤は片手にぶらさげて来たアイゼンを、志田の前に置いていった。

「気に入らなかったら、捨てて新しいのを買うんですね」

志田はぶっきら棒に言って、加藤という男を頭のてっぺんからつま先まで見おろした。登山靴を穿いていた。そうたいして穿きふるされてないところを見ると山の経験は浅いらしい。

「捨てるんですって、もったいない。ぼくはこのアイゼンをぼくの靴に合うように直せるかどうか相談に来たんです」

と加藤はいった。

「そのアイゼンを買った店へ行って相談したらいいでしょう、うちはこんな安物は売ったおぼえはありません」

志田ははなはだ面白くない話だという顔をした。

「直して貰いに来たのではありません、直していいものかどうかあなたに相談して見ろと外山さんにいわれて来たのです」

加藤の顔から微笑は消えていなかった。志田には、加藤のその微笑の顔が、薄気味悪いほどに落ちついて見えた。

「どこで使ったんです」

志田はアイゼンの真田紐を手に持って、くるんくるん廻しながらいった。

「八ヶ岳へいって来ました」

「ほう、いつです、あなたはどこの山岳会ですか」

加藤がひとりで八ヶ岳へ登山して帰ったばかりだというと、志田は、それまでの態度をいささか変えて、それでは裏へ廻って貰いましょうかというと、店の奥へ声をかけて、一度は店の前へ出てから、せまいところをくぐりぬけて通って裏へ出た。狭い庭があって、その隅に、古畳が薪の上に、四十度ぐらいの角度で立てかけてあった。

「アイゼンをつけて、そこを歩いて見てください」

志田はそういって腕を組んで、あとは加藤が、アイゼンをつけて、古畳の上を登ったりおりたりするのを黙って眺めていた。

「どうですか、このアイゼン」

加藤は、古畳登山を二、三度やってから、いい加減ばかばかしくなったところで志田の意見を求めた。

「あなたはどう思います」

志田が反問した。

「どうって、よくないですね。がたがありますよあいかわらず」

「それなら、捨てるんですな、一流の登山家になるんなら、道具をけちびっちゃあだめだ。本来アイゼンというものは、自分の靴に合わせて作るものであって、できあったものを自分の靴に合わせるものではない。アイゼンにかぎらず山道具はすべて、自分本位に作るものだ」

志田は庭石に腰をおろしていった。加藤もそのとなりに腰をおろした。

「注文して作らせろというわけですか」

「まあ、そういうことだな」

ふたりはそろって山の方を見上げた。加藤の頭の中に映像となって焼きついている
ほど親しんだ神戸の山々だった。

「山はだいぶやったんですか」

「たいしたことはないんです」

「外山さんとは古い知り合いかね」

「はい」

それだけの会話のあとまた空白ができた。ふたりが黙って山を見詰めていると、さ
っき、ふたりが、すりぬけて通って来たところから、毛糸のセーターを着こんだ青年
がのっそりと現われて、志田に目礼して彼のそばに坐(すわ)った。

「大野義照君、摩耶山岳倶楽部(まやさんがくクラブ)のメンバーだ」

志田は加藤にその男を紹介してから、大野の方には、加藤君とだけ紹介した。

「ところで、八ヶ岳へ行って来たと言っていたね、いつどこから入ったのだね」

志田は長い沈黙の末、やっと質問すべきテーマを発見したように言った。

「十二月三十一日の朝六時三十分茅野駅を出発して夏沢鉱泉まで雪道を歩きました。夏沢鉱泉についたのが午後四時」

ほう、といった顔で志田は加藤を見た。一度しゃべり出すと、加藤はそれからはよどみなくたんたんとしゃべった。吹雪が止んだ朝、三時に夏沢鉱泉を出て峠を越えて本沢鉱泉までいき、また引きかえして夏沢峠へ出て、そこから硫黄岳へ登り、強風の中を赤岳をやって、午後の三時には夏沢鉱泉へ帰着して、すぐその足で茅野まで歩いて夜行列車の人となるという超人的なふるまいを、別にこれといった修飾もなく話すのを聞き終ってから大野義照がはじめて口を出した。

「あなたは、地下たびの文太郎……いや、あの加藤文太郎さんではありませんか」

大野義照はある種の感激を顔に現わしていった。

「そうです、加藤文太郎です」

加藤がそう答えると、それまで腕を組んで、彼の話を聞いていた志田虎之助が、

「なるほど、きみがあの加藤文太郎か、それならそうと外山さんも、紹介状に書いてくれればいいものを」

志田虎之助の耳にも加藤文太郎のことは聞えていた。

「しかし、想像した人間と実物とはずい分違うものだな。おれはまた、地下たびの加

藤という男は鬼をもひしぐような顔をした男かと思った」

志田は愉快そうに笑ったが、大野義照はいくらか紅潮した顔で、加藤の顔を見詰めながら、

「摩耶山岳倶楽部の能戸正次郎さんから、あなたこそ、関西の山岳界を代表する登山家となる人だと聞きました、どうぞ今後ともよろしく願います」

大野はぺこりと頭をさげたが、加藤はそれにはなんともこたえず、いやにけむったいような顔をして突立っていた。

「いい天気だな」

と志田がいった。こんないい天気の日に、家になんかいるのはもったいないないなと志田はつけ加えた。次の日曜日には、岩登りのトレーニングでもやろうかといった。ふたりを誘ったようでもあり、自分自身にいったようでもあった。

それから三人は長いこと黙って神戸の山を見詰めていた。

「なあ加藤君、山のことで話したいことがあれば、いつだっていいから、うちへ来い、山仲間の誰かがきっといるからな」

志田は二階をゆびさしていった。いつの間にか友人つき合いのことばに変っていた。

山のことが加藤文太郎の頭から離れなかった。雪におおわれた八ヶ岳が、四六時中彼について廻った。風の音も彼の耳の奥に鳴りつづけていたし、首筋に切りこんで来る刀のようなつめたさも、そのまま残っていた。

4

冬山山行は加藤の山に対する認識を変えさせた。冬山山行を終ってみて、それまでの登山は登山ではないようにさえ思われるのである。

彼は、冬山で孤独を味わった。その孤独が、神戸に帰って来てみると、無性に恋しくなるのである。あの孤独こそ山の魅力であり、妥協を許さない、峻厳(しゅんげん)な寒気こそ長いこと山に求めていたものであることが分ると、もうじっとしてはいられなかった。

好山荘運動具店主志田虎之助は、ほとんど三日おきにはやって来る加藤文太郎に、ときどき鋭い警句をまじえながらも、冬山装備についての知識を与えた。

「ほんとうは、自分で好きなように作るのが理想だと思う。きみが、きみ流の携行食糧を、今度の山行にためしたということは、非常に意義があることだ」

志田虎之助はそんなことをいいながら、輸入品の防風衣(ウィンドヤッケ)を加藤に見せたり、新型コッフェルの使い方を説明したりした。

「結局のところ、あのつめたい風を防ぐには、防風衣（ウィンドヤッケ）とオーバーズボンしかないのでしょうか」

加藤は防風衣（ウィンドヤッケ）とオーバーズボンで、冬山の寒風の侵入を防げるかどうかについては大いに疑問を持っていた。どこかに決定的な欠点があるように思われてならなかった。

「今のところはそうだ。これしかいい装具はない。もし使ってみたいなら、これを山へ持っていって使ってみてはどうだ。気に入ったら金を払えばいい、いやなら金は払わないでもいい、しかし使ってみた結果だけは教えてくれ」

志田虎之助は一組のウィンドヤッケとオーバーズボンを加藤の手に渡した。

加藤は志田虎之助の手からふわりと手渡されたその新しい装具を手にした瞬間、山へ行きたいと思った。がまんできないほど山へ行きたいのである。

その夜は月がなかった。加藤は会社から下宿へ帰って食事を摂（と）ると、ウィンドヤッケとオーバーズボンを持って外山三郎の家をたずねた。神戸の山手特有の起伏の多い住宅街を走るような速さで歩いて外山三郎の家の前へ出ると、立止って二階の窓を見上げた。女の歌声を聞いたような気がしたからであった。はてなと思った。家を間違えたかなと思ったくらい、彼は外山家の二階の窓に映っている女性の影に、異様なものを感じたのである。

ソプラノの美しい声で宵待草(よいまちぐさ)を歌っている女性が、外山三郎の妻松枝でないことは分っていた。若くて張りのあるその声は、閉め切っている硝子戸(ガラスど)をとおして外へ聞えて来るのである。

加藤は玄関に立った。そこに立っていると二階の歌声はすぐ近くで聞くようにはっきり聞える。その声の振動がそのまま加藤の心の琴線をふるわすようにさえ思われた。

「やあ、加藤君よく来たな、さあ上れ」

外山三郎はそういって、すぐ加藤の関心が二階に向けられているのを知ると、

「ぼくの知人の娘さんで園子さんだ」

外山三郎は先に立って応接間へ入っていった。あとから入った加藤がドアーをしめるとソプラノも止(や)んだ。聞えなくなったのではなく、歌うのを止めたらしかった。

「外山さん、また山へ出かけたいと思うんですが、いけませんか」

坐るとすぐ加藤は単刀直入にいった。

会社の有給休暇は、二週間と決められていた。そのほか年末年始の五日間と日曜、祭日があるからこれらを上手に使えば、かなり山へ行くことができる。それは社則で

きまっていることだったが、実際には、病気以外のことで有給休暇を取る人はまれだった。休んでもいいのに休まないのは、勤め人の悲しさである。有給休暇を取れば、それが勤務成績に響くからであった。しかし加藤はその有給休暇を取っていた。前の年には十三日も取って山歩きに当てていた。有給休暇を取らなければ山へ行けないから取ったのである。会社の規則で許されている休暇だから、なにも遠慮することはないのだという割り切り方ではなく、有給休暇を取ることに、いくばくかのうしろめたさのようなものを感じながらも彼は正規の手続きをへて休暇を取った。そのかわり山から帰ると彼はよく働いた。朝は三十分ないし一時間早く出勤していたし、居残りを命令されなくても、自らすすんで居残って仕事をやった。有給休暇を取って山へ行くかわりにそのぶんだけふだんは働くのだという加藤の気持は、いつか職場の中に知れ渡っていたから、彼が山へ行くといっても、またかという気持で眺めている者が多かった。加藤は研修所時代をも通算すると、会社へ入ってそろそろ十年にもなるが、いまのところ、ただの技手である。係長でも課長でもない。そういう責任ある立場でないから有給休暇を取って山へも行けるのである。

「二月半ばごろに槍へでかけようと思っています」

外山三郎はうなずいた。一月に八ヶ岳へ登って、今度は槍ヶ岳かという顔だった。

冬の槍となると一週間はかかるだろうと、外山は頭の中で勘定した。

「行って来るがいい、いつかは冬の北アルプスをやるだろうと思っていた。誰といくのだね」

「ひとりです」

「なにひとりで厳冬期の槍ヶ岳へ」

外山三郎が大きな声を上げたとき、ドアーが開いて、園子が、お茶と菓子を持って現われた。

「さっき歌を歌っていた園子さんだよ」

外山三郎は園子を加藤に紹介して、園子には、

「例の加藤君だ」

といった。例のといったのは、もう加藤のことは、この家では何度となく話題になっている証拠だった。園子にどうぞよろしくと挨拶されると加藤はなんとなく頭をさげて、そして、ひどく顔のほてって来るのを感じた。自分の顔が真赤になっているのがよく分るけれどどうしようもなかった。さがっていこうとする園子に外山三郎はそこに坐るようにといった。園子さんは洋裁を勉強に神戸へ来たのだよと外山三郎は加藤に向って言った。そして、からかうような顔で園子を見ながらほんとうは洋裁より、

歌と本が好きなのだ、この子は歌を歌っているか本を読んでいるかどっちかなんだといった。

「あらいやな小父(おじ)様、小母様にいいつけてあげるから」

園子は外山三郎をぶつようなかっこうをしたが、すぐ加藤の方を向いて、

「加藤さんも山の紀行文をお書きなさるの」

と聞いた。

加藤はその質問を受けたとき、ほんとうの意味の初対面の女として園子を見た。整った顔をしていた。紺のスカートに白いセーターがよく似合った。

「園子さんは本を濫読(らんどく)するんだ。うちへ来てからは、山の本に興味を持って、片っぱしから読み漁(あさ)っている」

外山三郎がいった。

「まあ読み漁るなんて、私はちゃんと系統だって読んでいるつもりですわ。山の紀行文ていいわね。読んでいると、自分自身が美しい自然の中へ引っぱりこまれていくようだわ」

「そういうことばかりではないだろう」

「でも登山家の書いた文章を読んでいると苦痛があっても、苦しいとは書かず、意識

的に登山行を美化しようとするのね。それでいいと思うわ。たとえそれが自己陶酔であっても、読んでいる人が楽しくなり、美しくあればそれでいい……」

ねえ、そうでしょうというふうな眼を園子は加藤に向けた。

「こういうふうに生意気なことをいうお嬢さんだよ」

そういっておいて外山三郎は、急に思いついたように、

「そうだ加藤君、八ヶ岳の冬山山行を、神戸登山会誌に投稿してくれないか。会長の梅島七郎君にたのまれているのだ。山へ登ることと、その記録を残すこととは同じように大切なことだからね。原稿締切りは、来週の火曜日なんだ」

加藤はどういって返事をしていいのか迷っていた。神戸登山会の存在はよく知ってはいたが彼はその会員ではなかった。そのことについて訊こうとしていると、

「加藤さんの紀行文ぜひ読みたいわ。その本が出たら、私に真っ先に読ませてね」

園子はむぞうさにいった。

「はい、必ず持って来ます」

加藤はそう答えて、はっとした。いったい山の文章が綴れるだろうか、園子に見せて恥ずかしくないものが書けるだろうか、それが心配だった。

十時近くまで外山三郎のところにいて、加藤はつめたい夜の街へ出た。十時近い時

間だと教えてくれたのは外山三郎の妻の松枝だった。加藤は時間を忘れていたのだ。そんなに遅くまで他人の家にいることが失礼だということすら忘れていたのは——忘れさせていたのは園子の存在だった。

背稜の山から吹きおりて来る風のつめたさで加藤は、自分がかぎりなく上気していることを知った。頭の中は園子でいっぱいだった。頭の中だけでなく身体中に、園子が入りこんで来つつあるような気がした。下宿へ帰ってつめたい寝床に入っても、園子の顔がちらちらした。しかし眼をつむって園子の顔を思い出そうとすると、写真を前に置いたようにはっきりとした特徴が浮き上っては来ないのだ。園子は特徴のないところに特徴がある女かも知れない。眼が細く、鼻は高からず低からず、鼻筋は通っているけれど、それほど高くはない。口はやや大きいけれど、白く揃った歯が美しい。

（そうだあのひとの頰の線が美しい）

と気がついて加藤は、やっと園子の顔の特徴は、人形店に飾ってある日本人形の顔だと思った。

（だがあの女は日本人形ではけっしてない）

日本人形的の型にはめこまれた女でないことは、ぴんぴんひびくような言葉のやり取りを聞いているとよく分った。

(すばらしい女だ)

加藤は身体の熱くなるのを感じた。しかし加藤は、そのすぐあとに、園子と彼との場の違いを感じた。

加藤は闇の中で深く大きくひとつ深呼吸をした。長く深く空気を吸いこんで吐き出していく途中で、彼はやりようもない淋しさに襲われて来るのである。孤独の淋しさではない、厭世感でもない、それは、ときどき、無警告に襲って来る劣等感であった。大学を出ていないということだった。大学を出ていなければ、一生かかっても技師にはなれない。生涯大学出の技師の下に技手として過さねばならないのだ。そんなとき心の中で、人間は学歴だけの尺度で計ることはできないのだと理屈をつければさらにみじめになっていくのである。

「だが山には学歴は通用しないぞ」

彼は闇に向っていった。

「現在は、大学山岳部が事実上、山におけるエリートの座に坐っている。しかし、近いうち、そのエリート意識は社会人によって追放されるのだ、それをやるのはおれなんだ」

加藤は叫ぶようにいった。いたるところの山で、それまでに会った大学山岳部員の姿が交錯し、その中へ園子の顔がクローズアップされた。

（いったいおれはなにを考えようとしているのだ）

加藤はがばっとはね起きると、電気をつけて、いつものように、山の服装に着かえると、ルックザックと携帯テントをかついで階下におり、裏の庭へねぐらを求めていった。冬山へ向うための鍛練ではなかった。暖かい寝床の中で、余計なことを考えるよりも、もっと現実的な寒気に触れることの方が大事だと思った。

彼はルックザックに足をつっこみ、蝦のように丸くなり、すぐ安らかな寝息を立て始めた。

梓川沿いについている踏みあとを加藤はひとりで歩いていた。沢渡から中の湯まで誰にも会わなかった。少年の幽霊が出るというカマトンネルもひとりで歩いた。小雪がちらちら舞うような天候であった。梓川は雪におおわれていて、その清冽な川の音は聞けなかった。踏みあとは、梓川の川床におり、上高地の広々とした雪の樹林の中へ続いていた。人の踏みあとをたどって歩いていると孤独感はなかった。踏みあとは自信ありげに続いていって、小屋の前で止っていた。その付近に足跡が乱れていた。足跡から見ると、先行者は、その小屋へ泊って、今朝あたり、更に奥へ入っていったように思われた。

その小屋には常さんがひとりでいた。加藤は雪を払って中へ入った。常さんという素朴な男がひとりで小屋の番をしているから、酒を一升背負っていけ、と志田虎之助に教えられたとおりにしてよかったと思った。

常さんは加藤を十年の知己のような笑顔で迎えた。炉に薪をどんどんとくべ、彼が生活の糧のために獲った岩魚をおしげもなく加藤のために出してくれた。客人をもてなすというよりも、親友のために、ありったけのふところをたたくといったふうな張り切り方だった。

加藤は他人からそれほどの好意を持った歓迎を受けたためしはなかった。常さんのことは聞いて来たが、常さんは加藤のことは知らなかった。一面識もない人間を、無条件に受け入れて心からもてなすということはなかなかできないことであり、常さんがそうするのは、人里はなれた上高地にひとりでいるという立地条件がそうさせるのではないかと思った。

(常さんもまたなにかの理由で孤独を愛する人に違いない)

加藤は上高地に終生ひとりで暮した嘉門次のことを話で聞いていた。嘉門次も常さんのような人にちがいないと思った。

「常さん、こんな山の中にひとりでいたら淋（さび）しいでしょう」

と加藤がいうと、

「いんや、さびしくなんかあらずけえ、さびしくなったら、おらあ歌を歌うだ」

といって常さんは安曇節（あずみぶし）を歌い出したのである。

白馬七月　残りの雪の
あいだに　咲き出す
あいだに　咲き出す
花のかず
花のかず
チョコサイコラコイ

常さんの酔った顔に榾火（ほたび）が映えた。常さんは一緒に歌えとは言わなかった。くりかえし、くりかえしひとりで歌っている顔いっぱいに、淋しさがあふれていた。常さんは孤独を愛していながら、一方では、しきりに人を求める淋しがり屋に違いないと加藤は思った。そこには明らかな矛盾があったが、加藤にはよく分るような気がした。

加藤自身もまたつい一カ月前の八ヶ岳山行において孤独を求めながら、孤独から逃げ出そうとした。

人影を求めて夏沢峠を越えて本沢鉱泉へ行ったのも、赤岳の頂上をきわめると、逃げるように山をおりたのも孤独からの逃避ではなかったろうか。

「明日の天気はどうでしょうか」

加藤は常さんに天気のことを聞いた。

「まあまあだね。冬になると、いいっていう日はめったにねえからね」

いいって日はめったにないというのが、北アルプスの冬の気象を率直に表現したものであり、ぴったり身にしみることばでもあった。日本の冬の気象を雪と晴れとの二つに区分する、中央背稜山脈の核心部に近づけば近づくほど、いいって日はめったになくなるのだ。

加藤は、湿ったふとんにもぐって風の音を聞いた。ひとつき前の八ヶ岳山行よりも更に困難なことが前途にあるように思えてならなかった。

翌朝常さんの小屋を出るときには青空が見えたが、明神池まで行かないうちに、空はもう曇っていた。

先行者の踏みあとは梓川の雪の河原(かわら)に真直ぐ続いていた。常さんに聞くと、先行したパーティーは五人の大学生だということだった。

横尾の出合から一の俣小屋への道はかなりの積雪の道だったが、先行者によってラッセルしてあるから、さほど苦労することはなかった。

その道は既になんどか通った道だったが、違う道のようだった。夏と冬との懸隔は、八ヶ岳の場合より大きいように思われた。

一の俣小屋は裏口を開ければ中へ入れるようになっていた。布団もあったし、炊事用具も薪もあった。

彼はそこで少々おそい昼食を摂ってから、から身になって槍沢へでかけていった。槍沢のラッセルのあとはいささかのよろめきも見せずに槍ヶ岳の方向へ延びていった。槍沢の小屋は雪に埋もれて、屋根だけしかなかった。踏みあとはそこで、ワカンから、アイゼンに履きかえられていた。

槍ヶ岳から吹きおりて来る風は強烈だった。その風上に槍ヶ岳の姿を求めたが、稜線を閉ざした霧は容易に去るような気配は見せなかった。

加藤は踏み跡に眼をやった。先行した大学山岳部が今宵はおそらく大槍か、殺生か、槍ヶ岳の肩の小屋のうちいずれかへ泊るのだろうと思った。

(すると、明日槍ヶ岳をやるつもりなんだな)

加藤は頭の中で、一の俣小屋から肩の小屋までの所要時間を六時間と仮定した。(四時に一の俣小屋を出発すれば、十時には肩の小屋へつける、そうすれば、或いは学生たちがまだ槍ヶ岳へ登らないうちに槍ヶ岳の頂上へ到着できるかも知れない)そう思った。

大学山岳部と競争するつもりは毛頭なかったのだが、二日間、他のパーティーのラッセルしたあとをたどって来たことが加藤の自尊心をはなはだしく傷つけていた。明朝の天候如何によっては或いは彼等より早く、槍ヶ岳の頂上につくかも知れないと思うと、加藤は、いま来た道を一の俣小屋へ向ってとっとと引きかえしていった。問題は朝早く出発できるかどうかにかかっていると思った。朝のうち、山の天気は安定していて、日が昇るとともに荒れ出すのは、山の生理現象であるから、山がまだ眼をさまさないうちに、行けるだけ行った方がその日の行程は楽になる。

朝予定どおり出発できるかどうかは、朝食の摂りかたによる。加藤はいままでの経験でそのことをよく知っていた。

彼は暗くならないうちに、腹いっぱい食べた。魔法瓶の中へ湯を入れておいて寝た。風は一晩中、小屋をたたいて止まなかった。彼は三時に眼をさまし、うとうとしていると四時になった。彼は懐中電灯の光で布団をたたみ、身ごしらえをすると、魔法瓶の湯でドーナツとチーズを食べて外へ出た。満天の星が彼を待っていた。

加藤は、しばらくその美しく、つめたい冬の空に眼をやっていてから、懐中電灯の光をたよりに、きのうの踏み跡について歩き出した。

風はたいしたことはなかった。寒さも、きついとは思えなかった。好調なスタートだった。出だしのいい日は、すべてについてうまくいくのだという確信のようなものが加藤の頭にひらめいていた。

雪に埋もれた槍沢小屋(やりさわごや)で、ワカンをアイゼンに履きかえるころにはもう懐中電灯は必要なくなっていた。

日の出と風が出るのとはほとんど同じだった。まるでその二つの自然現象が心を合わせたように、日の出が槍ヶ岳を赤くそめるのを、ちらっと見ただけで、加藤は槍ヶ岳の肩を越えて吹きおりて来る猛烈な向い風に前途をさえ切られた。飛雪の幕が意地悪く、視界を閉じ、飛雪とは別に、どこにひそんでいたのか、突然湧(わ)き出して来た山霧が稜線をかくしこんでしまった。

それでも、槍ヶ岳の朝日に輝く一瞬を見たことは、加藤に取ってもうけものであった。二月の槍ヶ岳のモルゲンロートの美しさは、見た人以外には分らないのだと考えながら、ふと彼は、園子の言ったことを思った。

（ひとりだけで山の美しさをたのしんでいるのはエゴイストじゃあないかしら。美しいものはみんなに見せてやればいいのよ。絵でもいいわ、写真でもいいわ、文章でもいいわ、ねそうでしょう、加藤さん）

しかし、あの美しさをどうして文章に現わしたらいいのであろうか。まだ夜の表情をそのままに残している空に向って突き出した白い槍の尖峰（せんぽう）に、なにかひとかけらの、光る物体が衝突したような異常な輝きをみとめた。次の瞬間、その尖端はバラ色に燃え始めていたのである。輝きの、すみやかな変化と、なにものにも比較することのできない、清らかなルージュに染められた槍の穂先に向って、加藤が声をかけようとしたとき、ふわりと山霧の衣がかけられたのである。

加藤はその光景をなんどか頭の中で反芻（はんすう）しながら、これを園子の求めに応じて、文章に組立てることは至難中の至難であると思った。加藤は肩の小屋へ向っての急斜面を風とたたかいながら登っていった。雪はよくしまっていて、アイゼンの歯が効いた。もし風がなかったら、夏よりもはやく登れるだろうと思った。ナダレについては、梓川の渓谷（けいこく）を歩いているときからずっと不安だった。ナダレについての文献は読んでいた。降雪の翌日ではないから、ナダレの危険は少ないが、強風によって起るナダレも考えられないことはなかったが、いつか加藤の頭からは、ナダレのことは、消えていた。ナダレより当面の強風が問題だった。しばしば彼は吹きおろして来る強風の中で呼吸困難におちいった。風に顔をそむけるようにまげても、風は彼の吸うべき空気さえ奪い取った。止むなく彼は、雪面に這うようにして、いくらかでも風の攻撃をさけ、盗むように呼吸をした。八ヶ岳の風も強かったが、八ヶ岳の比ではなく、寒風は、志田虎之助から借りて来た防風衣をさしとおして、加藤の体温を引きさげようとした。八ヶ岳のときは、風をさける岩の陰があったが、槍沢から肩の小屋にかけての急斜面にはそういうところはなかった。そこだけが風が強いのか、その強さは、高位差に対して平均的なものであるのかは全く見当はつかなかった。

それは耐えがたい寒さと風の強圧であり、そのまま前進することは本能的に危険であることを彼は知った。それまでの夏山山行においても、本能的に危険を嗅ぎ取って引きかえしたり、転進したことはなんどかあった。夏山と違って冬山だから、危険を感じたら、無理をしないで引きかえすべきだと思った。

加藤は地形のくぼみに這いこんでひといきつきながら、進退を考えた。山霧の間から時折姿を見せる槍ヶ岳には雪煙らしいものは見えなかったが、それだけで上の方が風が弱いとは判断できなかった。雪煙の見えないのは、雪が風に吹きとばされてないからだと考えるべきだった。しかし、加藤は山霧の動きに多くの疑問を持っていた。

上の方も、彼のいるところと同じように風が強いならば、山霧にもっとはげしい動きがみられていいはずだった。吹きとばされるか、少なくとも、風下に向って、山霧の急速な流れを見ることができる筈であった。

加藤はにっこり笑った。

正体を見破ったぞという気持だった。やはり風の強いのは、この付近だけなのだ。肩の小屋まで行けば、それからは、割合楽に槍の穂に取りつけることができるに違いない。

加藤の小柄な身体は雪の斜面を、手堅い速さで這い登っていった。

肩の小屋が半ば雪に埋もれており、その付近に足跡が乱れていた。雪を掘ったあとも見えた。先行者が小屋を掘りおこして泊ったかどうかを見きわめるまでにはいたらなかった。肩の小屋から右に足跡を眼でたどっていくと、槍の穂の夏道登山道のあたりに、数人の人かげが動いていた。

加藤は思わず声をあげた。風に吹きちぎられて相手に聞えるはずがないのに、声をあげずにはおられないほど、人に会ったことは嬉しかった。

加藤は追いつくことに懸命だった。槍の肩に出ても、風はつのるばかりで、いっこう弱くなりそうにもないし、山霧の中に閉じこめられたので眺望は効かなかった、視程距離はせいぜい千メートルそこそこであった。

白く見えた槍の穂も近よってよく見ると、雪が吹きとばされて、岩が露出している部分が多かった。

五人のパーティーはザイルを組んで、ゆっくりと登頂をつづけていた。五人のパーティーのうちの誰かが、加藤を発見したらしく、パーティーは行動を中止して、いっせいにふりかえった。それを加藤は、五人のパーティーの歓迎と見た。加藤はピッケルを空中にあげて、ぐるぐる廻した。五人のパーティーからの応えはなかった、五人の男たちは、石に化けたように動かなかった。加藤は、もっと大げさの合図をおくるべきだと思ったから、そこにルックザックをおろして、前よりも激しくピッケルを振ったり、踊り上って見せたりした。

しかし、加藤が、それを始めると同時に、五人はそろって、加藤に背を向けて、今までどおりの前進運動を始めたのである。無視されたと加藤は思った。山で挨拶されたら挨拶しなければならないというルールを守らないけしからぬパーティーだと思った。

加藤は若かった。五人のパーティーの立場から、加藤自身の行動を客観視しようとしなかった。厳冬の槍ヶ岳へひとりでやって来るという、常識を無視した登山者の暴挙に対して五人のパーティーは批判の眼を投げていたのだったが、その登山者からピッケルを頭の上でぐるぐるふるという奇妙な合図を送られると五人のパーティーは驚きを越えて、近づいて来る加藤に無気味なものを感じたのである。

加藤は、きのう雪に埋もれた槍沢小屋のあたりで考えたとおり、見事に大学山岳部を追抜いてやろうと思った。彼は雪の多いところはさけて、夏の登頂路をすぐ右側に見ながら、岩尾根をよじ登っていった。

槍の穂の登攀（とうはん）を始めてすぐ加藤は、風が静かになったことを知った。やはり上層の方が静穏であったのだ。槍の穂の半ばを過ぎたところで、加藤は、五人のパーティーと並び、そして追抜いた。その時も、五人のパーティーは、行動を停止して黙って加藤を見送った。加藤は二度と手を上げたり声をかけたりはしなかった。そこで挨拶して、また無視されたら、救いようのないほどみじめになるだろうと思った。

加藤は槍の穂の頂上に立った。

頂上の雪は意外に少なく静かであった。ほとんど風はなかった。頂上三角点の標石も、祠（ほこら）も、夏のままであった。

大正十五年の夏、はじめてこのいただきを訪れて以来、この五年間に、何回この頂上を踏んだことだろうか。そしてとうとう厳冬期に槍の頂上を踏んだのである。

加藤は冬山に入るまでの長い間の基礎山行が無駄ではなかったと思った。

山霧をとおしての視界はせまかった。せまい頂上をぐるぐる歩き廻っても、なにも見えないと同然だった。

加藤は北鎌尾根への下り口までいってみた。大きな岩を抱くようにして廻りこんで行く道には雪がぎっしりつまっていた。その岩陰を通って北鎌尾根へ出ることは危険だと考えながらも、その道は行きたい道だった。

人の声がした。五人のパーティーは次々と頂上に登って来た。頂上に六人が立つとそれでいっぱいになりそうにも思えるほどせまい頂上で、知らん顔をしているのも気になることだった。加藤は、パーティーのリーダーらしき男の方へ近づいていった。挨拶すべきだと思ったのである。加藤は雪眼鏡をはずした。そして笑いかけた。加藤はそこでは笑いかけずに、むしろ怒ったような顔をして、挨拶した方がよかったのだが、加藤は、彼の最大の好意と親愛の情を、あの不可解な微笑に託して送ったのである。

リーダーの男は眼鏡をかけたままだったが、彼の表情がこわばったことは加藤にも読み取れた。

「ええ日和やな、ほんまによかったな」

加藤がいった。

相手は軽く頭を下げただけで、加藤が更に一歩近づこうとすると、加藤に背を向けた。五人は加藤を意識して、つめたくかたまった。加藤は、雪眼鏡をかけ直した。ここに長くとどまるべきではないと思った。加藤が下山をはじめると、パーティーの中のひとりが加藤に聞えるように言った。

「関西らしいなあいつ」

「いやな奴(やつ)だ、こんなところでわざと追抜きなんかやりやあがって」

加藤はその二つの言葉を背負いこんだまま槍の穂をおりた。関西らしいなといったのは、加藤のことばから察したのだろうが、その語気には関西に対する反感の針がひそんでいたし、わざと追抜きをやったという言葉のなかには敵意が感ぜられた。別に追抜く必要はなかったのだが、そういう結果になったことを悔いた。

孤独な下山は加藤の足をはやくした。彼はその日のうちに上高地までおりて、常さんのところに一晩泊ると、翌朝早く松本へ向って、雪の道を安曇節(あずみぶし)を歌いながらくだっていった。常さんから教わった安曇節はどうやらものになりそうだった。

5

梅雨という文字が新聞紙上で眼につくようになったころには、梅雨期は終りに近づいていた。はげしい雨がしぶきを立てて通りすぎると、一時小止みになり、すぐまたどしゃぶりになるというような日が、幾日か続いた。

加藤文太郎は雨の中を長靴を履き合羽をかぶって徒歩で会社へ通勤していた。合羽をかぶると身体がむれるように暑かった。あまり格好はよくなかった。レインコートを着て、蝙蝠傘をさしていく一般のサラリーマンと比較すると異例に見えたが、加藤は別にそういったことを気にするふうもなかった。そういう格好で、会社に通勤することに、なにか意味づけようとするならば、やはり、それは山に通じていた。雨が降ろうが風が吹こうが、歩くことを止めたくないという気持が彼に雨合羽を着せかけたのである。

雨の道を走るような速さで歩いて会社へ出勤すると、会社はまだ夜のようにひっそり静まりかえっている場合が多かった。受付で部屋の鍵を貰って、内燃機関設計部第二課のドアーを開け、電灯のスイッチを入れると、部屋は眼を覚ます。ずらりと並んでいる設計台が、そこに坐るべき人はまだ出勤していなくとも、生きもののような形に見えて来るのである。

ときによると、彼よりも早く、庶務係の田口みやが出勤していることもあった。田口みやはもともと無口なたちだし、加藤文太郎も必要のこと以外はしゃべったことはないから、ふたりは顔を見合せても、ちょっと頭を下げるていどの挨拶しかしたことはなかった。

田口みやはいつも紫の袴をはいていた。出勤して来ると、ざっと部屋の掃除をしてから事務机に向うと、昼食時まで立つことはほとんどなかった。

その朝も加藤はいつものとおり、一時間近くも早く出勤して、設計台に向って、きのうの続きの仕事をやっていた。彼の手の下から生れ出ていく線や円が複合され、やがてそれが唸り音を上げて回転する新しい機械になるのだというふうな新鮮味の強い仕事ではなかった。それに類似する仕事は、すでに何度かやったことがあり、いうなれば過去の模倣のような仕事であった。

加藤は鉛筆の線が創り出すものが未来への幻想につながるなにか——たとえば立木勲平海軍技師が、つね日頃口にしている、画期的な設計であったらと考える。画期的な機械となると、いち早く加藤の頭に浮び上るのはディーゼルエンジンであった。ディーゼルエンジンは、いまや脚光を浴びつつある機械だった。改良発展の余地はいくらでもあった。

「一つの部分品の改良によってその機械全体としての能率が一パーセント向上されたとすれば、それは潜水艦が敵艦一隻を撃沈したと同じぐらいの価値に相当するのだ」

加藤は立木技師の言葉を念頭に浮べながら設計をつづけていた。あり来たりの図面を書くより、なにか新しいものを設計して見たかった。研究試作課へ転勤したいというのではなく、彼自身で考え出したものを製品化したいという希望は持っていた。神港造船所はどこの職場においても、従業員の創意工夫は歓迎されていた。新しい考えがあれば、どしどし申し出るように奨励されていたけれど、比較的、職場部内からの改良や発明はなかった。あってもほとんど目立たないような小さいものばかりだった。

(そのうちおれはディーゼルエンジンの構造について、なにか新しい考えを打ち出してやるぞ)

ディーゼルエンジンの設計図を書きながら加藤は、いつもそんなことを漠然と考えていた。どこといって指摘するところはないけれど、ディーゼルエンジンのメカニズムはスマートとは思われない。鈍重な機械という既成観念のもととなる、なにかがあるのである。それが摑めなかった。

加藤は鉛筆をおいて、コンパスを持った。誰かが彼の名を呼んだような気がしたからふり向くと、田口みやが立っていた。

「加藤さん」

と田口みやは小さな声でいった。

「あなたの有給休暇はあと二日しか残っておりませんが……」

やっと聞き取れるような声だった。

「あと二日、すると今年になって、もう十二日休んだということになるのか」

加藤は口をとがらせていった。

「はい、すみません」

田口みやは加藤の休暇を消費した責任が自分にでもあるかのように、もう一度すみませんといって頭を下げた。

「わかったよ。あと二日は、なにかの用意に取って置いたほうがいいっていうんだろう」

それにしても、ほんとうに十二日も休んだかなと加藤は首をひねった。一月、二月、三月と連続して冬山へ入ったのだから、その積算が十二日になるのは当り前だとしても、加藤には、それが当り前のことに思われなかった。一月に、生れて初めて冬の八ヶ岳を訪問して以来、冬山のとりこになって、二月、三月とつづけて北アルプスを訪れた彼の、冬山に憑かれたような行動の実録が十二日という数字になって現われたのである。有給休暇があと二日ということになると、事実上、今年は、山へはもう行けないことになる。それ以上休めば、欠勤となって成績に関係するということを田口みやは警告したのである。

加藤は田口みやの事務机の方へ眼をやった。そのことを教えてくれたのは田口みやの好意と思われた。おそらく彼女は、加藤が、例年のように梅雨あけと同時に、活発な登山活動を始めるものと思ったのにちがいなかった。

「今年はもう高い山はあきらめるさ」

加藤はひとりごとをいった。遠く日本アルプスまで行けなくとも、神戸の近くには、土曜、日曜を利用して登れる山はいくらでもあった。山には不自由しない自信があった。それに、冬山に入門した加藤にとっては、夏山にはそれほど魅力は感じなかった。(ヒマラヤへ行くための下準備は冬山をみっちりやることなのだ)

彼自身が考えた理屈だった。冬山をたっぷりやるためには、休暇をそっちの方へ廻して、夏は山が多い神戸にいることもやむを得ないだろうと考えていた。

「毎朝早いんだね、加藤君」

そういって入って来たのは影村技師であった。加藤は立上って朝の挨拶をした。

「梅雨のうちはなんとかなるが、この梅雨があがったら大変な暑さになるぞ」

影村技師は額の汗を拭きながら、

「だが、君はいいね。山がある。暑くなったら山へ行けばいい」

影村がいった。

「だめなんです。休暇はあと二日しかないんです」

二日ね、と影村はいった。

「二日じゃあ遠くの山へは行けないだろう。そうかといって、これから暮まで、ずっと休暇なしじゃあ気の毒だ。なんとかして貰うんだな。君自身の口からはいいにくいだろうから、ぼくが課長に頼んでやってもいい」

頼んで見たところで、どうにもならないことは分っていながら、そういうのは影村の単なるなぐさめのことばだけのようでもなかった。

「確かに君は山へ行くために会社をよく休む。しかし、君は休んだだけのことはちゃんと取りかえしている。だから君だけは特別な扱いを受けてもよいと思うんだがね」

公式にはできないが、外山課長さえ納得させれば、有給休暇が二、三日オーバーしてもなんとかなるだろうと影村はいいながら、彼の机の引出しから小冊子を出して、

「読んで見るがいい。なかなかいいことが書いてある」

といった。論文の別刷だった。白表紙に「渦流燃焼室における燃料消費率についての考察」と印刷されてあった。

高速ディーゼルエンジンの燃焼室は、直接噴射式、予備燃焼室式、空気室式、そして渦流燃焼室式の四種類があった。直接噴射式以外は燃料の霧化混和を促進するために、補助室を持っていた。渦流燃焼室式は渦流を利用して、燃料の霧化促進をはかる方法であった。

「ディーゼルエンジンの今後の発展は、いかにして霧化促進をはかるか、というあたりに問題が集中した感があるな」

影村はそこで言葉を切った。始業のベルが鳴ったからである。

「霧化促進……」

加藤の頭にはそこが残った。機械技術者の一人として、加藤もまた、急速に進歩しつつあるディーゼル機関に対して多くの夢を賭けていた。ディーゼル機関については理論上の大発展は期待されないとしても、小改良点はいくらでもあった。例えば加藤が、現在設計しつつある、小型ディーゼルエンジンにしても、同じ体積と重量で、更に高度の出力を得ることだってできるのだ。

彼は製図板に向った。彼の設計している部分はそのエンジンのカバーの部分だった。カバーというよりも、船体に取りつける部分といった方が当っていた。燃焼室や噴射弁(ノッズル)のような部分についての設計は、ベテランの技師たちが担当していた。彼は鉛筆を持ちなおしてから、口先をとがらせて図面の上をふうっと吹いた。彼の設計に当っての癖であった。研修所時代のケシゴムのこなを吹きとばす癖が、そのまま残っていたのである。

図上には、ごみはなかったが、吹けばなんとなくさっぱりした気持になり、彼の描いた図が見えて来る。

(いったいこのディーゼルエンジンは、なにに使うのだろう)

彼はふと思った。漁船用のエンジンではないし、港湾内の小型船のものでもない。するとやはり、軍事上の目的のものかも知れない。彼はそのことについて、昼食時間に、食堂で影村一夫に聞いて見た。

「海軍で使う小型舟艇(しゅうてい)のエンジンだよ」

影村はけろりとした顔でいった。

「海軍で使うんですか。それならなぜ秘密扱いにしないんですか」

「それほどの必要がないからさ。あんなエンジンはどこだって作れる。もっとも海軍の狙いは、いざとなったら、どこでも作れるように民間会社の技術を高めることも考えているんだ。いわば、会社は注文をいただいて練習させて貰っているみたいなものなんだ」

影村は皮肉の微笑をもらしながらいった。

「いざとなったらって、どういう意味なんです」

「戦争になったらということだ」

戦争と聞いて、加藤は背になにかうすら寒いものを感じた。

「戦争が始まるんですか」

「始まらないと、どうにもこうにもやり切れないだろう。この沈滞した空気を吹きとばすものは戦争以外になにもないんだ」

加藤は影村とそれ以上話しているのが不安だった。影村一夫は変った。研修所時代に、陰険だった影村を知っている加藤にとっては、影村のさし伸ばして来る好意の手をすぐには握れないし、影村の話も、額面どおりに受取ることを躊躇した。

「加藤君、戦争がこわいのか」

影村がいった。加藤は首をふった。

「そうだろう。山男の君が戦争をこわがるはずがないと思っていた。ところで加藤君、君がいま設計している図面のことだが」

　影村は加藤をつれて、昼休みでがらんとしている設計室に入っていった。

「この取付け角度は少々あまいんじゃあないのかな。ここはこう直して置いた方がいい。もう一度考えて見たらどうだろう」

　影村は、一枚の略図を加藤のために用意していた。計算書もついていた。

　加藤は影村がいなくなってからも図面を睨（にら）んでいた。影村のいうとおりだった。

（影村技師は、なぜあんなにぼくに好意を示すのだろう）

　ふとそう思ったが、すぐ加藤は、それはこの世界における先輩、後輩のあり方であって、他意はないものであろうと考えようとした。そう考える以外に考え方はなかったのである。

　梅雨があけて、やたらとセミのうるさい日曜日の午後、山手住宅街の坂道を、加藤は、白ガスリの着物を着て歩いていた。

　外山三郎の家の二階の窓は明け放されていた。園子の歌声が聞えることを期待していったが、二階は静かだった。しかし、玄関に立つと、すぐ庭の方から、園子の甲高（かんだか）い声が聞えた。外山の声と、知らない男の声がした。それらの声に混って、コツンコツンとなにかものを打つような音がした。

「そのまま庭の方へお廻りになったらどう……」

松枝夫人はにこにこ笑いながらいった。

加藤は、外山家にとって大事な客が来ていることと、着物を吟味して着こんでいることから、加藤は、外山家にとって大事な客が来ているだろうことを想像した。

加藤は玄関でちょっと迷った。来客中ならば邪魔しては悪いという気持と、明日の午後来いと外山三郎にいわれたことがオーバーラップした。

「めいわくではないでしょうか」

加藤は、庭の方の物音に耳を傾けながらいった。

「あなたの来るのを待っていたのよ。あなたが来たら、いくら、佐倉さんでもかなわないだろうって、うちのひとがいっていたところなのよ」

「なにをやっているのです」

「ピンポンなのよ。園子さんがまた、下手のよこ好きでしてね」

加藤はうなずいた。音はピンポンのはねかえる音だったのだ。それがなぜピンポンに聞えなかったのだろうか。加藤は玄関を出てから枝折戸を押して、庭に廻った。

庭の芝生の上に組立て式のピンポン台が用意されていた。ピンポン台をかこむようにして、白いワンピースを着た園子と、白ズボンに長袖のシャツを着た外山三郎、それに縞のズボンにワイシャツ姿の佐倉という男がいた。佐倉は蝶ネクタイをしめていた。

「待っていたよ」

と外山がいった。加藤は佐倉に紹介されるとすぐ、ピンポンの相手をさせられた。佐倉はピンポンについては自信ありげだった。外山三郎や園子に対しては、本気でやっていたのではない証拠に汗を掻いていなかった。

佐倉は、加藤の出現に対してもたいして驚いた様子は見せなかった。鼻梁の幅がせまくて、その鼻の先が鉤型に曲っていた。口が小さく、眼窩がくぼんで、奥の方でよく光る眼が加藤を見ていた。一見してインテリ風だった。おそらく、どこかの大学を出て、かなり名の通った会社の、やがては、幹部となるべきコースに乗っているように見える男だった。加藤は、佐倉の鼻が嫌いだった。本能的に彼はそういう顔が気に入らなかったのである。大学というエリートを看板にした顔だった。他人を隷属的に見る、許すべからざる顔であった。

加藤はバットを持って、佐倉と向い合ったとき、負けてはならないと思った。加藤は下駄を脱いで芝生に立った。しばらくぶりのピンポンだった。研修所を出て以来のピンポンだったが、やればすぐそのこつを思い出すだろうと思った。

加藤は佐倉に三回続けて負けた。負けると彼は練習不足だからといった。もう、何年もやったことがないからだといった。佐倉は加藤のそのことばに、冷笑をむくいた。五回目に加藤は一点差で勝った。佐倉の額に汗がにじんだ。

「もう負けませんよ」

と加藤は佐倉に宣言した。

「いや、ぼくの方も負けませんね」

佐倉は、自信のほどを顔に表わしたまま加藤を見かえしていた。

「五回勝負で決めたらいいわ」

と園子がいった。

「もういい加減にして、つめたいものでも飲もうじゃあないか」

外山三郎が心配そうな顔でいった。佐倉と加藤が、意識し合っていることがはっきりして来たからであった。

「いいえ、小父様。ちゃんと勝負をつけてからよ」

園子はプレーを宣した。

佐倉は憤然としたように加藤を攻めた。遠慮会釈ないはげしい攻撃だった。加藤はその球を受けそこなって、遠くまで拾いにいかねばならなかった。

加藤のピンポンは守備の戦法だった。徹頭徹尾相手の球をショートカットで受け止めるという方法だった。加藤の腕はピストンのように前後に動いて、佐倉の球を受け止めた。いくら激しい勢いで打ちこんで来ても、柳に風と受け止められていると、佐倉の方はあせりが出て来る。それがエラーに直結した。

三対二で加藤は佐倉に勝った。

負けました、と佐倉はバットをピンポン台の上におくと、きちんと両足をそろえて加藤に向って頭を下げた。加藤は、それに挨拶をかえしながら、なんと気障な男だろうと思った。試合を始める前には、そんなことはしなかった。負けたとたんに、いかにもおれは礼儀をわきまえている紳士だぞといわんばかりのふるまいが気に入らなかった。

「大学時代には、もう少し打ちこみが効いたのですが」

佐倉はピンポンのネットをはずしながら園子にいった。

応接間に入ってからは、加藤はほとんど口をきかずに、佐倉と外山との話を聞いていた。話の様子だと佐倉は大阪の大会社に勤めているらしかった。経済問題がしばしば彼の口に乗った。政治問題も出るし、社会問題もでた。社会問題がでると当然のように、彼は労働問題に言及した。

「あいつらのほとんどは、なにも分っていないんです。分らずに主義者たちにおどらされているのです」

内容はどうでもよかったが、加藤にとって聞き捨てにならないのは、労働者をあいつらといったことだった。

「話題を変えようじゃあないか」

外山三郎がいった。外山も、佐倉の一方的な熱弁にいささかおされ気味だった。

「この加藤さんは、すばらしい登山家なんだよ」

「登山家？」

ほほう、この人がという眼で、佐倉は加藤を見直した。二人の視線がからんで、ほどけた。佐倉がいった。

「山なんてどこが面白いんでしょうね」

明らかに加藤に対する挑戦だった。

「山へ行ったことのない人には分らないことです」

そういって加藤は立上った。それ以上ここにとどまるべきでないと思った。

園子が玄関まで加藤を送って来ていった。

「加藤さんの山行記録読んだわ……外は吹雪だ。なぜおれは、眠ることさえできないほど寒いこの夜を、たったひとりですごさねばならないのだろうか。この山小屋にはネズミ一匹もいないのだ。……読んでいて眼頭が熱くなって来るほど感激したわ」

そして園子は加藤のうしろ姿に、また遊びにいらっしゃいませといった。

加藤はふりむかなかった。なにかこうおおぜいの人に、よってたかってばかにされたような気がしてならなかった。

「折角の日曜日なのに」

加藤はつぶやいた。外山三郎が遊びに来いといったから、山へ行くのをやめて行ったのだと、加藤は鬱積したものを、外山三郎に当りちらしながら坂をおりていった。不愉快になった原因は、佐倉の出現にあった。佐倉さえいなければ、楽しい日曜日であったはずである。佐倉と園子とをしいて結びつけて考えるつもりはなかったが、園子の服装も態度もいままでと違っていたし、彼女が佐倉の来訪を強く意識していたことは確かだった。

丘をおり切ったところで右へ曲れば、おそらく彼の足は好山荘の志田虎之助のところに向ったに違いない。左へ曲れば、そのまま下宿へ帰ることになる。

彼はそのまま真直ぐ歩いていった。夕暮れの海が見たいという気持が、ふと頭に浮き上ったからである。海は故郷の浜坂に通じた。このごろはすっかり弱くなった父の姿や、兄夫婦の姿や、四年前に帰郷したときに、宇都野神社の石段で会った眼の美しい少女の顔など、断片的に彼の頭を通過していく。石段の途中で下駄の鼻緒を立ててやったあの少女のおもかげが、その後もなにかの折にふと思い出されるのはなぜであろうか。彼女のつぶらな澄んだ瞳は、故郷の浜坂そのものの象徴でもあるかのように、彼のつかれた頭をなぐさめてくれる。

郷愁の起きるときは、多かれ少なかれ彼の心が沈黙したときであった。会社で疲労したときも、彼のやった仕事の評価があまりよくなかった場合も、山でつらい目に合わされたときも、彼の頭に浮びあがるのは、浜坂の海と山であった。

彼の足は海に向っていった。神戸の繁華街に出て電車の線路を踏みこえようとしたとき、映画館のポスターが眼についた。東京行進曲と書いた大きな幟が立っていた。彼はなんとなく、その映画館の前へ近よっていった。主演女優の入江たか子と夏川静江のスチール写真が貼り出してあった。着物におさげ姿の夏川静江が、なにかを見上げている写真であった。その少女に扮した夏川静江の眼が、故郷の宇都野神社の石段で会ったあの少女の眼に似ているなと思った。

彼は三十銭出して映画館へ入った。映画を見るのは何年かぶりのような気がした。ヒマラヤという目的のために、節約をつみかさねている彼にとって、映画などに金を払うのはばからしいことだった。ばからしいことを承知で入りこんだ加藤は、きょうの自分はよくよくどうかしているのだと思った。

映画は崖の上に住む金持娘に扮した入江たか子と、崖下の貧しい庶民の娘に扮した夏川静江との対決であった。映画を見ながら加藤は、崖の上に住む金持娘の入江たか子が、どこか園子に似ているような気がしてならなかった。映画は終りの方をやっていた。結論を先に見て、またふり出しにもどって見るほどつまらないものはなかった。結局映画はつまらなかったが、昔恋しい銀座の柳という主題歌は気に入った。

映画館を出ると、もう日は暮れていた。疲労と、無駄なことに金を使ったという悔恨とが彼を一層無残な気持にした。こういうときにこそ山へ登ればいいのだと考えたが、もう山へ登れる時刻ではなかった。

下宿に帰ると彼のための夕食が、茶の間の食卓の上に、蠅帳をかけてあった。

多幡てつも、奥の方でしょっちゅうごほんごほんと咳をしている多幡新吉もいなかった。孫娘の美恵子が台所から、やかんをさげて来ると、だまって加藤の前に置いた。美恵子は病的なほど、痩せ細っていた。青白く透きとおるようにさえ見える皮膚は、けっして彼女が健康体でないことを示していた。

加藤は食事をすませると二階へ上った。寝るまでの時間になんの本を読むかということをしばらく考えたあとで、彼は、彼のその夜の心境にもっともふさわしくないディーゼルエンジンの本のページを開いたのである。頭に入るはずがなかった。字はそこにあっても、彼の頭を占領しているものは、園子や入江たか子や夏川静江や、故郷の少女のことなどであった。彼は少々、自分自身にいや気がした。

（いったい俺は、なんというばかものであろうか）

結局は園子の存在に彼の心はかきまわされているのだと思った。結婚できる相手でもない女に、対象としての女を意識するところに誤算がありはしないかと考えたり、結婚を前提に考える以外に女性との交渉があり得ないなどという、旧い認識にさいなまれている古風な自分を軽蔑したりしながら、彼はとうとう、ディーゼル機関の本を閉じて寝床に入って電気を消した。暗くなった途端に頭の中いっぱいに霧化促進ということばがひろがった。眼をつぶるとすぐ眠れるという訓練ができている加藤も、その夜は眠りつけなかった。彼は人声を聞いた。枕元でひそひそと囁き合う声だった。その声が気になり出したのは、そういうことが、いままで一度もなかったことであり、それに、その囁きが、通常の囁きではなかったことが、加藤に警戒心を呼び起させたのである。彼は模糊とした不安を感じた。その囁きのなかに、かなりの分量の秘密性が予想されたからでもあった。

囁きは隣室からだった。二人の男と二人の女の囁きだった。二人の女のうち一人は多幡てつであった。話の内容は不明だった。多幡てつが忍び足で前の廊下を通り、梯子段(はしごだん)をおりていったあとでも、隣室の三人の囁きは続いていた。

(この家へ来てからもう四年にもなる)

加藤は寝床の中で考えていた。洋室まがいの隣室はいつも鍵(かぎ)がおろされていた。外国へ行っているこの家の息子の部屋だと多幡てつはいっていたが、その息子が外国からいつ帰って来るかということを聞かないし、なぜ閉め切ったままにしてあるかを彼女はいわなかった。時折その部屋へ東京から客が来て泊った。客の顔は一度も見たことはなかった。加藤の眠っているうちに出ていくか、加藤が出勤したあとで、起き出していくようだった。しかし、その客は通常ひとりであり、今夜のように三人も一度に来ることはめずらしかった。

加藤は、だいぶ前のこと、玄関で無産者新聞を拾ったことがあった。その日も隣室に客がいた。無産者新聞と、隣室へ来る客とを無理矢理関係づけようとする必要はないのだけれど、関係がないというよりも、あるというほうが考えられることだった。加藤は若い労働者であった。労働運動に興味を持たないというよりも持っているといった方がほんとうであり、ことしの一月に結成された労働大衆党の成り行きにも注目していたし、三月に暗殺された山本宣治に対しても同情をおしまなかった。

暗い方へ暗い方へと歩んでいく世相に、押し流されまいとしてすがりついているものは、彼にとって技術と山だった。その二つがなかったならば、彼の青春は労働運動に走ったかも知れない。彼はよくそんなことを考えることがあった。

加藤自身は労働運動の、少なくとも精神的なシンパだという意識を持っているにもかかわらず、彼の隣室で囁かれていることがそういう内容のものであり、男女三人がいわゆる主義者であったと仮定した場合は、なにか加藤のなかにそれに抵抗するものがあった。囁きは陰険であり、不明朗だと彼は思った。そうしなければならないとしても、そうしていることを見聞するのはいやだった。囁きは時折高調した。そして断片的に人の名前や、組織ということばや、オルグなどということばが聞えた。

加藤の眼は冴えた。眼が冴え、耳が冴えて来ると、当分眠れそうもない自分がはっきりして来た。彼は尿意をもよおした。起きよう、起きようと思うけれど、なにか隣室の人たちに悪いようでがまんしていたが、とうとう我慢できなくなって、彼はそっと立上った。遠慮することはないが、隣室の囁きを不本意ながら盗聴していたという、軽微な罪の意識が、彼をそうさせたのである。そっと立上ったからには、そっと廊下に出て、そっと階段をおりて階下の便所へ行かねばならなかった。

加藤は小柄で身が軽かった。それに山できたえた加藤にとっては、しのび足は馴れていた。今にも雪崩が起りそうな山の斜面を、雪に刺戟を与えないように、猫のようにひっそりとおりていくときのことを思えば、音を立てずに階段をおりることぐらいなんでもないことだった。

加藤は下りて用を足すと、またもとのように、うす暗いはだか電球がともっている階段を登って来た。もう二段で登りつめるところで、隣室から出て来る人の足音を聞いたが、もう避けることはできなかった。

階段を登りつめたせまい踊場で加藤は、その男と顔を合わせた。

男は無言で頭を下げた。青白いとがった顔の男だった。加藤も無言で頭を下げて、すれちがいながら、どこかで会ったことのある男だなと思った。その男も、加藤と同じように、すれちがいながら身をひねってもう一度加藤の方を見た。

「おお加藤」

「おお金川」

ふたりは声を上げた。

研修所の卒業を間近にひかえて、退学させられた金川義助と会おうとは夢にも思っていなかった。

「ここに君がいるとは知らなんだ」

金川義助がいった。

「おれも、となりに君が来ているとは気がつかなかったよ」

ふたりは手を取り合ったまま、加藤の部屋へ入っていった。

「あれから何年になるかな」

ふたりは五年という時間の経過と、その間にふたりのたどった道をたしかめ合おうとした。

「いま、きみは……」

加藤がそういったとき金川義助の顔に、混乱が浮んだ。彼は隣室の方へちょっと眼をやって、

「追いつめられているのだ」

といった。悲痛な叫びに似た声だった。

6

金川義助は加藤よりも、見方によれば、十も上に見えた。二十四歳という盛りの年

が、三十を二つも三つも越えて見えた。頬がやつれ、眼が落ちくぼんでいて鋭く、頭は何カ月も床屋にいったことのないように伸びていた。生活の垢がしみ出した顔の中に、執着の眼だけが異様に輝いていていた。

「一度、主義者だという焼印がおされると、どこへ行っても、その履歴がついて廻って、失職をくりかえすのだ。いつも背後で警察の眼が光っているからなにもできないし、自分がやらなくても、お前がやったのだろうと検挙される。こういうふうな扱いを受けていると、主義者でなくても主義者になるだろう。日本の警察はこうしてわざと主義者をつくり、その主義者を追いかけ廻して手柄にしているのだ」

わかるかね、加藤、おそらく君にはこの気持は分らないだろうと金川義助はいった。

「いったい主義者ってなんだろう。おれはときどきそれを思うことがあるんだ。資本家だけが甘い汁を吸わずに、労働者にも人間らしい生活をさせろというのが、どこが悪いのだろうか。ごくあたり前のいい分じゃあないか。ところが、そういえばもう主義者になり、赤いといわれ、警察に眼をつけられるのだ」

金川義助は、だまって聞いている加藤文太郎に、一別以来の彼の歩いて来た道と、その間に受けたあらゆる屈辱と忿懣をぶちまけながら、

「だがおれはこんどこそ疲れ果てた」

といった。

「大阪でどん底の生活をしていたとき、おれは、いまの家内の父親に厄介になった。ところが、その父親が三年前に亡くなり、ふたりが結婚して、家内が身ごもったとたんに失職したのだ」

金川義助はひといきついた。追いつめられているのだといったのはこのことだと思った。

「それで新しい職を探してここへ来たのか」

「いやそうではない。おれはいま警察に追われているのだ。おれを首にした会社のストライキを指導した背後関係の大物、つまり主義者だとにらまれているのだ」

「主義者なのか」

「やはり主義者だろうね。その関係の組織の一員であることには間違いない。だが加藤、主義者だって飯を食わねばならないし、とりあえず女房にお産をさせてやらねばならないのだ。その金がない……」

金川義助はひといきついた。

「この下宿とはどういう関係があるのだ」

「この家の息子の多幡洋平さんと知り合いなのだ。多幡さんはかなり前から、その方の学問的指導者として尊敬されている人だ。何回となく投獄され、今は東京にいる」

隣の明かずの間の秘密も分ってみればたいしたことはなかった。そうだったのか。それだからああいうことがあったのだなと思われることが、つぎつぎと回顧されて来る。

「これからどうするのだ」

どうしようもないことは分り切っていたが、やはりそういわずにはおられなかった。

「あらゆる縁故関係をたよって雑草のように生きたいと思っている」

金川義助の答え方には、一種の殺気のようなものがこもっていた。哀願ではなくて、場合によっては援助を強請しかねないような顔つきだった。

「当分ここにかくまっていただけることにはなったが、それから先の見とおしがつかないのだ」

金川義助は突然、それまでと違った、ひどく低調な声でそういうと、いまにも、金のことをいい出しそうに口のあたりをもごもごさせていたが結局はそれをいえずに、

「女房に会ってくれるか」

といった。

その女はひどくやつれていた。やつれ果てたという感じだった。出産日の近いのに、

安定した生活が得られないためにそうなったのだろうけれど、金川義助よりはさらに年上に見える。笑いを失って、こわい眼をした女だった。他人を疑いの眼で見なければならない経験が、そうさせた顔つきだった。ちゃんとした生活さえすれば、綺麗な奥さんだといわれるほどの顔立ちだけれど、いまは挨拶もやっとのように疲れ果て、加藤の部屋に、きちんとした格好でいることも苦しそうに見えた。

「加藤君、家内の出産費を貸してくれないか」

予期していたことだったが、明日にも生れそうな大きな腹をかかえた女をそばに置いての懇願は、加藤の拒絶の言葉を封じていた。

「な、加藤たのむ」

「いくら要るのだ」

加藤は出産費がどのくらいかかるかは知らなかった。ひょっとすると百円も二百円もかかるかも知れなかった。もしそうだったら、それだけ、加藤のヒマラヤ貯金は減少し、ヒマラヤへの道が遠のいていくのである。

「ここで産ませて貰うことにすれば、とりあえず三十円もあればどうにかなる」

「三十円でいいのか」

加藤はいってしまってはっとした。実は、金川義助が追いつめられたといったときから、金の問題がでて来はしないかと思っていたのである。技手になって以来四年間にせっせとためこんだ五百円に近い貯金を、そっくり貸してくれといわれそうに思いこんでいたのに、三十円でいいとその額がはっきりすると、加藤はその出費が、ヒマラヤ山行にたいして影響するものではないと分ってほっとした。

「ありがたい、一生恩に着る」

金川義助がいった。金川義助の妻は、しばらくは加藤のことばが信じられないように、加藤の顔を覗きこんでいたが、やがて、三十円が彼女の出産のために、間違いなく用意されるということが分るとぼろぼろ涙をこぼした。

加藤には感動はなかった。旧友を助けてやっていいことをしたという気分もことさら起らないし、三十円貸してやるといい切ってからは、むしろさっぱりとした。ヒマラヤ貯金の減ることにさほどの抵抗も感じなかった。ただ、加藤は、金川義助の妻が、加藤の部屋の畳の上にぽたぽたと涙を落すことが、たえがたいほど不潔に見えた。彼女は涙をそでで拭いた。

金川義助が隣室に去ってから、加藤はその涙のあとを避けるようにして布団を敷いた。

翌朝早く加藤は隣室の騒ぎで眼を覚ました。金川義助の妻の陣痛が始まったのである。苦しみに苦しみ抜いたすえ、この家の二階に居を得、そして出産費の見とおしがついたという嬉しい興奮が、出産を早めたもののようであった。

出産に男は不要だった。

加藤はまだ明けきれない神戸の町を駈足で走りぬいて、高取山のいただきめざして登っていった。人影はなく、石段は露にぬれていた。彼は高取山のいただきで御来光を迎えた。空と山との境界線に赤い日輪を見たとき加藤は、金川義助の次代をになって生れ出るのは、多分、男の子であり、その子は、やはり金川義助のように世の中を強靱に生き抜いていくであろうと思った。

山をおりて下宿へ帰ると、下宿の娘の多幡美恵子が上気した顔で、

「加藤さん、お二階に男の子が生れました」

といった。加藤はそういう美恵子の顔をめずらしいものを見るような眼で見詰めていた。この瘦せこけた、青白い少女がこんな感激の表情を見せたことは未だかつてないことだった。加藤はその少女の顔を見てなにかほっとした。やはり加藤も、隣のお産が無事であってくれることを願っていたのである。

その日、加藤は、会社に依託してあったヒマラヤ貯金から、金三十円也を引き出した。一度も引き出したことのない彼の預金通帳に初めて書きこまれた三十円の払い出

しの数字をちょっと横目で睨んでから、これでいいさ、金川義助には子供が生れたのだとつぶやいた。

隣室の赤ん坊はよく泣いた。昼と夜を間違えたように、昼は眠っていて、夜になると盛んに泣いた。そのたびに加藤は眼を覚まさねばならなかった。赤ん坊の泣き声もつらかったが、泣く赤ん坊のことで、加藤に気兼ねしている、金川夫妻のおろおろした態度の方が加藤には邪魔だった。

「おい金川、あんまり気にするな。赤ん坊は、泣くものに決っているのだ」

しかし、金川の気にしているのは、ほんとうは赤ん坊のことではなく、その赤ん坊に飲ませるミルクのことだった。金川の妻は乳が出なかった。だから、それだけ手数もかかるし、金もかかるのである。

「加藤、すまない。いくらか貸してくれ」

と金川にいわれると、加藤はことわるわけにはいかなくなった。一カ月たったころ、加藤は、その子を抱いた。乳くさい赤ん坊は加藤の腕の中に抱かれて、まだよく見えない眼を無心に開けていた。

金川義助は毎日のように大阪へでかけていった。どこへなにをしにいくのかは分らなかったが、ひどくつかれこんで帰って来ると、畜生めとか、あの野郎とかぶっそうなことばを断片的に吐いたり、暗い顔をして考えこんだりしていた。

なにか大きな仕事にぶっつかっていることは確かだったが、その仕事がどんな内容のものであるかは加藤には知らせなかった。わざとそうしているようでもあった。下宿の外で加藤と顔を合わせても、金川は知らん顔をしていた。お風呂屋(ふろや)で会っても他人のような顔でいた。金川がそういう技術を身につけたのは、長い間の防衛上の目的から体得したもののようでもあった。

「加藤、ひとこといって置くけれど、もしもの場合、警察になにか聞かれたら、なにも知らないといってくれよ」

もしもの場合がなにをさすのか加藤にはよく分っていたが、なにも知らないということが、どれだけの範囲を示しているのかは曖昧(あいまい)だった。

「きみとおれがもと神港造船所の研修所の同期生だということはむこうだって知っているだろう」

「そこまではいいさ。それから先は、なにも君は知ってはいないのだ。この下宿で顔を合わせたのも偶然のことなのだ。ただ隣にいるというだけで、なんの交際もないことにして置いてくれ。金のことも、口に出さないほうがいい。お産の費用をたてかえただけだと君がいっても、警察はそうは取らない」

金川義助は陰鬱（いんうつ）な表情で、

「警察は、証拠さえにぎれば、君をシンパとして検挙するだろう」

「お産の金を用立てても、シンパとして引張っていかれるのか」

加藤は、そう聞いただけで腹が立った。研修生の最後の年、加藤は金川義助とともに、警察に引っぱられたことがあった。あのとき、なんの理由もなく殴られた痛みと怒りと警察に対する不信感はけっして忘れられるものではなかった。

「とにかく、もしもの場合はなにもいわないでくれ。おれは君には迷惑をかけたくはない」

金川義助と彼の妻とは低い声で、夜おそくまでしゃべっていた。時折隣室に来客があることもあったが、そう長居はしないですぐ帰っていった。

秋になると、加藤の職場は急にいそがしくなった。小型ディーゼル機関の製作が、急ピッチですすめられていった。加藤の設計室はおそくまで灯（ひ）がついていて、九時過ぎて下宿へ帰ることもめずらしくはなかった。

加藤の足ははやかった。速足の文太郎とか、地下たびの加藤とうたわれたとおり、普通の人の倍のはやさで歩いていた。相変らずのナッパ服と、ズック靴（ぐつ）で起伏に富んでいる神戸の山手の住宅地を風を切ってかけあがっていくと、通行人が驚いてふりむくほどだった。加藤は、会社への往復路上においては、あきらかに山を意識して歩いていた。自分の力以上のものをたえず、出すように、努力をおしまなかった。冬山のために休暇のすべてを使ってしまったいまとなっては、来年の冬山のためのトレーニングは近傍の山歩きと常日頃(つねひごろ)、身体(からだ)を鍛えておく以外にはなかったのである。

加藤は走るように歩いた。歩いても歩いても足は前に出た。息の切れることもなかった。三日に一度は石の入ったルックザックを背負って会社と下宿の間を往復した。

その加藤の異様さが、しばらくは会社の話の種になったが、間もなく、それは、加藤ひとりの性癖であるかのごとく、人々の口の端(は)には登らなくなったころ、加藤は、夜勤を終って門を出ようとするところで海軍技師立木勲平に呼びとめられた。

「相変らずだね、加藤君」

立木技師は笑いながら近づいて来て、加藤の石の入ったルックザックをどっこいしょと、掛声もろとも持ち上げてみて、

「これはそうとうな重さだな。これだけのものを背負って、ちょんちょん駈けるように歩くのだから、訓練というものはおそろしいものだ。毎日毎日の訓練の結果を冬山へ持っていくというところは、いざ鎌倉(かまくら)というときに備えて、毎日訓練をつづけてい

る軍隊の考え方と全く同じだ」

立木技師は加藤をほめておいて、

「いかなることがあっても、くじけずにつづけるがいい。その精神は、きみがいまやっている、ディーゼルエンジンの仕事にも必ず直結するはずだ」

立木技師はルックザックの上をたたいて、さあ遠慮なく突走れといった。

その夜は靄がかかっていた。うす靄がかかると神戸の町はなにかものうく、幻想的にかすんで見えた。

加藤は立木技師の激励に気をよくして歩いていた。会社で食べた夜食のうどんが腹の中で適当にこなれて、身も軽く、心も軽かった。彼は十五キログラムの石の入ったルックザックを背負って、彼の下宿へ向ってとっとと歩いていった。

村野孝吉から電話があったのは、昼食時間ちょっと前だった。ふたりは、研修所の食堂で落ち合うことにした。食堂は以前と少しも違ってはいなかった。早いところ食事をすませて、ピンポンをやっている生徒たちを見ながら、加藤は何年か前の自分を思った。加藤と同じように、防備専門にバットを動かしている生徒を見ると、おい、がんばれよといってやりたくなる。食堂にじっと坐っていると、うすら寒さを感ずるようなころだった。

肩をたたかれたのでふりかえると、村野孝吉が立っていた。しばらく見ない間に、急におとなびたように見えた。

「同じ会社にいてもめったに会うことはないものだな」

村野がいった。村野は製造課のほうだし、加藤は設計課だから、顔を合わせる機会は少なかった。

「ちょっときみのことを聞いたので……」

村野孝吉は早耳の男だった。学生時代から、どことなく、いろいろのことを聞きこんで来て加藤に知らせてくれた。いい噂もわるい噂もあったが、いずれにしても、加藤のためを思って知らせてくれたのであるから、加藤はこの友人を大事にしていた。だが早耳の村野はめったなことでは、加藤の前には姿を見せなかった。しばらく前に来たときは、研修所出身の技手も、大学出と同じように技師になる道が開かれるらしいという情報を知らせて来た。それはかなり確かなものであった。研修所を出て五年以上経過して、会社にとって重要な功績をあげた場合、技師に昇進できるという内容のものであったが、公式の発表はまだなされていなかった。村野孝吉が、加藤の貯金についての噂を知らせて来たこともあった。その噂は、半年か一年の周期を持って加藤のところにいろいろの形になって聞えて来るが、ヒマラヤ貯金だと見破ったものはひとりもいなかった。

「加藤、きみはこのごろ外山技師のところに、ひんぱんにでかけるそうじゃあないか」

村野孝吉は笑いながらいった。なにかからかう気だなと思っていると、

「どこへ行くにも、ナッパ服だけで押しとおしていたきみが、和服を着て、外山さんのところへ訪問するってのはどういうことなんだね」

村野孝吉はさらにたたみかけるように、

「園子さんがいるからだろう。だからナッパ服じゃあまずいっていうんだろう。それならどうだ一丁、背広服を作らないか、いい洋服屋を紹介しよう、月賦（げっぷ）でいいんだぜ、やはりレディの前に出るにはきちんとしたほうがいい。女は見掛けを重んずる」

園子さんは見掛けだけで人を見るような女ではないぞと、村野にいってやろうとしていると、

「じゃあいいね、洋服屋は明日のいまごろここへ来ることにしておこう」

村野はさっさと決めて、

「ところで加藤、少々ばかり金を貸してくれないか」

といった。なにに使うのかと聞いても、村野はにやついていて答えないから、加藤は、それなら貸してやらないぞというと、実は結婚するのだと頭をかきながらいった。同期生で結婚したのはひとりいたが、それは結婚をいそがねばならない特別な理由があってのことだったが、村野が結婚するとなると、それは事実上同期生の結婚のはしりと思われた。加藤は彼自身の二十四歳の年齢をかえり見た。別に早過ぎるということもなかった。月給も七十円になっているからふたりで生活できないことはなかった。

「いつなんだ」

「来月に結婚式を挙げようかと思っている。相手は神戸のひとなんだ……」

村野は彼女とのロマンスを加藤に聞かせたいようだった。村野がのろけ出したら切りがないし、のろけられた上に金を貸すのもばからしい話だった。加藤は機先を制していった。

「いくら必要なんだ」

「三十円貸してくれ」

「結婚と出産とは同じくらいの費用がかかるのか」

加藤は、ひょいっと口に出た。妙な質問に、面喰(めんく)らった顔をしている村野に、金を貸してやることと、洋服を作ることとを同時に約束した。

加藤の貯金は急激に減少した。それにはそれぞれの理由があったが、貯金が減っただけ、ヒマラヤへの道が遠くなっていくのを思うと淋しくもあった。村野の結婚が、加藤には一種のショックだったことも事実だった。加藤は卒業以来、仕事と山にだけ青春を傾けつくしていた自分を、考え直して見る必要を感じた。加藤に結婚を考えさせるようにしたもうひとつの刺戟材料は、隣室にいる金川義助夫婦の存在だった。その夫婦はけっして甘いところを加藤に見せつけたことはなかった。むしろ、結婚生活の苦しさをまざまざ見せつけられた点では、結婚へのブレーキになることが多かった。それにもかかわらず、金川夫婦は懸命に、人生を切り開こうとしていた。それが、一人の力でなく、二人の愛情の合力だということに、そろそろ気がついて来た加藤は、もし適当な相手があったならばと考えることがあった。園子の姿は、しばしば、加藤の前に立ちふさがった。おしのけても、おしのけても園子の婉然とにおうような姿態は彼の前に現われた。園子を結婚の対象と考えてはいけないという理由はなにもないのに、園子に対して、はじめっから、自信を失っている自分自身を加藤は腑甲斐なく思うのである。

彼の背広はよく似合った。茶系統のその背広は八十五円という値段だけのことはあった。秋の日曜の午後、彼はその背広を念入りに着こんで、外山三郎の家を訪問した。

いい洋服だと、外山も、外山の妻の松枝もほめてくれたが、ほめてもらいたい園子はさっぱり姿を見せなかった。二階にいる様子さえないのである。加藤は、なんとなくもじもじした。その加藤の気持を察したらしく、松枝が座をはずしたとき、

「園子さんは今日は音楽会へ行ったよ」

と、加藤の顔の動きを見ながら外山がいった。

「音楽会……」

ひとりで行ったんですかとは聞けなかった。が、その質問が加藤の顔にちゃんと書いてあった。

「佐倉さんと一緒だ。園子さんはどうやら佐倉君が好きらしい」

外山が言った。

7

加藤文太郎は常願寺川沿いの雪の道を東へ歩いていた。その道は坂にかかると、どこの山でもそうであるようにジグザグ道になるけれど、おおよその方向は立山を目ざして東西に延びていた。

藤橋からスキーはずっと履いたままだった。すぐ先を誰かが行ったばかりのようなスキーの踏みあとがあった。数人の踏みあとだったから、はっきりとした道になっていた。だから、道をさがしたり、迷ったりする心配はなかった。踏みあとさえついていったら、やがて弘法小屋へつくことは間違いなかった。それにこの道は、加藤にとってはじめてではなかった。夏の間にもう、三度も通った道だった。

東への道は退屈するほど長かった。ブナ坂を越したあたりから、雪は深くなり、台地に出たせいか風を感ずる。追い風だった。うしろから、飛雪をとばして来たり、ときには、彼の眼の前で、粉雪の渦巻を見せたりする風が、日暮れとともに静まる風だということを加藤はよく知っていた。長くつづく風ではなく、ときどき強く吹くが、すぐやむ風だった。

空は曇っていて、遠望は効かなかった。疎林の背丈がずっと低くなったことは、雪の深くなったことを示していた。

「十二月三十日……」

彼は歩きながらいった。あす一日であさっては昭和五年になる。去年の十二月三十日は、八ヶ岳の山麓を歩いて、その前の年の十二月三十日は鉢伏山から氷ノ山に向っていた。そしてその前は、どこだったか、はっきりと記憶の中に浮んでは来なかった。

十二月から一月にかけては必ずどこかの山へでかけているのだ。そしておそらく、来年の十二月三十日も、どこかの山の雪を踏んでいるだろうと思った。

(そうだ、去年のこの日の八ヶ岳訪問は、なにかもの淋しくこわいような気がしたものだ)

加藤は、ちょうど一年前のことを考えながら歩いていた。去年の今日はスキーの跡はなかった。たったひとり、夏沢鉱泉の小屋にこもって、凍った蒲鉾(かまぼこ)を食べた思い出は鮮烈だった。本格的な冬山に入ったはじめての経験だったせいもあるが、やはり、ひとりだということが、彼に精神的負担を負わせたのだ。しかし、いまはひとりではない。すぐ先を何人かの人が登っている。それは加藤にとって、前方にかかげられた灯火(ともしび)を見るように心強いものであった。それに、去年の一月の八ヶ岳訪問以来、二月には、常念岳、槍(やり)ヶ岳(たけ)、そして、三月には、立山へ入り、四月には奥穂高岳へ登っていた。去年の積雪期における山への執着は、さすがの外山三郎さえも首をひねるほどであった。四月までに、二週間の休暇は全部山で消費しつくしていた。冬山の魅力が加藤を、外部から見ると、山に憑(つ)かれたようにさせたのである。

それから、何カ月間経過して、いままた冬山に踏みこんで見ると、去年の経験が、年をへだてて生きていることがよくわかる。スキーは彼の足について動いた。

（おれは冬山をいくらかは知っている。ずぶの素人ではない）

加藤はわずかながら自信のようなものを持ちはじめていた。スキーの踏みあとは、真直ぐに延びていた。弘法小屋は、そう遠い距離ではなかった。天候も心配ないし、あと一時間もすれば小屋につくことができると思うと、加藤のスキーは、いままでの疲労を忘れたように、先へ先へと急ぐのである。

（加藤さん、あなたは山をひとりで歩きながらなにを考えているの）

園子の声が彼の耳元で聞えたような気がした。園子のことは、ずっと頭の中にあったが、あるというだけで、積極的に彼に話しかけるようなことはなかった。いくら加藤が園子を好きであっても、園子の気持が佐倉秀作の方に動いている以上どうにもならないことだった。

（あなたは歩きながらなにを考えてるの）

園子の声がまた聞えた。いつか園子に、そんなふうに聞かれたことがあった。

（山を歩いているときは、なにも考えてはいけない。なにも考えずに、足もとばっかり見て、歩いていなければいけない）

加藤は園子にそう答えたようにおぼえている。

（なにも考えずに、一日も二日も三日も？）

園子はちょっと小首をかしげたが、

(でも、ほんとうにそうかも知れないわね。なにも考えないで歩くことが楽しくて山へ行くのかもしれないわね)

園子は勝手に、そう決めこんでいたようだった。

(山を歩くとき、ほんとうになにも考えずに、いるだろうか)

あとで思いかえしてみると、なんにも考えずにいたように思うけれど、たえずなにかを考えつづけていたようにも思われる。加藤は、神戸を発(た)って、車中の人になってから、ほとんど園子のことばかり考えていた。芦峅寺(あしくらじ)から山支度をととのえていよいよ山道にかかっても、彼女のことが、彼の頭の隅(すみ)のどこかにあった。藤橋でスキーを穿(は)いたときも、園子が、わたしも、少しぐらいなら滑れるといったことを思い出していた。加藤は秋から暮にかけてのことを思いかえしてみた。

十一月のおわりころだった。加藤が外山三郎のところへ山の本をかえしに行ったとき、園子がふらりと現われた。飄然(ひょうぜん)と現われたといったふうだった。なにかいいながら入って来る園子が、その日はなにもいわずに、微笑さえ浮べずに入って来て、

「ね、加藤さん、佐倉さんのことあなたどう思う」

といったことがあった。ちょうどそのとき、外山三郎は、席をはずしていた。応接

間には、園子とふたりきりだった。

「どう思うって、どういう意味ですか」

加藤は開き直ったようないい方をした。

「いやね、加藤さん、なにもかも知っているくせに。わたし、佐倉さんと結婚しようと思うの。でもいざとなると不安なのよ。どこがどうってことないけれど、なにかが不安なんです」

処女の敏感な触角が、あの佐倉秀作のまやかし者であることを探知したのだなと加藤は思った。

「結婚するとなったら、男だって、女だって、不安になるのはあたり前でしょう。特に女の人にとってはね。あなたの場合だって、佐倉さんという対象が決ったから不安になったのでしょう」

加藤の口をついて出たことばは、ぜんぜん彼の心の中とは違ったものだった。

「小父(おじ)さんも小母さんも、佐倉さんとの結婚にあまり乗気ではないのよ」

園子は、外山夫妻が乗気でない原因について、第三者の加藤の意見を聞きたいようであったが、

「あの人はときどき、すごくつめたい眼をすることがあるのよ。それが気になって

……」

それは園子のひとりごとのようであった。園子はそれだけいうと、加藤のそばを離れていった。加藤が親身になって彼女の相談相手になってはくれないと見たようであった。

スキーの踏みあとが乱れた。気がつくとそこは弘法小屋であった。加藤は、山を歩きながらの考えごとが、ずいぶん長い間、つづいたのは、前の人のスキーのあとのおかげだと思った。人のあとをついていくことは容易である。園子のことを考えながら歩けるほどの余裕を持った山行は、とにかく幸運だと思った。

加藤は弘法小屋の戸をおした。

いくつかの眼が同時に加藤を見た。見られているという感じははっきりしているけれど、その小屋に誰がいるかは外から入って来た加藤にはわからなかった。眼が暗さに馴れて来ると、小屋の中央に燃えているストーブがまず眼についた。ストーブを取りかこんでいる四人の男たちの姿が見えて来ると、ストーブのとなりの部屋の囲炉裏の赤い火が見えた。そこには二人の男がいた。夕食の支度でもしているらしかった。

小屋の中にいる六人の男たちは黙って入って来た加藤を凝視していた。ウィンドヤッケをかぶり、ルックザックを背負った登山者だということは間違いなかったが、ひとりでやって来たことに、六人はまず驚きの眼をあげ、つぎに加藤がものをいうのを待った。明るい雪のなかから家の中へ入って来れば、誰だって、しばらくは眼が見えないことはわかっていた。そんな場合、通常口を利いた。こんちはとか、こんにちはとか、御厄介になりますとか、私はなんのなにがしですとか、一人で来たか二人で来たか、そんなことを——つまり、そこにいる先客が聞きたいことを真先に口にするのが当り前であった。だが加藤は黙って立っていた。加藤は先着の登山家たちに最大の敬意を表するために、微笑を浮べながら立っていた。

その加藤の微笑こそ、はじめての人には、あらゆる疑惑と不信感を植えつける不可解な微笑に見えるのだけれど、加藤自身の心では、その微笑にたくして、

「皆さん、こんにちは、皆さんのあとをついて来ましたから楽に来られましたよ。今夜はこの小屋に、私も一緒に泊めていただきます。よろしく願います」

そういったつもりだったが、六人には、加藤の微笑の話しかけは、無遠慮に投げかけられた冷笑としかうつらなかった。六人の眼がいっせいに警戒の色を示しだすと、加藤は、いそいで、かぶっているウィンドヤッケを脱いで、みんなの方に向ってぺこんとおじぎをした。六人のうちの三人は、加藤のおじぎに誘われるように頭をさげか

けたけれど、他の三人はあいかわらず、疑いの眼を以て加藤を見守っていた。

加藤の眼は暗さに馴れた。ストーブを取りかこんでいる男たちは、かなりの山の経験を持つ登山者らしかった。囲炉裏ばたにいる二人の男たちは案内人で、おそらく芦峅寺の人たちだと思われた。

加藤は多くの眼が見守るなかで、靴を脱ぎながら、なぜ誰も話しかけて来てくれないのだろうかと思っていた。加藤は炉端へ行って、二人の男に、芦峅寺の佐伯さんのところに寄って、みなさんが先へ登ったと聞いていそいであとを追って来たといった。

芦峅寺の佐伯さんと加藤がいうのは弘法小屋の持主のことであった。

加藤のことばで六人の警戒心は一応解けたようであった。小屋の持主のところによって小屋の状態を聞いて登って来たからには満更の素人ではないと思ったらしかった。ストーブを囲んでいた四人の男たちはまた話をはじめた。

「あなたは今年の三月、ここへ来ませんでしたか」

囲炉裏ばたにいた若い方の男がいった。

「三月にこの小屋へ泊めて貰いました」

加藤はそう答えて、すぐ、その男と、ことしの三月にこの小屋で落合ったことを思い出した。

「そうでしたね。あのときもあなたはひとりでした」

男はそういって、芦峅寺の松治ですと自己紹介した。加藤も自分の名をいった。今年の三月、会ったというだけで、加藤と松治はすぐうちとけたが、もうひとりの芦峅寺の男は、黙って加藤を見ていただけで、すすんで加藤と松治の会話に介入しようとはしなかった。囲炉裏をかこんで、男たちのにぎやかな夕食が始まった。彼等は炊き立ての飯と大鍋いっぱいに作られた汁を食べていた。加藤は囲炉裏の片隅で、今度の山行にあたって近所の菓子屋にはじめて作らせてみた、麦饅頭を油で揚げたのを出して食べた。加藤のいままでの経験によると、冬山で飯を炊くことは時間がかかるし、面倒であり、そして荷物になった。軽くてうまくて、栄養価値があるものとして考えたのが、揚げ饅頭であり、乾し小魚であり、バターであり、甘納豆であった。

加藤が、彼独特の食事を始めると、男たちはしばらく、好奇な眼で見ていたが、加藤の食物についてひとことも聞こうとはしなかった。松治が味噌汁をいっぱい加藤にすすめた。加藤はなんどか礼をいってその好意を受けた。

食事が終ると四人の登山家たちは、囲炉裏ばたを去ってストーブのそばに集まった。なにか、加藤の存在に気兼ねしているふうでもあった。その夜加藤は囲炉裏の傍に、芦峅寺の男たちとともに寝た。静かな夜であった。

十二月三十一日は霧で明けた。とても動けるような天気ではなかった。雪がちらちらしていた。だが、午後になると、霧は霽れて視界が効くようになった。四人の登山家たちは、それぞれ支度をととのえて外へ出ていった。松尾峠までスキーで往復するという話であった。

加藤は四人の登山家たちのあとを追った。彼等の歩き方を見ていると、スキーの技術は、加藤より数段勝っているように思われた。それに、四人の呼吸があっていて四人の集団はまるで一人のように、動いたり止ったりした。四人のラッセルした踏みあとをついていくことは楽であり、そうして、四人と行動していると、加藤もまた、四人の登山家たちのグループに溶けこんでしまったような気にもなるのである。

松尾峠の頂上に立ったときには薄日が洩れた。霧の去来は比較的緩慢で天気が好転するような気配さえあった。四人のうちのひとりが、携帯用の映画撮影機をルックザックから出して加藤にいった。

「ぼくらはここでスキーをやっているところを撮影することになっているから、すまないがあなたは先に帰ってくれませんか」

言葉は丁寧だったが、雪眼鏡の奥で光っている男の眼は、あきらかに、加藤の存在を嫌っていた。撮影したいから、撮影が終るまで、邪魔にならないようにここに待っていてくれというのではなかった。撮影しているところにうろちょろしていることすら眼ざわりだから、帰ってくれというふうに聞えた。つまはじきにあった気持だった。一瞬加藤の顔はこわばったが、加藤はなにもいわなかった。男のいったことは癪にさわったが、いいかえすことばが直ぐにはでなかった。加藤は山をおりた。なぜあの男が、ああいういい方をしたのだろうかと考えながら弘法小屋に帰ると、松治が小屋の入口に立っていた。

「どうしたんです。早いじゃあないですか」

「写真を撮るのに、邪魔だから帰れっていうんだ」

加藤は仏頂面をしていった。

「土田さんでしょう、そういったのは。しかし、土田さんがそういうのは当りまえですよ。だいたい、あなたは、土田さんたちに一度だって挨拶しましたか。挨拶もせずに、人のパーティーに図々しく割りこんで、ラッセルドロボウをつづけていたら、誰だって腹を立てますよ。もし相手が大学の山岳部だったらぶんなぐられますよ」

松治は加藤の顔につばでも吐きかけるようないきおいでいった。松治自身もそのことをいいたかったに違いなかった。松治にいわれてみれば、加藤はまだ彼等には挨拶をしてなかった。弘法の小屋で火を焚いて暖めていたのは土田の一行である。小屋に入ったときしかるべき挨拶をして置くべきだったが、それはまだしてなかった。挨拶らしいものが済んでいるのは松治との間だけだった。加藤は頭をさげた。自分が悪いのだと思った。当然やるべきことをしなかったから悪いのだと、率直に自分を反省しながらも、松治のいったラッセルドロボウということばが気になった。加藤はそのわけを聞いた。

「わけもなにもないでしょう。人の踏みあとをついていきさえしたら、冬山登山なんて楽なものさ。あなたもひとのあとばかりついて歩かずに、たまには先に立って、ラッセルの苦労を味わって見たらいいでしょう」

松治にいわれなくても、加藤はラッセルの苦労は知っていた。知っていたが、でしゃばったことをするのは悪いと思って、遠慮してあとからついていったのである。加藤はそう弁解した。

「しかしね、加藤さん。黙って人のあとをついて歩くことはよくないですね。それは町の中だって、同じことじゃあないですか。知らない人が、黙ってどこまでもあとを跟けて来たら、いやな気持になるでしょう」

加藤はすべてを了解した。彼は小屋に入ると、ノートを裂いて、彼の名刺を作った。四人の男たちに名刺を渡しながら、いままでの非礼を詫びるつもりだった。

だが彼等が山から帰って来て、ストーブのまわりに集まったとき、加藤が出した名刺がわりのノートの切れはしは、たいした効果を発揮しなかった。彼等は、加藤が黙って出した紙片を黙って受取っただけだった。加藤と四人との間に流れているつめたいものは、にわかに払拭（ふっしょく）することはできなかった。

翌一月一日は終日霧と雪だった。

昭和五年一月二日は光とともに明けた。加藤は幾日かぶりに見るような気持で青空を仰いだ。神戸で見る、どこかに水蒸気の存在を感ずるような青さではなく、コバルトブリューのインクをぶちまいたような青さだった。空という感じより、空という超巨大なドームの下に立って、見あげているような空の色だった。どこを見ても一点のけがれもなかった。加藤は、何年か前に、はじめて、槍ヶ岳を訪れたとき、雷雨のあとの青空を見た。その時は、青空の美しさに感激して、泪（なみだ）がでそうになった。美しいものがあったということの喜びだった。その時の夏の空の色と、いま彼が見あげている冬の空の色とは、同じ青さでも違っていた。どこがと口で区別することはできなかったが、もし、なにかの機械が、この空の色と夏の空の色とを再現できたら、いつでも加藤は、冬の空と夏の空を間違わずにいい当てることができるだろうと思った。

天気快晴となると、小屋の中は出発準備のためににぎやかになった。先着の六人はその日のうちに剣沢小屋までいくのだから、一刻も早く出発しなければならなかった。出発のいそがしさにまぎれて、加藤の存在など頭にないようだった。加藤は厳冬期の剣沢小屋は知らなかった。彼等が話しているところを聞くと、剣沢小屋をベースキャンプとして、剣岳へ登攀(とうはん)する予定らしかった。加藤はそのメンバーに入れて貰いたかった。入れて貰いたかったが、入れて下さいという機会はなく、三日間を過してしまった。彼自身の腑甲斐(ふがい)なさをなさけなく思いながら、小屋の中のあとかたづけをやっていた。加藤は単独行であるから、特に準備らしいものはなかった。彼のルックザック一つを背負えばどこへでもでかけられる身軽さだった。

「じゃあ、あとをよくたのみましたよ」

六人組のリーダーの土田は、小屋の中を掃除している加藤にいった。加藤はそれに黙ってうなずいた。ついていきたいのだが、ついていっていいかどうかは聞けなかった。聞けば土田が首を横にふるような気がしたからであった。

六人組は弘法小屋(こうぼうごや)を出ていった。あとをたのむといわれて、うなずいた以上、加藤はあとしまつをしなければならなかった。寝具を片づけ、囲炉裏の火を始末して、彼は、彼の荷物をまとめて小屋の外へ出ると、六人組のあとを追った。

スキーを履いた加藤の足は、つつっとよく動いていった。追分小屋が見えるところまで来ると、加藤は前方に六人の姿をみとめた。六人の前にはラッセルのあとはなかった。まぶしいほどの輝きのなかを、六人が残していく踏みあとの陰影が一直線に続いていた。加藤が近づいていくのがわかったらしく、一行は雪の中に立止った。加藤の追いつくのを待っているようであった。加藤は希望を持った。しかし、リーダーの土田が、加藤にいったことは加藤の想像していたこととは違っていた。

「きみはどこへいくんですか」

それは、加藤に、行く先を聞いたというよりも、ついて来てはいけないという警告であることは間違いなかった。加藤はそう聞かれて黙った。ほんとうははっきりした行く先はなかったのである。神戸を出るときは、富山、千垣、芦峅寺、弘法小屋、室堂、雄山というスケジュールで来たけれど、弘法小屋に泊って、六人組が剣沢小屋をベースキャンプとして剣岳を狙うのだと聞いたときには、加藤は彼の所期の目的を放擲して、その魅力的な剣岳登山に参加したいと思った。だから、土田にどこへと聞かれても、加藤はすぐに返事ができなかったのである。

(あなたがたと一緒に剣岳をやりたいのですが)

といったところで、それではついて来るがいいと、即座にいってくれるような空気ではなかった。加藤が追従して来たことを土田が不愉快に思っていることは、きみはどこへ行くんですかといった語調の中に隠されていた。

「加藤さんは室堂へ行くのでしょうよ」

松治がいった。加藤にかわって松治が加藤の行く先を決めると、土田は、

「それなら、天狗小屋までは一緒だな」

といった。天狗小屋までは同行するが、それ以上ついて来ることはごめんだぞという、かなり強い拒絶の態度が見えていた。

加藤は思うことのひとこともいえなかった。そこでもう一度、同行をつよくたのみこみたかったが、彼の心と裏腹に彼は黙っていた。その加藤の沈黙と、照れかくしに浮べている加藤のいつもの微笑に、六人の男たちは、加藤の存在をそれまでになく、気味悪く感じた。松治でさえも、そっぽを向いていた。

追分小屋で彼等が一服しているときに、加藤は先頭に立って新雪をラッセルした。松治にラッセルドロボウといわれたから、その不名誉を挽回するためにそうしたのである。そうすることによって、彼等の気持を幾分かやわらげるためでもあった。

（おれがもう少し口がうまかったら）

加藤はそう思った。こんな凍るような思いでラッセルをしないで、とうのむかしに、

このパーティーのなかに吸収されていたに違いないと思った。加藤は懸命にラッセルした。深雪の先頭に立つことはたいへんな苦労だったが、行動によって、加藤の誠意が、向うに伝わればいいと思った。しかし加藤のラッセルもそう長くはつづかなかった。土田が、彼のパーティーの一員に、先頭のラッセルを命じたからであった。

飽くまで、加藤と六人組とは別のパーティーであることを、土田ははっきりさせると、それからは、加藤の方を見向きもしなくなった。一行は天狗小屋で小休止した。天狗小屋に立って下界を見ると、雲海が樹林地帯をかくしていた。東の方に向って見ると、足もとから立山連峰までは白一色でおおわれ、一本の木も見当らない雪の高原であった。加藤は、これと同じような雪の景色を、富士山麓の御殿場口の太郎坊で見たことを覚えていた。そのときの山は富士山一つだったが、いまは、びょうぶのように立山連峰がつらなっていた。剣沢小屋へいくには、雷鳥沢を登りつめて、あの稜線から向うにおりるのだ。あの稜線に立てば、後立山がよく見えるだろうと眺めていると、加藤はふと急に、あたりがもの淋しくなったのを感じた。

六人組が、地獄谷の方へ向って、雪原を横切っていくのが見えた。いそいでいるように見えた。意識的にいそいでいるふうだった。時間的にいそぐ必要があったのかも知れないけれど、加藤には、彼を置き去りにして逃げていくおそろしく意地の悪い六人組のパーティーの姿として、映った。

さすがにそのあとを追う気は起らなかった。嫌われて、嫌われぬいたうえ、雪原におっぽり出されたわびしさは、たとえようもなく悲しいものであった。

加藤は、松治に室堂でしょうと行方を指示されたとおりに、室堂に向って登っていった。

室堂は雪に半ば埋もれていた。彼はそこに荷物を置くと、立ったままで、ばりばり甘納豆を食べ、水を飲んで、一ノ越を目ざして登っていった。しばしば彼は立止って、雷鳥沢の方へ眼をやったけれど、六人組の姿は、彼が一ノ越へつくまでは見えなかった。一ノ越に近くなるとともに風が強くなった。猛烈な連続性の風であった。日本海から立山に向って吹きつける風のすべてが、一ノ越の鞍部に収斂されたかのような強さだった。彼は、石塚の前で、見事に風に吹き倒された。

「風までが、おれに意地悪をするのか」

加藤は風に向っていった。

加藤の眼が光った。意地悪をするならしてみるがいい。おれは、雄山の頂上まで、きっと登ってみせる。彼は石垣のかげで、スキーを脱いで、アイゼンを履いた。アイゼンを履いている彼を、風が何度か、吹き倒そうとした。

一ノ越の鞍部から雄山の頂上への道は、かなり急な道であり、その稜線もまた、鉋でけずるような風が吹いていた。風で雪が吹きとばされて、ところどころ岩が露出していた。とても立って歩ける状態ではなかった。彼は、稜線を這った。這いながら、一歩一歩と雄山の頂上に近づいていった。一ノ越から雄山の頂上までは、なにも考えなかった。ただ、彼の頭の中には登るということだけがあった。頂上の雄山神社の前に立って、彼は、すぐそこまで襲しよせて来ている霧を見た。もしその霧が濃霧となったら、帰路を失うことになるのだ。加藤は神社に一礼すると下山にかかった。風が強いので、呼吸をするのが困難だった。彼は数歩、歩いて、息を吸い、また数歩行っては風に顔をそむけて呼吸した。

一ノ越で、後立山の方へちょっとだけ眼を投げた。いやに三角形にとがった鹿島槍が見えた。はて、あれが鹿島槍かなと、思っただけで、それ以上長く、そこに立ってはいられなかった。山々は白銀色に輝き、山と山との間には雲海がつまっていた。霧はそれほど濃くはならなかったけれど、雪が降りだした。帰途、彼はまともにその雪にたたかれた。

室堂についたが、手が凍えて、容易に戸を開けることができなかった。暗く、湿っぽい、室堂の小屋の中には、夏の登山最盛期のころのにおいが残っていた。風は小屋の中までは入って来ないけれど、耐えがたい寒さであった。加藤はコッフェルで湯を沸かし、砂糖湯を作った。熱い砂糖湯が胃にしみこむと同時に、彼はしみじみひとりを味わった。一年前の今日あたりも、ひとりで夏沢鉱泉で湯を飲んでいた。そして、あの小屋で――加藤は一年前を思い出した。

彼は、夏沢小屋の外で一晩寒気と戦ったことを思い出していた。

(夏山と冬山の差は温度の差ではない。冬山に勝つことは、孤独に勝つことである)

彼が八ヶ岳の冬山山行で得たものは、いまもなお、いささかも変ってはいないはずである。

(わかり切ったことなのだ。それなのに、なぜおれはこれほど人を求めるのだろうか。孤独をおそれるのであろう)

加藤は、アルコールランプの赤い灯(ひ)を見つめながら、寒さよりも、なお一層身にしみて来る人恋しさに身ぶるいをした。

8

おそるべき孤独が加藤をしめつけた。室堂の小屋には彼ひとりしかいないのだと思っただけで呼吸が止りそうに苦しかった。ちょうど一年前の冬の八ヶ岳では、その孤独に耐え得たのになぜ、いまになってそれができないのか加藤にはわからなかった。誰でもいい、人さえ、近くにいたら、話をしないでいいとさえ思うのである。そんなに人が恋しいなら、山へなんか来なければいいのだと、彼は自分を叱った。ひとりで山へ入るのが淋しいなら、誰かとパーティーを組んで来ればよいではないか、と自分自身にいいきかせる。同行希望者はいくらでもある。同行者を求めるまでもなく、どこかの山岳会へ入りさえすれば、いくらでも山の友人はできるのだ。

それにもかかわらず、彼はいずれの山岳会にも属してはいない。いままではその必要がなかったからであった。登山とは汗を流すところであり、自分と語り合う場であると、定義づけて、山に入ってからもう何年になるだろうか、一度だって淋しいということを感じたことはない。一度だって同行者を求めたことはない。去年の八ヶ岳の冬季登山の初めての経験においてさえも、これほどではなかった。

(なぜ、人を求めるのか)

加藤文太郎は自分に問いかけた。回答はなかった。ただ、ひとりでいることに耐えられないということだった。

(生理的な要求であろうか)

冬山では、ひとりではおられない。必ず複数の人間の群れとしてのみ存在が許されるという、動物本能から来る生理的な要求であろうか。そうとも考えられない。もしそういう根本的なものがあったならば、それはもっと早期に——彼が登山をはじめた初期において、大きな壁となって、彼の前に立ちはだかったはずであった。単独行は淋しいものである。しかし、その淋しさ以上に自分と語り合う、山と語り合うという楽しみがあった。

(冬山では、山と語り合う場がないというのだろうか、冬山は死の山で、語り合うべきなにものも持っていないというのであろうか)

山が雪でおおわれているというだけで、山が唖(おし)になったとは思えないし、冬山が死の山であるとは思えなかった。冬山は夏山よりも、むしろ山としては生々としていた。喜怒哀楽の感情は冬山において、はっきりと、それぞれの山の個性を、ひろげて見せた。冬山が死の山であって、加藤との語り合いを拒絶するという事実はどこにもなかった。

(ではなぜ、おれは人を恋うのだろうか)

わからなかった。いくら考えてもわからないし、考えようとしたり、山と語り合おうとしていても、人に会いたいという欲求が加藤をおしつぶそうとした。

人はそう遠くないところにいた。いま、加藤の頭に存在している人は、土田をリーダーとする四人のパーティーと、その四人と同行している芦峅寺(あしくらじ)の二名の若者であった。

(六人はいま剣沢小屋にいる)

そのことだけが加藤の頭の中にあった。六人のところへ行きたいという気持が、加藤から離れなかった。はっきりと従(つ)いて来てはいけないとまではいわなかったけれど、それと同じようなことを行動で示した彼ら六人のあとをなぜ追いたいのか加藤にはわからなかった。

土田リーダーは加藤に対して、はっきりと嫌悪(けんお)の眼を向けたし、そのパーティーの中で、芦峅寺の松治以外は土田以上の、むしろ憎悪の眼を持って追従しようとする加藤をふり切っていったのである。

(彼らがそうするのは当り前である。親しい友人同士で、山を楽しもうとして来ているのに、全然未知の人が、そのグループにまぎれこめば、面白(おもしろ)くないのは当り前である。下手をすると、せっかくの山行がだめにされてしまう)

加藤はそのことは百も承知であった。彼自身が長いこと単独行をおしとおしたのも加藤と山との語り合いの中に、他人が割りこんで来てせっかくの山の気分をぶちこわされないためであった。下界においても、山においても、理由なくして人に近づくことはおたがいに不愉快なことであった。

なにもかもわかっていた。わかり切っているのに、六人のことが頭から離れないのがなぜであるか、加藤にはいぜんとしてわからなかった。忌み嫌われている彼ら六人のところへ行けば、彼らは、今度は、感情と行動を表面に出して、おれたちは、きみと行動するのはいやなんだというかもしれない——つまり傷つけられるのだ。場合によっては、その疵は生涯、快癒することのできないほどの深手となるかもしれないのだ。それなのに加藤は、六人のことを思っていた。

夜が明けきると、加藤は室堂の小屋から外へ出た。いい天気だった。山と雪と、彼とそして雪原の上に、立山連峰の黒い影が横たわっていた。太陽の姿は見えなかった。六人が一列になって、登っていった雷鳥沢も、別山乗越も、まだ夜の陰翳の中に眠っているようであった。

加藤は、立山連峰を越えて走る、輝きの平行線を仰ぎながら、山は朝の交響楽を始めたのだと思った。幽玄なメロデーが流れ始め、やがて、太陽という指揮者の金の指揮棒の振りようで、その交響楽は嵐の交響楽にも、死の交響楽にもなるのである。空の模様から推測すると、今日中に嵐の交響楽にはならないように思われるけれど、ならないという確証もなかった。冬の立山である。嵐でないという日の方がめずらしいのである。日本海を渡って吹きつけて来る風が運んで来る水蒸気は、この立山連峰の壁にぶつかって、強制上昇して、雪の結晶体を作るのだ。それがこの冬の山のルールであった。山の交響楽は朝のうちは静かである。が、間もなく、吹雪のフリュートがどこからか鳴り出し、嵐のドラムが打ち鳴らされ、気が狂ったようにバイオリンがかき鳴らされるのである。加藤は、朝の交響楽の中に、その日一日の天気を予想しようとした。猟師が、朝の一瞬に、その日の獲物のありかを推察するように、加藤の眼は澄んで鋭かった。

あらゆる雑念が加藤の頭から去って、その朝の交響楽の中で、彼は山と語り合った。その日の天候やルートや、その夜、泊るべき宿についても、その朝の一瞬において、見とおしをつけるのである。

加藤は山々の頂を眼で追った。きのうは強風の中を雄山に登った。きょうは一ノ越から浄土山、竜王岳（りゅうおうだけ）、鬼岳、獅子岳（ししだけ）あたりまで行って見ようか。天気の具合によっては、引きかえせばいい。どっちみち、室堂が今夜の泊り場所である。

加藤は、一応その日のルートをそう決めて、眼を一ノ越へもどして、今度はきのう登った雄山から別山の方へやった。

(別山乗越の向う側にはあの六人がいる)

雪の中の剣沢小屋でストーブをかこんで談笑している六人のことを思うと、加藤は、獅子岳へ行こうとする気持が消えた。

「剣沢小屋へいこう」

彼は決心を口にした。あの六人にどんなに意地悪をされようが、嫌われようが、剣沢小屋へ行こうと決心した以上、いくのが彼に与えられたその日のきまりだと考えた。それからは迷わなかった。加藤は、コッフェルで湯をわかし、お茶を入れた。食事はいつものとおりの揚げ饅頭（まんじゅう）と、乾（ほ）し小魚だった。

コッフェルで湯を沸かし始めてから、二十分後には、食事をすませて荷物をまとめた加藤は室堂小屋の外へ出ていた。

風が出ていた。やがて、雪炎が、この広い雪原をおおいつくすだろう。そのまえに、別山乗越を越えて剣沢小屋へいかねばならない。加藤はスキーを履いた。

加藤にはその日の予定があった。雷鳥沢をつめて、別山乗越をこえて、立山連峰の向う側におりるのだ。そこに剣沢小屋がある。彼は剣沢小屋まで午前中に行こうと思った。彼のいままでの体験から、それはそう無理なことだとは思わなかった。

室堂から雷鳥沢への下りは、平凡な雪原であった。霧が出たら、たいへんなことになるところだけれど、晴れてさえいたら、なんでもなかった。加藤は、見当をつけると、別山乗越への登り口に向って、ラッセルの一歩を踏みこんでいった。誰も前を歩いてはいないし、あとから誰も来ない。気楽なラッセルだった。時折、雪の深みにはまりこんで、声を出すと、その自分の声に驚くほど静かだった。吹き出した風が、加藤の行動開始とともに止んだのは谷に入ったからであろうか。雪の深みもあったが、浅いところもあった。そういうところに来ると、加藤のスキーは面白いように、前へ、つつっと進むのである。

加藤は、とうとうラッセルのあとを発見した。六人が踏んだあとは一条の道となって、別山乗越へ延びていた。

加藤は、その雪の踏みあとに踏みこむ前に、彼が歩いて来た道をふりかえった。そこまでは、彼自身が開拓した道であったが、ここで、六人の踏み跡と接触すれば、もはや、彼自身のものはなくなるのである。

(ラッセルドロボウ)

ということばを、加藤はそこで想起した。この侮蔑に満ちたことばを、頭から浴びせかけられたら、たいていの登山家は、腹を立てるだろうと思った。だが、彼の行くところが剣沢小屋であり、そこへ行く踏みあとがちゃんとついているのに、彼自らが、新しい踏み跡を開拓するということはばかばかしいことのように思われた。

加藤は六人の踏み跡へスキーを入れた。別山乗越へ登りにかかったころから風が出た。予期した風だった。しかしその風が風だけでいるうちは、なにもおそれることはなかった。日が高くなると、空は乳白色に濁った。加藤は、それを天気の下り坂の前兆と見た。

登りは急だったが、そのくらいの傾斜度は加藤にとって、ものの数ではなかった。スキーが使えなくなると、脱いでかついだ。風に追い上げられるように加藤は別山乗越をこえた。景観が変転した。そこには、黒部（くろべ）の渓谷（けいこく）が見えるはずだったが、そのかわりに見わたすかぎりの雲海の上に鹿島槍（かしまやり）と五竜（ごりゅう）が白く光っていた。

剣沢小屋は紫色の煙を上げていた。加藤の立っているところは、かなり風が強いのに、剣沢小屋の煙は、その煙の色がはっきり見えるだけの太さで、しばらくは垂直に立昇（たちのぼ）っているのを見ると、剣沢小屋そのものが安泰に満ちた住家に思われてならなかった。しかし、その煙も、眼でやっと計ることのできるぐらいの距離だけ立昇ったところで、強い力で、粉砕されたように霧散した。風の方向になびいて消えたのではなく、風の乱流（タープレンツ）によってあとかたもなく消えうせたのであった。

加藤は、そこに動いている冬の立山のはげしい気象を思った。

小屋の中には六人の人たちがストーブをかこんで楽しそうに話し合っていた。

「またやって参りました。よろしく願います」

加藤は、彼の眼が小屋の暗さに馴れない前に挨拶だけはさきにやった。よろしくお願いしますという言葉のなかには、いろいろの意味を含めていた。みんなのパーティーに入れてくれという希望もあったし、この小屋に泊めてくれという願いもあった。返事がないまましばらく過ぎてから、

「そんなところに立っていないで、上ってストーブに当ったらどうです」

松治がいった。

そのことばに救われたように加藤は、荷物をそこにおろして、靴を脱いだ。松治が、加藤のために、ストーブのそばに椅子がわりの空箱を用意してくれた。加藤は松治にお礼をいった。鞍部では風は強かったが、こらえられないほどの寒さではなかった。だが、やはり、ストーブの傍に坐るとうれしかった。

沈黙が続いた。加藤に話しかけて来る者はなかった。きのう、天狗平で別れたときと同じようなつめたい空気が流れていた。

「きのう、あなたは一ノ越へ登っていったでしょう。強い風でしたから心配しましたよ」

長い沈黙のあとで土田リーダーがいった。考えに考えた末に発見した話題のようだった。加藤は、ほっとした。少なくとも、土田リーダーが、加藤をストーブ談義の一員に加えようとしていることがわかったからである。

「一ノ越から雄山の神社までは、歩いたり、這(は)ったりしていきました。頂上近くでは、ずっと匍匐(ほふく)前進でした」

「ほう、匍匐前進ね。そんなに風の強いとき、ひとりで山へ登って、もしものことがあったらどうします」

土田の声は静かだったが、あきらかに、加藤の行動を暴挙として見た批判だった。

「でも登りました。登れないほど強い風ではありませんでしたから」

「それは登ったでしょう。しかしね、加藤さん。ただがむしゃらに山へ登ることだけが登山ではありませんよ。よく山を調べ、天候を調べたうえで、慎重に一歩一歩を頂上に向ってきざんでいくのが登山です。頂上に立つということより、その道程がどうであったかが、登山か登山でないかの分れ道になるのです」

加藤は黙って聞いていた。きのうの雄山登山は、登山ではないといおうとしているのだなと思った。

（あなたの登山の定義では、きのうぼくが雄山に登ったことは、登山ではないかも知れません。しかし、ぼく自身の登山の定義によれば、きのうの雄山登山は立派な登山です。ぼくにとっては、あれぐらいの風はたいしたことには思われないのです。危険とは感じないのです。山は立って登らねばならないという法則はないでしょう。時によれば、格好は悪いけれど這って登ることだってあり得るでしょう）

加藤は心の中でそういっていた。その加藤の心の中のつぶやきが、例の不可解な微笑となって現われた。

土田の顔が緊張した。土田は、加藤の顔に浮んだ微笑を冷笑と取ったのである。臆(おく)病者(びょうもの)め、あんな風がこわいのか、きみたちは、あんな風におそれをなしているのかと、加藤が土田たち六人に向って投げた嗤(わら)いと見たのである。

ストーブの周囲の空気は再び凍った。土田は二度と加藤と口をきくつもりはないぞというふうに、山日記のページを開いて、鉛筆を出した。他の男たちも、加藤の視線をさけるように、横を向いた。松治だけが、加藤と他の男たちの間をなんとかして取りなそうとするように、しきりに視線をあっちこっちと動かしていた。

加藤は、そのつめたい沈黙に耐えられなくなった。こっちで話しかけないかぎり、六人が永久に口をききそうにもないと見て取ると、

「どうです。これからみんなで剣へ登りませんか」

加藤のことばは、いかにも突飛(とっぴ)であった。六人のパーティーは六人で行動している。そのパーティーに、たったひとりの加藤が、誘いかけたのだから、突飛というよりも、奇妙であった。ぶしつけでもあり、非常識でもあり、非礼でもあった。

　六人はいっせいに加藤の方を向いた。六人の眼は一様に加藤を責めていた。生意気なことをいうなという眼であった。いままでいくらかの親愛感を持って見ていた松治の眼さえも、加藤に対して、明らかに悪感情を抱いた眼に変っていた。

「あなたは別山乗越をこえて来たでしょう。あそこでさえあれだけの風が吹いている。剣岳の頂上付近では三十メートル以上の風は吹いているでしょう。とても登山できるような状態ではないですよ」

　土田リーダーは、静かにいった。かなりきびしい眼つきをしていたが、言葉はていねいだった。加藤に対する感情をおし殺しているようだった。

「登れませんか。それなら、ぼくをここに泊めて下さいませんか」

　加藤は六人と自分との間が、ますます悪い方向にむいていくことを自覚していた。それでも加藤は、そこにいたかった。どんなに嫌われても、その六人のそばにいたかった。

「泊めてやりたいが、天気が悪くなれば、あなたはひとりで帰れなくなるでしょう。

冬の立山は、ひとりで来ることは、もともと無理なんですよ。天気のいいうちにおりた方がいいではないですか」

土田は、小屋の外の風でも気にするような顔をした。

帰る——ひとりで雪原の中を帰っていけというのか。今夜もまたあの陰鬱な室堂でひとりで寝ろというのか。加藤は考えただけでぞっとした。

(どうしてもひとりでいることがいやなんです。みんなと一緒にいたいんです。ただ傍に置いて貰うだけでもいいんです)

加藤の眼は哀願にかわりつつあった。

「私をあなたがたのパーティーの一員に加えていただけませんか。けっして御迷惑はかけません」

加藤は土田に向って頭をさげた。

「それはできませんよ。ぼくらはすべてこの六人で行動するように準備して来ている。あなたは単独行をやっているから、パーティーの意味がよくわからないだろうが、パーティーは心のよく解け合ったものの集合体でなければならない。そうでなければ間違いが起る。ぼくらはあなたの名前を知っていてもあなたを知らない。あなたもぼくらを知らない。そんな曖昧な関係でパーティーを組むなどということはこのうえない危険なことですよ。あなたは、すでに、関西では名の通った登山家でしょう。そのあなたが、そんな無茶をいうとは、おかしいじゃあないですか」

そうだ、そのとおりだと加藤は思った。相手を知らない者どうしがパーティーを組んで遭難を起した例は、ウインパーのマッターホルン初登攀の惨劇以来無数にある。山においては、自分以外になにものも信用のおけるものはないという、自信が、彼をここまで引き摺って来たのである。

(そのおれが、なぜ人をたよろうとするのだろうか)

雪の剣岳に登りたいのだが、ひとりでは自信がないから、他のパーティーと共に行きたいという打算のもとに、パーティーに加えて下さいといっているのではなかった。雪の剣に、ぜひとも登らねばならないという理由はなかった。どうしても、雪の剣をやりたいならば、そのつもりで、はじめっから準備してかかれば、やってやれないことはなかった。

だいたい神戸を出るとき、剣岳は、頭の中にはなかった。雪の立山訪問という漠然とした計画のまま出て来たのだから、目的はすでに充分達しているのである。帰ってもいい時期であった。

「加藤さん、冬山には冬山のルールがあることを御存知でしょう。剣沢小屋へ泊りたいなら、ちゃんと案内人をつれて来るべきです。案内人を雇う金がおしかったら、冬山へは来ないことですな」

土田のその一言は加藤をひどくみじめなものにさせた。貧乏人は冬山へは来るなといわれたような気がした。案内人を雇い、充分な日程で山へ出て来る裕福な登山家たちと違って、加藤は一介のサラリーマン登山家である。加藤にかぎらず、多くのサラリーマンは、金と日時が充分ではない。だからといって、冬山をあきらめろというい い方は、加藤の腹にこたえた。

(冬山は金持ちだけのものであろうか)

冬山が、永久に社会人登山家に開放されないことは堪えられないことであった。だが、現に土田が加藤の前でいっていることには、ひとかけらの誇張もないし、はったりもなかった。剣沢小屋は、その持主の私有財産であり、小屋の中のストーブも、燃料も、すべて営業用として運びこまれたものである。小屋を使うならば、その小屋の所有者の許可を得たうえ、案内人をつれて来るのがあたりまえのことであった。もはや彼らとともにここに止(とど)まるのぞみは断ち切られたのだと思った。出ていけといっているのだなと思った。

「松治君、加藤さんに御飯をあたためて、ごちそうしてやってくれないか」

土田リーダーは加藤の沈黙を了解と見たようだった。土田は、加藤が米を持って来ていないことを知っているから、松治に飯をあたためてごちそうしろといったのである。しかし、加藤には、そのことばは素直に受入れられなかった。残飯があったら食べさせてやれと、土田が松治にいっているように聞えた。案内人もつれず、ろくな食糧も持たずにやって来た、貧乏人の登山者にめぐみを垂れてやれよといっているふうに聞えたのである。

加藤は眼をあげた。

「いえ、結構です。食糧はまだ充分持っております」

「では、お菓子でもどうです。松治君、菓子を出してくれ」

「いや、結構です。いろいろとありがとうございました」

涙が出そうだった。悪罵(あくば)とともに小屋から追い出されるような気持だった。

靴を履いている加藤のところへ松治が来て耳もとでささやいた。

「加藤さん、すまないね」

すまないことがあるものか、悪いのは、もともとこっちなんだと加藤は自分にいい聞かせていた。悪いのはこっちなのだが、なぜこれほどまで、みじめな気持に追いこまれたのだろうか。こうなることはわかっていながら、ついここまで来てしまった自分が、虚仮(こけ)か阿呆(あほう)に思えた。

加藤はスキーを履いた。

剣沢小屋をあとにして、別山乗越(べっさんのっこし)をこえて、雷鳥沢へ。そして今夜はまたあの室堂に泊らなければならないと思うと、胸が凍る思いだった。剣沢小屋に泊りたいと思った。小屋の片隅(かたすみ)に、犬のように、丸くなっていてもいいから、残っていたいと思った。

加藤のスキーはいっこう進まなかった。彼は、まだ、剣沢小屋に引かれていた。彼の腰のあたりに、眼に見えないザイルが緊縛され、そのザイルの端が、剣沢小屋にしばりつけられているようだった。

(そのザイルはゴムだな)

と加藤は思った。歩けば歩いただけ、ゴムは伸びていき、それだけ、剣沢小屋へ吸引力は強くなっていった。加藤は、数歩進んではふりかえった。もし剣沢小屋から、誰(だれ)かが出て来て手でも振ったら、まわれ右して、小屋へ帰って、もう一度小屋に泊めてくれと頼もうと思っていた。

誰も剣沢小屋からは出て来なかった。腰に結びつけられたゴムはやがて切れる。切れたら最後、二度とふたたび剣沢小屋へは帰れないのである。

加藤は彼の腰につけられたゴム紐(ひも)の伸張力の限界点において立止った。そこまで来ると、風は強くなり、飛雪ばかりでなく、雲海からはね上げられた片雲が雪の斜面をよこぎっていた。

加藤は剣沢小屋に眼をやった。ストーブの紫色の煙は、来たときと同じように立昇っていた。彼はその紫色の煙に、いまもなお、去りがたい愛着の視線をそそいでいた。煙突の煙の量が次第に多くなっていくようだった。神戸の港で、出港の間際の船舶の煙突を見るように、その煙はたくましく太かった。へんだなと加藤は思った。ストーブに薪を燃しているだけであれほど多量の煙を出すはずがないと思った。なにか薪以外のものを多量に一度にストーブに投入したのかも知れない。そう思って見ていると、いままで立昇っていた煙突の煙が、煙突を出たところで、渦を巻き出したのである。乱流が剣沢小屋を取りかこんだのだと加藤は思った。だがその紫煙の渦のあり方は異常だった。煙自体が、意志を持ったもののように、ていねいに剣沢小屋を包みかくすと、さらに煙のひろがりを、雪原に敷衍し、しかも、加藤が立っている斜面にそって、紫煙の舌を延ばしはじめたのである。

加藤の方に向って延びて来る紫煙の舌先は生き物を連想させた。

加藤は恐怖をおぼえた。その紫煙の舌先につかまったら、おしまいだという気がした。しかし彼は、しいて、そこを動こうとはしなかった。恐怖を感じながらも、彼はどうにもならないような力で、そこに釘づけになっていた。風の音を聞いた。突風だなと思った瞬間、彼は背を低くして、風にこたえる体勢を取った。眼の前が混雑した。白くふわふわした、それでいてたとえようもないほどの多量の物体が、よこぎっていった。視界をおおいつくした。

(雪崩が起きたのだ)

彼はそう思った。音もなく雪崩が起って、眼の前が混雑したのだと思った。あらゆるものは、形容もないほどのスケールの大きい白いもののなかにのみこまれていった。剣沢小屋は消えうせていた。

風は止んだ。

加藤は立上って、いま眼の前で起った、雪崩を確かめようとした。雪に埋もれた剣沢小屋から六人を助け出さねばならないと思った。

なにも変ったことは起っていなかった。剣沢小屋は前どおりで、細々と紫煙を上げていた。加藤は何度か眼をこすった。錯覚ではない。たしかに雪崩を見たのだ。が、現実には、そこにはなにも起ってはいないのである。

彼はその錯覚の原因を考えた。風とともに霧のひとかたまりが彼を襲い、彼の睫に付着して、しばらくの間彼をめくらにしたということは考えられる。彼が見た白いものは、霧粒の結晶だったと考えられないことはなかった。

加藤は、何回か眼をこすってから、もう一度剣沢小屋へ眼をやった。小屋には異状はなかったが、そのあたりに、いままでなかった暗いものを感じた。それが死の影というならば死の影かも知れない。なにか、いままでそこになかった暗いものが剣沢小屋を取りかこんでいた。

加藤は背筋につめたいものを感じた。そこにそうして長居は無用だという気がした。

加藤は剣沢小屋に背を向けた。彼と剣沢小屋とを結んでいたゴム紐はその瞬間に音を立てて切れた。

（一刻も早く室堂へ帰れ）

加藤の本能は、そう加藤に呼びかけていた。

加藤は別山乗越を越えて、ふたたび眼下に雷鳥沢を見た。弥陀ヶ原（みだがはら）までの雪原を西にかたむきかけたにぶい太陽の光が照らしていた。彼は、呼吸もできないほど強い西風をまともに受けながら、雷鳥沢へ向っておりていった。あとから、誰かに追われるような気持だった。六人の誰かが、剣沢小屋へ泊めてやるから、引きかえして来いと呼んでいるような気がした。とめてやるといっても引きかえすつもりはなかった。彼らの仕打が憎らしいから、意地を張って引返さないというのではなかった。あの雪崩の錯覚を見た直後に、加藤の心の中から剣沢小屋への執着が消えたのである。あれほど泊りたいと思っていた剣沢小屋から、いまはいっこくも早く遠ざかりたい気持が理解できなかった。

　雷鳥沢に踏みこむと風は静かになった。

「ああ助かった」

　加藤は太陽に向っていった。

　死神に追われていて、やっとその手からのがれた気持だった。

（こんなことはいままでかつて一度もないことだ）

　彼は室堂へ向う雪の谷へ踏みこんでからもそのことばかり考えていた。淋しいという気持も、六人の側にいたいという気持も消えていた。山はひとりでいることがもっとも自然であり、自分と語り合い、山と語り合うために山に来たので、人など、いないほうがいいのだと、いつもの加藤にかえった自分を見直すと、なぜあんな気持になったのかを、ふたたび思いかえして見るのである。

　室堂は陰湿な寒い小屋だった。が、加藤にとっては、そんなことは平気だった。むしろ加藤は、室堂に帰って来て、安心して眠れると思ったくらいであった。

（あれほど剣沢小屋の六人を求めたのはなんであろうか）

彼は眠りにつくまえに、またそれを考えた。

(それは死ではなかろうか。彼らに死が約束されていて、その死へ自分は同行しようと願っていたのではなかろうか。求めていたのは、六人の人でも剣沢小屋でもなく、死ではなかったろうか。無意識に、死に牽かれていたのではなかろうか)

六人にあれほど嫌われても、剣沢小屋に固執したのは死への道筋からはずされたくなかったのではないだろうか。

(帰りに見た白い幻覚は、やがて剣沢小屋を襲うであろう、雪崩そのものではなかろうか)

ばかな、と加藤はその想像を否定した。剣沢小屋は雪崩に埋まるような場所にはない。そして、雪も雪崩の起るような状態ではない。

(しかし、おれは剣沢小屋にただよう、死の影を見た)

死の影がどんなものかといわれても答えられないが、見たことは見たのだ。やがて、剣沢小屋は死ぬぞと、はっきり感じたのだ。これが、予感というのなら予感でもいい。直感というならば直感でもいい。とにかくおれは、剣沢小屋に死を見たのだ。

すべてが疲労から来るものかも知れない。年末近くになって会社は居残りが続いた。隣室の金川義助のこどもはよく泣いて、加藤の安眠をさまたげた。それから園子と佐倉秀作とが結婚しようとしていることも、加藤を平穏な気持では置かなかった。それらのあらゆる疲労が、いつもと変ったかたちとして現われたのかも知れないと思った。

(だが、もう、おれはもとのままの加藤文太郎に帰ったのだ)

加藤は翌日の旅程を考えた。天気が悪くなるのは確実だった。天気が悪くなるより先に安全地帯まで歩かねばならなかった。立山連峰を形成するだだっ広い雪原上で霧にまかれたら、それこそ死ぬ以外にない。藤橋まではなんとかしていきたかった。明後日は芦峅寺の佐伯氏のところへ立寄って、弘法小屋の泊り賃を払わないといけない。そうしないと、あの六人のパーティーに、加藤は冬山のルールを知らないと笑われるだろうと思った。

彼は、佐伯家の日当りのいい縁側で、彼のたどった雪の道のことを話しながら、泊り料を払っている自分を想像していた。

「で、土田さんたちは、いつごろ山をおりて来ますか」

佐伯氏にそう質問されるところまで想像して、加藤はまた、全身が震え出すほどの悪い予感に襲われた。

「彼らはふたたび芦峅寺へは帰らないかも知れない」

加藤は暗闇の中でつぶやいた。小屋の外の風が、笛を吹くような音を立てて加藤に答えていた。
加藤は眼をつぶった。このことは、自分の頭の中にだけしまっておこうと思った。彼ら六人が死ぬなどということが、死なない前にわかってたまるものか。

9

加藤文太郎はしばしば、何故(なぜ)山へ行くのかという、きわめて平凡で、そして、きわめて解答のむずかしい問題を考える。何故山へ行くのだという質問に対して、それは、すなわち、山があるからだと答えたという、ある登山家のことばをもってしても、加藤には不充分であった。

山があるから山へ行くのだ。山がなければ行きたくてもいけないだろう。がしかし、山がない場合、彼はどこへもいかずにぼんやりしていられるだろうか。(もしかりに、加藤文太郎がこのままの姿で蒙古(もうこ)の大平原へいっていたら、いったいなにをするだろう)

おそらく、彼は歩き廻(まわ)るだろう。大平原をぐるぐる歩き廻るに違いない。歩かずにはおられないのだ。それではなぜ歩きたいのかと、問いつめられればおそらく加藤は、歩きたいのだ、歩けば気持がいいのだと答えるに違いない。

山へ行っているあいだは御機嫌なんだ。山気を吸い、谷川の清冽な音を聞き、それを飲むと気がせいせいするから山へ行くのだ。要するに、山が好きなんだ。読書が好き、魚釣りが好き、競馬が好き、仕事が好き、金をためることが好き、人に慈善をほどこすことが好き……それらの人と同様におれは山が好きなのだ。それだけで、他にはなにもない。

（ではなぜ山が好きになったのか）

特に動機となるものはなかったが、しいていえば彼に地図の見方と山歩きを教えた新納友明がいた。もし彼がいなくとも、おそらく加藤は山へ入っていったに違いない。（山好きのことはわかった。だが、山好きのために身を危険にさらしてまで、なぜ山に行くのだ）

これもごくありふれた質問だった。魚釣りもときには危険な目に会うことがある。加藤が現在踏みこみつつある登山の段階は、すでに遠く趣味の階層をこえていた。極論すれば、それは生命を賭けての遊びだった。

生命を賭けてまでなぜ山へ行くのかの問題に対しては、いかなる人も、ほとんど満足に答えることはできなかった。いわゆる探検とも違っていたし、未知へのあこがれでもなく、名誉欲でもない。ここまで問いつめられると、多くは言葉に窮して、そこに山があるからだという、古典的な逃げ口上を再び口にするしかないのである。(そこに山があるからだと答える以外に、なにもいうことはないであろうか)加藤文太郎は彼が歩みつつある方向が、いよいよ険峻であればあるほど、その到着点にあるものがなんであるかを考えないわけにはいかなかった。

加藤はその疑問の壁に衝突しては周囲を見廻す。ものを読む。やはり、彼と同じように、生命を賭ける登山家たちの群れはかなりの数に達していた。だが、加藤にしてみれば、彼らが山に生命を賭けるには、それだけのなにかの理由を持っているように思われた。

大学の山岳部の名誉のために、名のある山岳会員は、その山岳会の会員としての誇りのために、そして社会人の山岳会は、わがもの顔に山をのさばり歩く、山の紳士たちに挑戦するために、それから、単独かまたは少数グループで山に生命を賭ける者は、若い情熱の発散の場として、失恋の痛手の捨て場として、厭世の逃避場として、なんらかの劣等感の反対証明の場として、山に生命を賭けるのである。

加藤はそのいずれにも属さなかった。加藤には山に憂身をやつさねばならないという能動的な理由は、なにひとつとしてないのである。

神戸の町の固いペーブメントを凍てついた山の道を歩くような気持で踏みしめながら、加藤は、なにかの折に、それは多くの場合、なにか大きな、彼の一身上の変革が起る前に、突然彼を襲って来る、

（なぜ山へ行くのか）

の疑問に自問自答しながら歩いていた。

「神戸はいい町ですね。できることなら一生ここに住んでもいい。前に海、うしろに山、港町だから適当にモダーンで、適当にノスタルジアがただよっていて……」

佐倉秀作は歩きながら静かな声でものをいう。園子に話しかけるのでも、ひとりごとでもなく、なにかふと、そのときの情景の感動を述べたといったふうに、聞えて来る。

「神戸は町全体が詩情にあふれている。宵の霧にとけこむふたりの影さえも、それは永遠の約束ごとのように、ゆれて動く……」

園子は、佐倉秀作の意味のあるようなないような、つぶやきに似たそのことばを聞きながら、自分はいま幸福なのだろうかとふと考えた。

佐倉秀作の手が伸びて園子の手を握った。園子は電気を感じたように、手をひいた

が、佐倉の握力は強く、彼女の手を決して放そうとはしなかった。

「このまま、あなたとふたりでどこまでも歩いていきたいのだけれど、そのまえに、ふたりは夕食を摂らねばならない。ふたりはおなかが空いている」

佐倉はそういうと、坂の途中から左側に折れて、明るい通りに出ると、植込みの奥に青く輝くガス灯の光に向って歩きだした。青いガス灯に向う歩道には御影石が敷いてあって、歩くと、こつこつ音がした。

園子は、その青いガス灯がなにかおそろしいもののように見えてならなかった。その灯の下をくぐったら最後、もとのままの姿で、そこを出ては来られないような気がした。

「そこはなんですの」

園子の処女の触角が、青い灯に対してぴくぴく動いていた。

「ホテルです。英国人が建てた古いホテルです。地下がレストランになっているのです。経営者は何度か変ったようですが、あのガス灯だけは前のままなんです。あのガス灯がこのホテルのシンボルなんです。美しいでしょう、ガス灯の光は霧をよくとおして見えるのです」

だが園子はためらっていた。いくべきではないと、彼女の触角が警告していた。

「どうしたんです園子さん、あの長い映画で、ぼくらはいい加減お腹が空いています。この地下室の料理はおいしいですよ」

さあといって、佐倉は、握っていた園子の手を離すと、腕を組んだ。あっという間のできごとだったし、ちょうどその時、地下室から腕を組んで出て来た外国人の男女があったから、園子は、佐倉に抵抗して、そのからんだ腕をはずすことをさしひかえた。妙な気持だった。

ガス灯の下をくぐるとき、園子は、佐倉秀作を見た。青くそまった彼の横顔には、ひどくつめたいものがあった。とがった高い鼻が、いままでになく、彼の野心の象徴に見えた。彼の野心とは園子と結婚することである。

彼女もまたそれを受け入れようとしていながら、その野心の鼻が青く濡れて光っているのを見ると、彼女は、そこから逃げ出したいようにさえ思うのである。

佐倉秀作の腕には力があった。地下室の降り口に来ると、もはやいかなることがあっても、彼女を彼の意志に従わせないではおかないような強引さを持って、いささか肩をはり、外国映画に出て来る伊達男のような格好で静かに階段をおりていった。

階段は途中で直角に曲った。その踊り場の壁にステンドグラス製の山があった。とがった山だった。日本の槍ヶ岳のような形をしていた。園子は、多分それはマッターホルンを模したものだろうと思った。

「山がこんなところに……」

園子は、踊り場に立止ってそういった。彼女が彼女自身の心に、ある程度そむきながら、階段をおりていく行為に対するためらいが、そんなかたちでそこに現われたことは、彼女にも佐倉秀作にも思いもよらないことだった。

「英国人らしい趣味ですね。英国人という奴（やつ）は、意外に山が好きらしい。貴族崇拝主義というのかも知れない。登山家には貴族が多いという現実を横目で見ながら、貴族にゆかりのある者だというジェスチュアにこういうものを作りたがる。もっとも日本人にもそういうのがいる。登山は貴族階級だけのものにしておけばいいのに、貧乏人が貴族のまねをしたがる……」

佐倉秀作は園子の腕をぐっと引張ってむきをかえた。階下から流れて来る、肉を焼くにおいが園子の鼻をついた。

その食堂は気品があって落ちついていた。適度な採光度が、園子に安定感を与えた。

園子はナイフとフォークを持って、皿（さら）の上の肉に眼をやったとき、

（私は幸福になれるだろうか）

と考えた。そう考えることは、不幸を、頭の中で呼び出しそうで不安でもあった。

「どうしたんです、園子さん、さあ」

園子は焼いた肉にナイフを入れた。やわらかい肉だった。しんのほうに、うっすらと桜色の血がにじんでいる肉だった。園子はそれを見ると、やりどころのない淋しさが湧き上って来る。とにかく淋しいのだ。ここにこうして佐倉秀作といることが不思議に、かなしいことのように考えられて来るのである。

「いやなんですか、きらいなんですかこの肉が？」

佐倉はややけわしい眼でいった。

「いいえ、きらいではないわ」

「それなら、遠慮なく召しあがれ、レディが口をつけない先に、ぼくは食べたくても食べるわけにはいかないんです」

佐倉が笑った。園子は佐倉の笑いに助けられたように肉を口に入れた。うまかった。寒い霧の中をかなり歩かせられて来て空腹だったから、彼女の胃袋は、そのカロリーの高い肉を大いに歓迎していた。食べだすと、淋しさも、悲しさも消えた。

「ブドウ酒をめし上れ、肉にはこのブドウ酒がよく合うんです」

園子は嘗めるようにそのブドウ酒を飲んで見た。甘かった。酒という感じではなかった。

「外国人の女の人は、そのコップに三ばいぐらいは飲むんですよ」

そのコップは小さかった。一口に飲めそうなコップだった。

「そして外国人は、そのコップのブドウ酒を飲むときには、こういうふうに……」

佐倉秀作は園子にコップを上げさせて、空間でコツンと音を立てて、それをぐっと飲みほした。

その軽快な音響を伴った乾杯は園子の気に入った。なにかそのレストラン全体が明るくなったようにも思われるのである。

「佐倉さん、さっきはなんだかおかしかったわ。妙に、ここへ入って来るのが厭だったのよ。もしここへ入ったら、二度とこのままの姿では帰れないような気がして」

佐倉の顔が一瞬緊張した。ぎょっとしたようだったが、園子はそれに気がつかなかった。

「へんだったわ。わたし、階段のところであのステンドグラスの山を見て立止ったりして」

「きっとそのとき、あなたは加藤君のことでも思い出したのでしょう」

佐倉のそのひとことで園子は、今日の午後佐倉に会って以来ずっと、長い時間、彼女の心の底でくすぶっていた淋しさの原動力は加藤の存在ではなかったろうかと思った。彼女の淋しさは、彼女をどこかで見詰めている加藤の淋しさにも通ずるものではないだろうか。彼女はその発見がいささかおそすぎたような気がした。ステンドグラスのマッターホルンを見て、ここに山がといったのは、ここに加藤がいるといったのと同じことだったのだ。階段をおりるなという、加藤の警告だったのかも知れない。

「加藤という奴はつまらぬ男だ。一介の製図工の癖に、貴族の真似ごとの登山なんかやって」

佐倉は驚くべきことをいった。それまで園子とつき合っていて一度だって、加藤に触れたことのない佐倉が、なぜ突然、加藤の悪口を園子の前で、いったのか彼女にはわからなかった。

「一介の製図工だなんてひどいわ……加藤さんは立派な技術者よ。正式な大学は卒業していないけれど、大学出と同等以上の実力は持っているんだって、小父さんがいっていたわ。それに登山は、もう貴族だけのものではなくなっている。あなたの考えは古い……」

園子は胸苦しさを覚えた。胸苦しさをこらえていると身体全体がだるくなる。思考力が遠のいていきそうになる。彼女は酔った経験がなかった。ブドウ酒と思って飲んだのが、味こそ甘いけれど、強烈なアルコール分を持っている洋酒だということを知らなかった。

眼が廻りそうだった。そのままじっとしていたら、倒れそうだった。

「くるしいの……」

園子はいった。佐倉に酒をすすめられて、酔わされたのだということが、はっきりと自覚され、そうさせた佐倉を憎みながらも、佐倉にたよらねばならない自分がみじめに思われた。

佐倉の顔に淫虐な微笑が浮んだ。獲物を前にした動物の表情に似ていた。青い顔の中に、厚い、黒い唇が濡れて光っていた。

佐倉は手をあげてボーイを呼んで、紙片にサインをしてから、ゆっくり、園子の脇に立って助け起すと、

「さあ、ぼくにもたれかかってゆっくり歩くんです」

とささやいた。園子は、宙を歩くようだった。心臓の鼓動が頭に向って衝き上げていた。やがて心臓は、頭のところまで、浮きあがって、はげしく鳴った。

「一階まではどうしても歩かねばいけないんです。一階からはエレベーターがある」

「エレベーターがどこに……」

それには佐倉は答えなかった。エレベーターで四階へ登ると、そこに、佐倉は、彼

の部屋を取っておいたのである。佐倉は右腕で彼女を抱きかかえながら、左手で、ポケットの鍵に触れた。

「静かにゆっくりと……やがて気分はよくなっていく」

佐倉は園子を助けながら、一段一段ゆっくりと階段を登っていた。

途中踊り場のところで彼女は、再びステンドグラスの山を見た。

「ここに山が……」

それはもう、彼女の心の中の声だった。ここに加藤がいてくれたらと願う心であった。彼女はせまりつつある身の危険を本能的に察知していた。逃げだしたいと思うけれど、知覚は正常なものではなくなっていた。雲の中を歩くような気持で、彼女は、大きなミスを認めかけていた。加藤こそ、彼女が選ぶべき男性であったのではなかろうか。あの無口な加藤は、彼女に、それらしい素振りはひとことも見せたことがなかった。だが、加藤の中に彼女が存在していることは疑いないことのように思われた。

(加藤さんはいったいどこに)

園子は眼をあいていたが、見てはいなかった。眼の前にエレベーターが止り、白い服が動いたのを見たが、そのときはもう、彼女は半ば、眠りかけていた。佐倉が左手で、ドアーの鍵をあけ、そして園子を部屋に入れたとき、園子は佐倉が彼女になにをしようとしているかを、未だに残っている知覚の隅の方で感じた。彼女は佐倉をおしのけて逃げようとした。だが、それは、彼女の気持であって、行動としては、佐倉に倒れかかっていくようなかたちとなってしか現われなかった。彼女は完全に足を取られていた。

佐倉は、彼女を横抱きにして、ベッドの上におくと、スタンドにスイッチを入れてすぐ引返して、ドアーに鍵をかけた。

部屋は暖房が効いて暖かかった。雪のように白いダブルベッドの毛布の上に横たわった園子は、眼をつぶっていた。

佐倉秀作は洋服ダンスを開けると悠々と洋服を脱いだ。脱ぎながら、ベッドの上に横たわっている獲物に、貪婪な眼を投げていた。

用意ができても、佐倉はことを急激にいそごうとはしなかった。取った鼠をネコがもて遊ぶように、彼は、時間をかけて、ゆっくりと、彼女を剝いでいった。時々彼は昼のあたりから会心の声をあげた。そして彼は、いよいよ、彼の最終目的を遂行する段取りにかかったとき、

「ばかな女だ」

とひとことといった。

眠りの底にあった彼女は、その声をはっきり聞いた。それは死刑の宣告にも似ていた。彼女はあらゆる力をふりしぼって抵抗した。

佐倉はそれも予定行動にしていたようだった。佐倉は彼女の抵抗をできるだけ長くつづけさせるために、わざと彼女に反撃の機会を与えたりした。だがしかし、酒を飲まされている彼女の抵抗はそう長くはつづかなかった。彼女が必死にもがいたとき、彼女の爪（つめ）が、佐倉の頬（ほお）に一筋の条痕（じょうこん）を残すと、佐倉は、動物が咆（ほ）えるような声を上げて、彼女に襲いかかっていった。

同じ夜、加藤文太郎は、ガス灯のあるホテルのすぐ隣の海の見える館（やかた）の一階の会議室で、登山家たちを前にして、しゃべっていた。壁に剣岳一帯の地図が貼（は）ってあった。その会議室の入口に、加藤文太郎氏講演会後援ＫＲＣ・神戸登山会・神港山岳会と書いた案内立札があった。

会議室はせいぜい五十人ぐらいがせいいっぱいのところだったが、そこに七十人ばかりの男たちが集まって加藤の話を熱心に聞いていた。

「私は冬山を始めて、まだ二年にしかなりませんので、冬山のことはほんとうにはよく知らないのです」

加藤は話の途中でときどきそれをいった。まだ二年しかならないといっても、去年の一月の八ヶ岳の単独行以来、会社の休暇はすべて冬山へ投げだしており、すでに八ヶ岳、伊吹山、妙見山、常念岳、槍ヶ岳などに登頂していた。立山は今年で二回目であった。

加藤は、八ヶ岳以来の冬山山行を朴訥(ぼくとつ)な話しぶりだが、正確なデータのもとに話していった。最後に、剣岳をめざしていったけれど、引きかえさねばならなかったのは、風が強いからだったと話した。土田たちと行動を共にしたことは話したけれど、土田たちとの感情問題についてはひとことも口にしなかった。話せば誤解を招くからだった。加藤の話が終りに近づいたころ、ＫＲＣの会長藤沢久造のところに電話があった。

「加藤君の話はこれで終ります。質問があればどうぞ」

司会役の志田虎之助(とらのすけ)が、そういったとき、藤沢久造がいそぎ足で会議室へ入って来て、大きな声でいった。

「剣沢小屋が雪崩(なだれ)にやられた。土田君たち六人が行方不明になった」

加藤は、身体中がふるえる気持でそれを聞いていた。あの白い幻想は事実となって現われたのだ。

10

坂を登りきって道を左に取ると、すぐ路地の奥に下宿の二階が見える。

加藤はそこに立止った。あかりが二ついているのは、隣室の金川義助の部屋と彼の部屋の両方に人がいることになる。金川義助の部屋のあかりはいいとして、なぜ加藤の部屋に電灯がついているのだろうか。

いやな予感がした。

玄関を開けると、すぐそこの茶の間に眼つきのよくない男が多幡てつと話していた。

「加藤文太郎か」

男がそういったとき、すぐ加藤は、刑事だなと思った。

「加藤文太郎かと聞いているのだ」

男は加藤の方に向きをかえて、前よりも、大きな声でいった。

「あなたはどなたです」

「なんだって、この野郎」

男は、まるで、ごろつきが、喧嘩(けんか)を売る理由もないのに喧嘩を売りつけようとする

かのように、肩をふりながら加藤に近づこうとしたとき、二階から別の男がおりて来て、

「加藤さんですね、警察のものですが」

といった。その男の方は言葉は丁寧だったが、目つきは、茶の間に坐(すわ)っている男よりも悪かった。ふたりは眼で示し合せてから、加藤に二階へあがるようにいった。

茶の間の隣室で、多幡新吉の咳(せき)と赤ん坊の声とそれをあやす金川義助の妻しまの声が聞えた。

「かくさずになんでもいって貰(もら)いましょう。そうでないと、警察へ行って貰わなければならなくなる。場合によっては、しばらくここへは帰れない」

背の高い方の刑事がいった。

「おい加藤、貴様は金川義助にいままで、運動資金としてどれほどやった」

別の刑事がいった。

「運動資金なんかやったおぼえはない」

加藤文太郎は憮然(ぶぜん)としていった。

「だが、きさまが金川義助に金を貸してやったことは事実だ。それは、もうちゃんと調べがついているのだ。金川義助の女もそれを認めている」

「金川にお産の費用を貸してやったことはある」

加藤はぽつりとひとことといった。

「そのほかに毎月いくらと決めて金川に金をやっていたろう」

加藤は首をふった。

「意地をはるなら、こっちは証拠を出すぞ」

刑事はそういって、ポケットからノートを出して、加藤の貯金通帳の写しを見せた。

「金川義助がここへ来るようになってから、急に貯金が減り出したのは、いったいどういうわけなんだ」

加藤は突っかかるようにいった。

「貯金の使途をいちいち説明するんですか」

「ブタ箱がいやだったら、正直になにもかも吐き出すんだな」

刑事は気負いこんでそういったが、加藤が、村野孝吉の結婚のために貸し出した金額や、加藤自身背広を買うために引き出した金額などを正確にいうと、拍子(ひょうし)抜けしたような顔で、

「しかし、いい若い者が、なんだって、がつがつ金を貯(た)めこむのだ。こんなことをするから、主義者のシンパなんていわれるのだぞ」

彼等は、そこへ来た目的とは違ったことをいった。

加藤の部屋はかなり荒されていた。山の本や、山日記のページの一枚一枚がめくられた形跡があった。

聞くことがなくなると刑事は、加藤が手に持っている本を見せろといった。ドイツ語で書かれたディーゼルエンジンの本だった。刑事のひとりは、本の裏をひっくりかえして、そこに書いてある海軍技師立木勲平という署名に眼を光らせていった。

「貴様、この本どこから盗んで来たのだ」

「立木技師から借りて来たのです」

「なに借りて来た。貴様、嘘をいっているな。だいたい、貴様にこの英語の本が読める筈がないじゃあないか」

「それは英語の本ではないドイツ語の本です。それからこの本のことは、うちの外山課長に電話で聞いて見て下さい。課長のいる前で、立木技師がこれを読めといって貸してくれたんです」

刑事たちはふたりで顔を見合せた。

「明日も立木技師は会社に来ます。この本について、なにか不審な点があるならば、会社へ電話をかけて立木技師に直接聞いて下さい」

「余計なことはいわないでもいい」

刑事は加藤の顔を睨(にら)みつけると、

「今後のこともある。主義者なんかと、つき合うんじゃあないぞ。それから、やたらに金を貸してやってもいけない。そうすると、貴様はシンパだということになる。まあ、今度のところは勘弁して置いてやる」

刑事たちは捨てぜりふを残して階段をおりていった。

海軍技師立木勲平の名前が出ると、刑事の態度が急にかわったのが、加藤にはおかしく感じられた。

階下におりると、多幡てつが青い顔をして立っていた。

「どうでした加藤さん」

多幡てつは声をひそめていった。

「どうもこうもないさ。いったい、なんでおれの部屋をあいつらがかき廻(まわ)したかも分らないんだ」

加藤は口をとがらせていった。

「金川さんが手入れの前に逃げたんですよ。うまく逃げたんですよ加藤さん」

多幡てつは、金川義助の逃亡に讃辞(さんじ)を送るような眼をしていた。

「どこへ逃げたんだ」

「それは、私たちにも、奥さんにも知らされていないんです。これからは奥さんがたいへんですわ」

多幡てつは奥の部屋へ眼をやっていった。赤ん坊をかかえて、金川義助の妻のしまが、どうやって生活を支えていくかをいっているようだった。多幡てつの孫娘の美恵子が赤ん坊をあやす声が聞えた。

(主義者は雑草のように強く生きていかねばならないんだ)

金川義助がいったことを、加藤はふと思い出していた。

翌朝、加藤は外山三郎に昨夜のことを報告した。

「そうか金川義助は逃げたのか」

外山三郎は一瞬、きびしい眼を窓の外へやったが、すぐ重荷をおろしたように、ほっとした顔で、

「実は金川義助のことで、きのう会社へ、刑事が来た。金川義助が、うちの会社の労働組合と連絡を取っているらしいという情報のもとにやって来たのだ」

「うちの会社の労働組合となにかあったんですか」

「いや、いまのところははっきりしたものは、つかめないが、連絡があることだけは事実らしい」

外山三郎はそれ以上金川義助のことはいわずに、突然話題をかえるように、加藤君と小さい声でいった。

「園子さんがきのう急に故郷へ帰った。きみによろしくいってくれということだった」

「突然ですね。なにかあったんですか、それにしても……」

ひとことぐらい帰るといってくれてもよさそうだと思った。加藤は山行から帰って来て、まだ一度も園子に会ってなかったことを悔いた。ひょっとすると、佐倉秀作との縁談がすすんで、その準備のために故郷へ帰ったのかも知れない。

「いよいよ佐倉さんと……」

結婚するのですかとはいえなかった。

「いや、それとは違うんだ。要するにあれは帰った。もう神戸へ来ることは当分あるまい」

「手紙を出したいのですが」

「住所か、君に知らせてやってもいいが、いまはその時機ではないような気がする」

外山三郎は眼を加藤から離して、机上の図面におとした。加藤の頭には、その日一日中園子のことがひっかかっていた。彼女の身になにかがあったのだ。そのなにかが彼にはいくら考えても分らなかった。彼は、チャンスを作っては外山三郎のところへ何回かいった。昼休みの時間も、なんとなく外山三郎の近くに立っていて、外山からの話しかけを待っていた。園子が急に故郷へ帰ったというだけでは納得いかなかった。もう少しくわしい事情を聞きたいのだが、加藤には聞けなかった。

加藤はめずらしくポケットに手を突込んで神戸の町を歩いていた。ナッパ服のズボンのポケットに手を突込んで、なにか考えこみながら、のそのそ歩いている彼の姿が、大通りのショウウインドウのガラスに写っているのを見るまで彼は、彼自身の姿がそんなにみじめなものだとは気がついていなかった。加藤は、はじかれたようにショウウインドウのガラスからはなれると、ズボンのポケットから手を出して、胸を張り、手をふりながら坂道を登っていった。

玄関を開けると、茶の間に彼の下宿のものが全部集まっていた。

「とうとうやったわ、うちの人が指導したのよ」

金川義助の妻のしまが夕刊をゆびさしていった。

（東亜精機工業ストライキに突入）

三面のトップにでかでかと報ぜられていた。その記事をかこんで、多幡てつも、多幡新吉の孫娘の美恵子も、金川義助の妻のしまも酔ったような顔をしていた。加藤は新聞を二度読みかえした。東亜精機工業は佐倉がいる会社だった。金川義助の名も佐倉秀作の名もなかったが、ふたりが、別々のところで、この夕刊を手にしてどんな気持でいるかがよく分った。加藤はストライキの記事を読み終って、眼を紙面から離そうとした。そこに、彼にとっては東亜精機工業のストライキ以上に重大な記事を発見した。雪崩にやられた剣沢小屋あとから遺体が見つかったという記事であった。

雪崩のために生き埋めになった六人のうちのひとりは、発見されたとき、身体（からだ）にぬくもりを持っていたというところを読んで加藤は眼頭を拭（ぬぐ）った。

あれほど、辞を低くして同行を願ったにもかかわらず、冬山へ来るなら案内者を雇え、案内者を雇う金が惜しいなら冬山へ来るなといって、加藤の同行を拒否した六人が死に、同行を拒否された彼が生きているという、対照事実はあまりに悲劇に満ちていた。

加藤は自室に帰ると、電気を消したままで部屋の中央に坐った。

剣沢で見たあの白い幻影がふたたび、彼の頭の中によみがえって来る。

(異常なまでの執拗さで彼等に同行を求めたことは、とりも直さず死を求めたことであり、彼等に同行を拒絶されたとき、おれは死から見はなされていたのだ)

加藤は山の摂理のなかに、言葉にも筆にも、ましてや科学で証明されることのできないなにかがひそんでいるような気がした。山の神秘などと簡単に片づけられるものではなかった。超自然的な四次元の世界があの白いあらしの世界に存在するのかも知れない。

(ひょっとすると、おれはそこへ踏みこもうとしているのではなかろうか)

加藤の心の奥にともしびがついた。遠くてよくまだ見えないけれど、そのともしびは、なぜ山へ行くかの解答へ近づくための指導灯のようにも考えられた。

(貯金を始めたのは、ヒマラヤへ行くための旅費をつくることであり、山へ行くのはヒマラヤへ行くための訓練だと考えていた。だがその目的は、至上のものであろうか。ヒマラヤ以外に、なにもないのであろうか)

加藤は自分に問うた。

(ヒマラヤは一つの具体的目的である。しかし、今やヒマラヤのためだけにすべてがお膳立てされているのではないことは確かである)

加藤は冬山をはじめてから、急激に山というものの奥深い魅力にとらわれていた。

次の日の日曜日に、加藤は、好山荘の志田虎之助をたずねていった。

「志田さん、あなたはなんのために山へ行くのですか」

加藤は志田の顔を見ると、いきなり聞いた。

「山へ行くと、うるさい女房の顔を見ないですむからな」

志田虎之助は大きな声で笑ってから、中学生のような質問をするなと、かなりきつい言葉で加藤を叱った。

「理屈なんかじゃあない。その答えは山へ年期を入れていると自然に山が教えてくれるものだ。だが、山という奴は、ひどくけちんぼうでな。一度にそれを教えてはくれないのだ。おそらく一生涯かかっても、なぜ山へ登るかということが、ほんとうに分らないで死ぬ人が多いのじゃあないかと思う」

志田虎之助は加藤の眼をじっと見ていて、

「誰だって、迷うことがある。迷ったときが危険なんだ」

「いいえ、ぼくは迷ってなんかいません」

加藤はくびをはげしくふった。

「いや、きみは迷っている。迷っていなければ、そんなくだらない質問をする筈がない。だいたい、冬山を一年か二年やっただけで迷うなぞとは加藤、貴様生意気だぞ。

ほんとうの冬山はこれからだ。二月の穂高へでも登って頭をひやして来るがいい」

「生意気でしょうか、ぼくは」

加藤は志田虎之助の店を出ると、その足で、行きつけの菓子屋へ行った。頭の白い老人が笑顔で加藤を迎えて、また山ですかといった。

「いつもの甘納豆のほかに油であげた甘納豆を少々作って見てくれませんか」

「甘納豆を油で揚げるんですね」

老人はへんな顔をした。

「やってできないことはないけれど、あまり、おいしくはないですよ。やはり、甘納豆は甘納豆、揚げものは揚げもので別に持っていった方がいいじゃあないですか」

老人が揚げものは揚げものといった一言で、加藤は、乾し小魚(ほ)を油で揚げたらどうだろうかと思った。加藤は翌日、故郷の浜坂から取りよせてあった乾し小魚を菓子屋へ持っていって、おやじにたのんだ。

「やって見ましょう。味は甘口にしましょうか、辛口にしましょうか」

「そうだな、どちらかといえば塩気の効いた方がいいな。だからといって、咽喉(のど)が乾くようではこまる。歩きながらぼりぼり食うのだからな」

加藤はポケットから乾し小魚を出して食べる格好をして見せた。

上高地を出たとき加藤は吹雪を予期していた。空は高曇りであった。やがて時間の経過とともに、雲がおりて来て、山という山は雲におおわれ、そして吹雪になるのだ。

「どうも、天気がよくねえな。一日待った方がいいずらよ」

上高地の常さんが空を見ながらいったことばも気になったし、落葉樹林が風に鳴っているのも、けっして安易に聞き捨てにはできなかった。

「加藤君、単独行もいいが、途中であらしにでも襲われたらどうするつもりなんだ」

神戸を立つ前に外山三郎がいったことが思い出される。

「おれはきみに山へ行ってはいけないなどと、いままで一度もいったことはなかった。が、このごろの君の山行を見ていると、どうも気が気ではないんだ。去年の八ヶ岳の冬山山行以来、徹底的に冬山ばっかりやっている君を放っては置けないのだ。会社を休むことをいっているのではない。二週間の休暇を冬取ろうが夏取ろうがそれは君の勝手だ。問題はやはり、君の身にもしものことがあった場合のことなのだ」

外山三郎は加藤の休暇願に判こを押すときにそういった。

「誰かといっしょに行けとおっしゃるのですか」

「できるならそのほうが安全で楽しいだろう」

外山三郎のいった楽しいだろうということばは加藤の肺腑をえぐった。そうだ、登山にも楽しみがあるのだ。剣沢小屋で死んだ六人のパーティーはいかにも楽しそうだった。その六人の楽しみを妨害されないために、彼等は加藤を拒否したのであった。

「いいえ、ぼくにとっては、ひとりでいることが最高に楽しいのです」

加藤はそう答えていながら、他人に煩わされず、自分のペースで自分のいきたいところへ行くのがほんとうに楽しいことだろうかと考えていた。他人と山へ入ったことはなかったから、パーティーの楽しみを知らないといえば、知らなかったが、剣沢の経験によって得られた他人との交渉は、予想以上にむずかしいものであることを彼は知っていた。

それに加藤の山における力量は既に群を抜いていた。加藤とともに山を歩ける者はそうはいなかった。そのことも彼自身はある程度知っていた。

「ひとりの山は気軽でいい」

加藤は梓川の河原に出てからそうつぶやいた。ラッセルのあとはかなり古いものだった。ラッセルのあとを飛雪がかくして、ところどころ、足跡が不明瞭だった。しかし加藤にとっては、この辺は熟知したところだった。たとえ吹雪になっても、歩いていける自信のあるところだった。

(二月の穂高で頭をひやして来い)

といった志田虎之助(とらのすけ)の一言が、加藤をしてこの道を歩かせているのだと考えたくはなかった。一年の二週間の休暇は早いところ冬山に使ってしまいたいという性急な気持でもなかった。一月の立山をやって、また二月早々ここへやって来たのは、やはり加藤の前につぎつぎと起った大事件と有機的な関係があるように思われた。

(園子はなぜ、さよならもいわずに神戸を去ったのか。園子が神戸を去った背景として佐倉秀作の存在を考えないわけにはいかないだろう。あの佐倉が——)

風が強くなったが、空は高曇りのままその日一日を維持しようとしていた。飛雪がしばしば彼の前進をはばんだけれど、彼は着実な足取りで、深雪の中を横尾の岩小屋に向って歩いていった。

岩小屋といっても、そこは洞窟(どうくつ)ではなく、岩の横面(よこつら)をえぐり取ったような凹部(おうぶ)に過ぎないから、寒いことにおいては外も同然だった。彼はそこで、しばしば彼が野宿の練習でこころみたように、ツェルトザックをかぶり、着れるものは全部着てルックザックの中へ足を突込んで背を丸くして眠った。夜明けの寒気で眼を覚ました彼はいそいでアルコールランプに火をつけて、湯を沸かして飲んだ。朝食は、甘納豆と、油で揚げた乾し小魚だけだ。いつものように、油で揚げた餡(あん)パンを今度は持って来なかった。油で揚げた餡パンは嵩ばかり多くて、その割に有効な携行食糧とは思われなかった。やはり彼は甘納豆と乾し小魚に主力を置いた。比較的軽くて、携行に便利で、そして食べたいと思うときはいつでもポケットにあった。山に入った場合、加藤にははっきりとした食事どきはなかった。食べたいときに食べるのが食事だった。従って彼は出発しようと思えばいつだって出発できたし、それが別に不思議なことでもなかったのである。

油で揚げた乾し小魚はうまかった。乾し小魚をぱりぱり食べて、甘納豆をほおばっていると、腹はすぐくちくなる。

第二日目の予定は涸沢の岩小屋までであったが、横尾本谷から、屏風岩の下を廻りこんだところで、彼は強烈な吹雪の出迎えを受けた。

眼を開いてはおられなかった。横尾の岩小屋に引きかえすにしても、そこまで歩けるという自信はなかった。加藤は完全にめくらにされた。

「とうとう吹雪になりゃあがった」

加藤はそうつぶやくと、ルックザックをおろして、ダケカンバの下で寝る準備をはじめた。そこは吹きさらしの雪の上だった。風をさえぎるものはなにひとつなかった。ツェルトザック一枚をかぶっただけで寒さに耐え得られるはずはなかった。そこで、寝ることは遭難であり行き倒れを意味した。

だが、加藤はたいしてあわてることもなく、吹雪のなかで悠々と夜の準備にかかっていた。着れるものは全部着こんで、ルックザックの中に靴ごと足を突込み、頭からツェルトザックをすっぽりかぶって背を丸めてから、両方のポケットから、油揚げの乾し小魚と甘納豆を交互に出してぼりぼり食べた。食べるだけ食べると、彼は両手をしっかりと股の間にはさんで仮睡した。宵のうちに眠れるだけ眠っておかないと、明け方の寒さで眼が覚めることを彼は知っていた。彼は眠る時間を数時間と決めた。今四時だから、五時間眠ったとして、午後の九時になる。それから夜明けまでは、眠ってはならないのだと思った。

（寒さの中で寝ると死ぬ）

という定説を彼は全面的に信じてはいなかったが、いま彼が直面しようとしているそのことに、彼はあらゆる可能性ある準備をととのえようとした。

加藤は眠った。おそるべき寒さの中に彼は確かに眠り、そして、彼は、数時間後に自分に約束したとおりに眼を覚ましていた。胸にかけた懐中電灯で腕時計を見ると、十時を過ぎていた。

身体全体が重かったから、おそるおそる身体を動かして見ると、彼の下半身は吹雪に埋まっていた。そして、吹雪はなお、雪の上に、突出している彼を埋めようとしているようであった。上半身に比較して下半身が暖かいのは、雪に埋もれたせいであった。

加藤はルックザックの中から、補助ザイルを引き出すと、まわりの雪をはらって立上って、ザイルの端をダケカンバの高いところにしっかりと結びつけてから、その端を腰に巻いた。ザイルがあるかないかの違いだけだった。一夜で彼の身が吹雪に埋まると考えたからそんなことをしたのではなかった。眠っている間に、剣沢小屋のような悲劇が起きてはならないからそうしたのでもなかった。

彼は、風雪の中に何十年となく生きながらえて来たダケカンバの生命力を信じて、それと一夜の同盟を結んだつもりだった。

(眠ってはならない、こういうときに眠ったら死ぬのだ)

加藤は彼自身にいった。事実、眠りを誘うほどの寒さは、あらゆる方向から彼を襲って来ていた。足ゆびの先と手のゆび先から、まず感覚が失われていくような気がした。彼は感覚を失いかけた手のゆびで感覚を失いかけた足ゆびの先をもんだ。もめば感覚はもとどおりになり、そこの部分が熱く感じられて来る。背中にやって来る広い面積の寒さは、おしつぶされそうにつらかった。もし寒さに負けるとすれば、背中から来るその寒さの重圧に違いないと加藤は思った。

夜半を過ぎたころ彼は空腹をおぼえた。加藤は、ポケットに入れてある甘納豆をぼりぼり食べた。口を動かしていると身体が暖まって来るように感ずる。食べたものが、胃のなかで、すぐ、いくばくかの熱量に還元されていくようにさえ思われるのである。

（寒いけれど、この寒さは死につながる寒さではない）

明け方近くなって吹雪がおさまって来てから、加藤はそう確信した。そして加藤はしばらく彼の身を睡魔にゆだねた。

苦しい眠りであった。吹雪の音が遠のいていく中で、彼は彼の体温を失うまいということだけを考えながら眠った。

「おい誰かあそこに死んでるぞ」

加藤はそれを遠くに聞いた。夢の中のことばだった。

「よっくその辺を探すんだ。ほかにもいるかも知れないぞ。昨夜(ゆうべ)はひどい吹雪だったからな」

その声はずっと近くに聞えた。

「おい、気をつけてピッケルを使えよ。おろく（山で死んだ人間）の顔に傷をつけちゃあいけないぞ」

その声で加藤は眼を覚ました。誰かが死んだのだなと思った。近づいて来る足音が聞える。加藤は、ザイルを引張った。ダケカンバの雪がばらばらとツェルトザックの上に落ちた。加藤はツェルトをはねあげた。

「ああもう朝が来たのか」

加藤は背伸びをしていった。

数人の登山者はその加藤のまわりを取りかこんでいた。口も利けないほど驚いている顔つきだった。

「あなたひとりですか」

登山者が加藤に聞いた。

「そうだひとりだ」

加藤はそう応えてから、登山者の数をかぞえた。五人だった。下山して来た様子だった。

「ひとりで、この雪の中に寝ていたんですか」

一番年の若い男が聞いた。

「ほかに寝るところがないじゃないか」

加藤が答えると、その男はいかにも感心したように同僚たちにいった。

「すげえもんだ。おれたちはテントの中で一晩中ふるえていたのに」

そして五人は、加藤のところを離れると、なにかごそごそ小声で話し合ってから、その中のリーダーらしい男がいった。

「失礼ですが、あなたはどこの方でしょうか」

「山岳会？　それともぼくの名前？」

加藤はそういいながらも、手早くねぐらをたたんで出発の用意をした。

「できたらその両方を聞かせていただきたいのですが。ぼくらの山行記録にあなたに会ったことを書きたいのです」

そして、その男は彼等の属する山岳会の名前をいった。

「ぼくは神戸の加藤文太郎です」

「単独行の加藤文太郎さんて、あなたですか」

リーダーらしき男は、ある種の畏敬をこめた声でいった。

加藤の名が、見ず知らずの人に知れていることが意外であった。彼はいささか照れた。

「ぼくの関西にいる友人であなたのことをよく知っている男がいるんです。そいつからあなたの単独行の話を聞きました。あなたにここで会うとは光栄ですな」

男は隊員たちを集めて、加藤文太郎についての概略を話した。

「加藤さんは地下たびの文太郎とも呼ばれているのだ。夏山は地下たびをはいて風のように歩く。燕岳から大天井、槍ヶ岳、中岳、南岳、北穂高、奥穂高、前穂高、上高地、これだけのコースをたった一日でやったこともあるのだ」

「冗談いっちゃあこまる。それじゃあ、天狗だ。ぼくには羽根はない」

加藤は、若い人たちに脇の下を見せていった。

「これからどうするんです、加藤さん」

パーティーのひとりが加藤にいった。

「奥穂へ登ろうと思っている」

「やはり、ずっとひとりですか」

「多分ずっとひとりでしょう」

多分ずっとひとりでしょう、といってから、加藤は、なにか外部の力で、好む好まざるにかかわらず、単独行の加藤というレッテルを貼られていくような気がした。

加藤は新雪の中を奥穂に向って歩き出した。日が高く登ると、風が出るだろう。眼もくらむような飛雪が、涸沢の盆地を襲うだろう。その中を、彼は、稜線に向って登り、奥穂への難所では、ピッケルをふるって氷盤にステップをきざまねばならないだろう。

(そして今宵はどこに寝ることになるのだろうか)

おそらく野宿だろう。

だが、加藤はその野宿をおそれてはいなかった。彼は今、一つの画期的な実験を終ったばかりであった。

(体力に充分な余裕を持たせた状態で野宿に入るならば、たとえ眠っても、寒さに負けて死ぬことはあり得ない)

眠ったら死ぬというのは、疲労困憊している状態のことであって、疲れてもいないし、食糧も充分あるというときならば、ツェルトザック一枚で雪の中に寝ても死ぬことはないのだ。

しかし加藤はその実験の成功に有頂天ではいなかった。もし、みぞれにやられて身体が濡れていたら、昨夜は安全だったであろうか。そしてもし、烈風中にあのツェルトが吹きとばされたら、吹雪が二日三日と続いたら——仮定はいくらでもあった。

加藤は雪を踏みしめながら、昨夜の実験の成功は、やはり、神戸の下宿で、ほとんど、絶え間なくこころみていた野宿が、その基本をなすものだと思った。下宿の庭の野宿でおぼえた眠り方のこつが、役に立ったのだと思った。身体をちぢこめて、じっと寒さを我慢しながら眠る。その一種のこつを体得していたからこそ、厳寒の野営に成功したのだと思った。

「単独行の加藤文太郎か」

彼は自らの名を呼んだ。別人の名を聞くように、その名はすでに、彼自身と遊離したところを歩いているように感じた。

11

その年の有給休暇のほとんどを一月、二月の冬山に費やした加藤文太郎は、三月になって、故郷に近い但馬（たじま）の妙見山（一一四二メートル）の残雪を踏んだ。

「冬山は終った」

彼は帰途の車中でひとりごとをいった。この年における加藤の登山行為の一つの区切り点が打たれたのである。冬山は終ったということは、この年はもう山へはいかないという意味ではない。加藤にとっては冬山と同様に夏山も魅力あふれるものであったが、今の加藤は、夏山よりも冬山により以上の未知なるものを求めていたから、限られた日時は重点的に冬山へふりむけたのである。

妙見山から神戸へかえるとすぐ加藤は、下宿の多幡てつに向って、

「明日の朝から一週間、めしを食べませんから――」

といった。

「おや今夜帰って来て、また明日から一週間山ですか」

多幡てつは不思議そうな顔をしていった。

「いや、ずっと会社へ通います」

多幡てつは、いよいよもって分らないという顔をした。

会社に通っていながら、食事を摂らないということは理解に苦しむことであった。加藤はこの下宿にもう五年いる。よほどのことのないかぎり外食することはなかった。

「どこかよそで食事をなさることにしたのですか」

金川義助の妻しまがいった。しまは、金川義助が行方不明になってからもずっとこの家にいた。いままで、金川夫婦がいた二階の部屋を下宿人に貸して、しまは赤ん坊をつれて階下へおりたのである。それには理由があった。多幡てつの孫娘の美恵子が入院したからである。美恵子は、加藤がこの下宿に来たときから、青白い顔をしていた。学校も休みがちだった。その美恵子もこの一、二年の間に急に背が伸びて、おとなびたことをいったり、神経質なほどの潔癖性を発揮したり、金川しまの生んだ赤ん

坊を異常なまでに可愛がったりした。金川義助が行方不明になって収入の道が断たれた母子が、東京に住んでいる遠い親戚をたよって上京するというと、美恵子は泣いてそれを止めた。坊やが可哀そうだというのである。

金川しまとその子はずるずるべったりに、多幡家に居候になり、それから一カ月たたないうちに美恵子は発熱したのである。肺結核であった。

美恵子が入院すると、美恵子がいた階下の三畳間に、二階から金川しまとその子が移り、二階の部屋は貸し間に出した。貸し間に出すことをすすめたのは金川しまであった。美恵子の入院費と、金川しま親子をかかえこんだ多幡家は、こうでもしなければやっていけなかった。

「わたしも年を取ったし、しまさんが手伝ってくださるなら」

多幡てつは承知した。

加藤の隣室には会社員が入った。

「加藤さん、一週間とかぎって外食なさるのは、なにかいわくがありそうね」

金川しまは、顔では笑っているが、加藤が飯を食わないということは直接、下宿の営業成績にも関係するので、不満のようであった。

「外食はしない。そうかといって全然食べないでもない。ぼくは、これから食べないでいられる訓練を始めるんです」

「どういうことだか私には分りませんわ」

「山を歩いていて食糧がなくなった場合のことを考えているんです。ほんの少しの食糧で、幾日も歩く練習をするのです」

金川しまは、かなり驚いた顔をして加藤を見詰めていたが、すぐ或る種の軽蔑の眼で、

「なんとでもいうことはできますわ。でも、食べるものが眼の前にあって実際そんなことができるものでしょうか」

金川しまの声にはとげがあった。

「加藤さんはお腹がすいた経験がないから、そんなことおっしゃるのですわ。わたしたち夫婦は、お金がなくて、水ばかり飲んでいたことがあります。私は、盗んでも食べたいと思いました」

「盗みましたか」

「いいえ、盗めませんでした。死のうとしました」

「すると、死ぬ決心なら、絶食はできるということでしょうか」

しまはそれには答えず、ことばにならない、怒りをこめた眼で加藤を見ると勝手の

方へ引込んでいった。

加藤文太郎は、雪の中のビバークで自信を得た。疲労しないうちに、腹一ぱい食べて、風をよけるなにものかをひっかぶって、丸くなって寝るならば、寒気に耐え得るものであるという実験に成功したのである。問題はその食べるものである。山のなかで悪天候に遭遇して、停滞が長びき食糧がなくなったときでも、寒気に耐えながらビバークをつづけ、或いは、山の中の彷徨をつづけねばならないことがあるかも知れない。そのときのための用意はなにひとつとしてできていないことに気がついたのである。雪中ビバークに成功したのは、日頃、屋外で寝る練習を積み重ねていたからである。その経験からすると、空腹に耐え得る練習も必要と思われた。彼は二月の山から帰る途中で、しきりにそのことを考えつづけていたのである。

次の朝、加藤は石の入ったルックザックを背負って神港造船所に向った。ここしばらく、石の入ったルックザックを背負わなかったのは、背広の服で通勤していたからだった。背広服を脱いで、ずっと前から着なれているナッパ服を身につけると、加藤は、やっと自分を取りもどしたような気になる。加藤が背広服を着て通勤するようになった遠因として園子の存在は否めない事実である。出勤の途中でもし園子に逢ったらという気持が、加藤に背広を着せたのだといってもそれは全くの嘘ではなかった。

園子はもういなかった。園子に出会う心配はなかった。加藤は、窮屈な背広服にはいい加減飽きていた。

朝食を摂っていない加藤にとって、石の入ったルックザックはやや重く感じられた。神港造船所の守衛が加藤を呼びとめていった。

「加藤さん、また石運びを始めましたね」

加藤がルックザックに石を入れて背負って歩くのを守衛はよく知っていた。その守衛に加藤はちょっと笑顔を見せただけで通り過ぎると、設計部第二課へゆっくり入っていった。加藤は、いつもきめられた出勤時刻より三十分早く出勤するので、彼の部屋には、庶務係員の田口みやのほかはいなかった。

加藤は、石の入ったルックザックを部屋の隅におろすと、製図台に向って、昼食休みまで動かなかった。いつも加藤は、昼食は会社の食堂で摂ることになっていたが、その日は、食堂へは出ずに、彼の机の前で、ディーゼルエンジンの本を読んでいた。課では、食堂へ行かずに、弁当を持って来る人もいるから、昼食どきになると、田口みやが、そういう人たちのために茶を入れる。加藤は、彼の机の上に茶の入った湯呑みが置かれると、ポケットから紙に包んだ、ひとつかみほどの甘納豆と乾し小魚を出して食べた。甘納豆は三十つぶほどあった。加藤のその日の最初の食事であり、最後の食事でもあった。

加藤は退社時刻になると、石の入ったルックザックを背負って下宿へ帰り、夜の十時ごろまでは、ことりとも音を立てずに二階にいたが、時計が十時を指すと山支度に着がえして階段をおり庭へ出て、ツェルトザックを頭からかぶり、ルックザックに足を突込んで、背を丸めて眼をつぶった。空腹でしばらくは眠れなかった。

飢えは三日目になって、臭覚の矢を使って加藤を責め立てた。石の入ったルックザックを背負って神戸の町を歩いていると、あらゆる種類の食物のにおいが彼を責めた。パンのにおい、肉のにおい、ラードのにおい、魚のにおい、調味料のにおい、住宅地に入ると、臭覚の矢は、彼の鼻腔を通り、頭に突きささった。味噌汁のにおい、肴を焼くにおいなどを嗅ぐと眼がくらむようだった。下宿はもっといけなかった。下宿の玄関を入ると、夕食のおかずとしてなにが用意されているかがにおいで分った。そしてそのにおいは、二階の彼の部屋にまでしみこんでいるのである。食べるものが、つぎから次と頭に浮んで来て、そこにじっとしてはおられなかった。庭に逃げても、においは彼を追って来た。近所のにおいが集まって来るから部屋の中よりも庭の方がかえってよくなかった。彼は、ルックザックの中から石を出して、そのかわりに、ビバーク用の道具と水筒を入れて、裏山へ逃げた。

食べる物のにおいはそこまでは彼を追っては来なかった。だが眼下にきらめく神戸の町の灯は、その灯の下に、必ずなにか食べるものがあり、それは、いますぐおりていっても、容易に手に入れることのできるものであることを思うと、腹がぐうぐう鳴った。彼は、懐中電灯をたよりに、灯の見えない場所を探していった。稜線から神戸の町の反対側におりて、雑木林の中に、やっと灯の見えない場所を見つけると、彼はそこでツェルトザックをかぶって丸くなった。

四日目になると、空腹の影響は彼の思考力にまで及んだ。考えがまとまらないし、少し仕事をすると疲労した。午後になると居眠りが出た。

「加藤君、どこか身体が悪いんじゃあないか」

外山三郎が声をかけてくれた。そのまえに、田口みやが加藤の身体の異常を発見したらしく、医務室にいって診て貰ったらどうかといった。誰も、加藤が極端な減食をしていることは知らなかった。

五日目になると、息が切れた。足が彼に従いて廻ってくれなかった。においだけでなく眼に見えるものすべてから、食べものが連想された。雲がパンケーキに見え、製図用具が、箸やフォークを連想させ、ケシゴムが食べられそうに見えた。

「たしかに君はおかしい。医務室へ行って診て貰って来るんだな」

外山三郎がいった。加藤が嫌（いや）だというならば、引張ってでもいきそうな見幕だった。

「医務室へ行って来ます」

加藤は立上った。軽い眩暈（めまい）がした。加藤は医務室へはいかずに、食堂にいった。既に昼食時間は過ぎて、食堂は閉じられていた。加藤は従業員の出入り口から入った。

「なにしに来たんだ」

白い上っぱりを着た、肥満した調理人がいった。

「なんでもいいから、食べさせてくれ」

加藤がいった。

「昼食時間はもう過ぎているんだ。こんなところへ入って来ては困る」

「おれは今日で五日も絶食しているんだ。いまやっと食べてもいいことになったのだ」

「なに五日も絶食したんだって……それはつらかったろう……」

賄夫（まかないふ）は加藤の顔をじっと見ていった。加藤は黙って、一円札を出して、おつりは要らないといった。十五銭の昼食代に対して一円は過大だった。賄夫は、あたりを見廻した。ほかに数人の賄夫がいたが、誰もこっちを見てはいなかった。賄夫は一円札をポケットにねじこむと、

「待っていろ、今持って来てやる」

加藤は食堂の隅でがつがつ食べた。なにを食べたか覚えてはいなかった。腹にものがたまると、すべての色が違っていく。

「どうした。医務室ではなんといった」

「なんともいいませんでした」

加藤は外山三郎の眼を避けるようにして、仕事を始めた。

退社時刻が来て、加藤がルックザックに手を掛けたとき、外山三郎がちょっと来てくれと呼んだ。外山三郎が仕事のことで注意を与えるときは、いつも製図板のところでやるのだが、めずらしく外山は、加藤を彼の事務机の方へ呼んだ。

「君は医務室へはいかなかったな。どこへ行っていたんだ」

「食堂です」

加藤はゆっくりしゃべり出した。外山は予想もしていなかった加藤の減食訓練を聞くと、ひどくむずかしい顔をしていった。

「少々、行き過ぎじゃあないかな加藤君。きみは、山をやるために会社にいるのか、会社に勤めながら、趣味として山へ行くのかどっちなんだ。いいかね、加藤君、ぼくは君の所属課長としてはっきり君にいっておく。今後、君がいくら山をやろうとそれには干渉しないが、山をやるために、会社に迷惑をかけるようなことがあれば、君に会社を辞めて貰わねばならない。いいかね。公私の分別だけははっきりして置いてくれたまえ。君は、君の同期生の中でもっとも将来を嘱望されている。技師への昇格も考えねばならない。あんまり山に身を入れすぎて、ばかな真似(まね)をしたら、それが、君自身の足をひっぱることになる。この課には三人の技師と、十八人の技手と、十六人の工手がいる。十八人の中から技師がひとり出るということは、たいへんなことなのだ、実力、功績そして人格。そのどれがかけても、技師昇進の道は閉ざされるのだ」

外山三郎はそれだけいうと、立上って加藤の肩を叩(たた)いていった。

「あんまり、おれに世話をやかせるな」

加藤の下宿の部屋の壁に兵庫県地図が貼(は)りつけてある。その兵庫県の地図に斜め左上から右下にかけて、太い鉛筆で袈裟掛(けさが)けに一本直線が引かれている。浜坂と神戸を結んだ直線である。その直線にからまるように赤い線が神戸から、生野(いくの)町あたりまで延びていた。

加藤は時折その地図に向い合って、五分か、十分の時間をすごすことがある。赤線は神戸の町から、有馬道を北に向ってしばらくいったところから東の鍋蓋山(なべぶたやま)へそれて、またもとの道へかえり、水呑、二軒茶屋、箕谷まで来て、そこから西に向きをかえ、原野、福地、中村、東下まで来て、北に向って帝釈山（五八六メートル）のいただきを越えて、帝釈山の北西側の淡河町へ出ている。そのようにして赤線は、神戸と浜坂を結ぶ直線にからまるようにして、その付近の山頂を縫いながら北西へ進んでいった。冬山山行にほとんどの休暇を取ってしまった加藤が、次の冬山のシーズンに入るまでの山行として考えついた、足で、神戸と故郷の浜坂を結ぼうという計画であった。それも、人の通る道だけを歩くのではなく、神戸と浜坂を結ぶ直線の近くにある山に登りながら浜坂へいこうという考えであった。彼は、土曜日になると山支度をして、汽車やバスを利用して、その前の週に到達したところまで行き、そこから、歩き出すのである。歩けるだけ歩いて、日曜日おそく神戸へ帰って来ることもあるし、月曜日の朝、神戸へついてそのまま会社へ出勤することもあった。

これは、十年近くも前に新納友明に教えて貰った地図遊びの再燃のようなものであった。そのころの地図遊びは、やたらに歩き廻って五万分の一を赤く染めていくのが楽しみだったが、いま加藤のやっている地図遊びは、山から山をたどりながら故郷の土を踏もうというはっきりした目標があった。それにもうひとつ、このこころみの中に、加藤が組みこんだのは、減食山行であった。木曜日までは食べられるだけ食べた。

そして、金曜日に入ると、昼食にひとにぎりの甘納豆と乾し小魚を食べるだけで、土曜日、日曜日の山行に出かけるのである。土曜日、日曜日の山行中にも減食は続いた。加藤は、六月、七月の梅雨期の雨の中でも、彼の故郷訪問の計画は中止しようとはしなかった。土曜日の夜はたいてい野宿した。彼にとって野宿はなんの心配もいらないことだったが、水にはしばしば悩まされた。食糧はなくなっても歩けたが、水がなくなると死ぬほど苦しい目に合わされることがあった。彼は水を食糧以上に大事にした。

夏は過ぎた。地図上の赤い線は、多可郡の笠形山（九三九メートル）、朝来郡の段峰（一一〇三メートル）、笠杉山（一〇三二メートル）、養父郡の須留峰（一〇五三メートル）等をへて、十月には彼の故郷浜坂のある美方郡へ延びていったのである。

美方郡には妙見山（一一四二メートル）蘇武岳（一〇七五メートル）があるが、この二つは既に何回か登っていた。加藤は鉢伏山（一二二一メートル）瀞川山（一〇三九メートル）の二つを狙った。

十一月の第一週目の金曜日が会社の創立記念日であった。加藤はつぎの土曜日を休暇にして貰うと、連続三日間の故郷訪問の山行に出発したのである。

加藤は木曜日の夜神戸を立った。大阪で福知山線に乗りかえ、福知山行きの最終列車に乗った。行けるところまで行って寝るのがいつもの彼のやり方だった。彼は福知山で下車して、駅の待合室で翌朝の一番列車を待った。下宿の庭や神戸の裏山で寝るより、駅の待合室の方がはるかに楽だった。

金曜日の朝早く八鹿(ようか)町についた加藤は、関宮に向って歩き出した。道は八木川に沿って上流へ続いていた。

八木川の流域に沿って帯状につづく、せまい畑地と、そこに連なる部落は、晩秋の朝靄(あさもや)に包まれていた。日が高く昇ったころには、彼は関宮につき、小憩した後、吉井、中瀬、小路頃(おじごろ)と八木川の源流へさかのぼっていった。小路頃で北へ行く道と西へ行く道に分れている。北へ進めば浜坂へ行けるのだが、そっちへは行かず、西に道をとって、川原場、外野、梨原(なしはら)と、山と山の峡間(きょうかん)にできた小部落をつなぐ道を登っていった。この辺まで来ると、かなり傾斜は急であり、渓流(けいりゅう)の音だけが聞える静かな村だった。加藤が歩いていくと、ものめずらしそうに、村の子供が見送っているのも、いかにも山の中へ来たという感じだった。その谷の一番奥に大久保という小村があった。

加藤はそこで地図を開いた。鉢伏山はそこの北方二キロ半のところにあったが、地図には頂上に向う道がなかった。彼は大久保で一泊することにした。人の眼がうるさいから、部落のはずれに出て、川のそばで野宿にかかった。コッフェルで湯をわかして、その中に茶の葉を入れた。茶を飲みながら暮れていく紅葉の山を眺めながら、彼はその日の行程を思い返した。彼が歩いた約三十数キロの道は、彼の一日行程としては、そうきついものではなかったが、減食は身体にこたえた。食糧の甘納豆と乾し小魚は、彼のルックザックの中に売るほどあった。腹一ぱい食べても、一週間は充分持つだけの量は用意していた。それにもかかわらず、彼は減食で自分自身を責めた。食べるものがあるのに、それに手をつけないというしつけを自分の身体にたたきこむためだった。彼は、減食山行を始めたころから、雄大な山行を漠然と考えていた。どこからどこまでという具体的な計画ではなく、そのうち誰もやったことのないような、スケールの大きな山行を、やって見たいという野心が燃えはじめていた。そのための訓練だと思えば、腹の減ることも、歩くつらさも我慢できた。

(だがいったい、おれはどんな山行をやろうとしているのだろうか)

彼は渓流の音を聞きながら眠りにつくまでそんなことを考えた。

翌朝、眼を覚ますと、彼は少量の甘納豆と乾し小魚を食べ、渓流の水を水筒に入れて出発した。大久保から鉢伏山へ直登する道はなかったが、大久保から隣村の秋岡に出る山道があった。その途中から鉢伏山に登れそうだった。地図の上からの判断だった。加藤は朝霧の霽れるのを待って出発した。山道から北の草地に踏みこみ、たいした苦労もなく鉢伏山の三角点に立った。次の目的地は瀞川山だったが、一時はれた霧がまた張り出して視界を閉ざして動かないところを見ると、どうやら雨になりそうだった。

「雨だっておれは歩くんだ」

彼は鉢伏山から北東に延びている、やや幅ひろい闊葉樹林（かつようじゅりん）の尾根をおりていった。草刈場らしいところに出ると、そこから大笹（おおざさ）部落へおりる道があった。大笹部落でその北にある瀞川山への登山路を聞いたがなかった。加藤は雨の中を、高坂部落まで迂回（うかい）していった。ここもはっきりした登山路はなかったが、途中まで木を切り出した杣道（そまみち）があった。

加藤が瀞川山の頂上についたときは、正午を過ぎていた。彼はそこで、昼食がわりにひとつかみの甘納豆と乾し小魚を食べた。減食山行といっても、一日一回では無理なことを彼は体験していたから、山行中は少しずつ三度に分けて食べた。

雨は瀞川山の山頂で本降りになった。その中を彼は、地図をたよりに更に北に向った。草尾根を二キロほど北に歩いたところで左側の谷へおりると、そこに小祠（しょうし）があり、そこから板仕野部落へ出る山道があるはずだった。だが、雨の中でのその行動は無茶だった。彼は尾根をひとつ間違え、深い谷間に入った。迷ったと気がついたら、彼は動かなかった。加藤はビバークを決心した。倒れたまま半ば朽ちかけている大木の陰に、ツェルトザックを張って、その中で眠った。夜半、彼は鳥の声を聞いて眼を覚ました。その鳥がなんの鳥だか、またなんで夜半に鳴いたのか加藤には分らなかった。鳥は二声、三声、叫ぶように鳴いただけだった。

それから加藤は眠れなかった。一年がかりでくわだてた故郷訪問が、いよいよその終局を迎えようとしているという興奮もあった。久しぶりで父や兄に逢(あ)える喜びもあった。故郷のことを考えると、思い出はつきない。彼は少年のころ、浜を飛びまわり、海で泳ぎ山で遊んだことを思い出した。少年のころ、この奥に瀞川山と鉢伏山という高い山があると聞かされ、一度でいいから登って見たいと思ったことがあった。その高い山は加藤にとってはあっけないほど低い山だったことも、遠い昔の思い出とつながってなつかしく考えられた。

眠ろうとしても眠れなかった。風雨が強くなったからでもあった。彼は、しいて眠ろうとはせず、頭に浮んで来るものを、だまって眺める気持で夜明けを待っていた。

夜が明けても風雨はおさまらなかった。加藤は、ねぐらから出ると、彼が歩いて来たとおりの道を瀞川山の頂上まで引返し、高坂部落に下山した。そして彼は湯舟川にそって香住(かすみ)へ通ずる道を真直(まっす)ぐ北に進んで入江まで出ると、道を左に取って、春来川にそって温泉町へ出、そこから岸田川にそった道を浜坂の町へ向って、まっしぐらに歩いていった。

一分でも早く故郷へ行きつきたいという気持で加藤は歩きつづけた。その日彼が歩いた道のりは四十キロ近くもあった。だが加藤にとってはそのぐらいの距離はなんでもなかった。彼は午後の三時頃には浜坂の町を歩いていた。

加藤が伯母に会ったのは、彼の生家に近いところだった。雨が止んで日が当っていたが、あちこちに水たまりが光っていた。伯母は少女をつれていた。どこかで見たことのある少女だと思ったが、名を思い出せなかった。

「なんていう格好なの」

伯母は加藤のものものしい山支度に眼を向けていった。雨は上ったが、彼の服は濡れていた。地下足袋は泥にまみれ、巻脚絆には草の実がついていた。

「山賊みたいじゃないか、どこへ行って来たの」

しかし伯母は、久しぶりで会った加藤に、にこやかに笑いかけていた。

「神戸から山を越えて歩いて来たのです」

「なんだって」

さすがの伯母もそれには驚いたようだった。

「文太郎はほんとう山が好きだからね」

伯母はその感慨をひとりだけでしまって置くのがもったいないのか、並んで立っている少女にいった。少女の眼は澄んで大きかった。黒曜石のように輝くその眼は、瞬きもせずに加藤の顔を見詰めていた。

「花子さん、甥の文太郎です。山が好きで、山ばかり歩いている」

伯母は少女にそういったが、少女は、軽くうなずいただけで、加藤からは眼を放さなかった。少女の視線と加藤の視線がなにかを探り合うようにからまった。少女は加藤の中に、なにかをたしかめようとしている眼であった。加藤もその少女をどこかで見た記憶があった。どこかで見たことがあるだけでなく、その少女の眼の輝きは、加藤の奥深いところでじっと彼を見まもりつづけていたようにも思われるのである。だが加藤にはその少女が誰であるかは思い出せなかった。

少女はメリンスの袷を着ていた。紫地に大きな白い花と赤い花の飛んだ元禄そでの肩上げの着物は、少女によく似合っていた。黄色い三尺帯を胸高にしめていた。黒髪のおさげが背中にとどくほど長かった。白い丸い頰をしたその美しい少女が、ちょっと伯母の方を見た。なにかいいたいような気配だったが、伯母はそれには気づかなかった。

「あとでゆくからね」

伯母は加藤にそういうと、少女をつれて去った。加藤はそこにしばらく立って、伯母たちのいったあとを見送っていた。伯母などはどうでもよかった。伯母と並んでいく、少女のことが気になったから見送ったのである。

少女の背は、伯母に、もう少しでとどきそうなくらいだった。少女は、伯母よりは一歩ほどおくれて歩いていた。少女は更に一歩おくれて、そして、加藤の期待どおり、ふりかえってくれた。

「あっそうだ」

加藤は思わず声を上げた。数年前に宇都野神社の石の階段で、腰の手拭を引きさいて、下駄の緒をすげかえてやったあの時の少女だ。あの澄んだ綺麗な眼は、あの少女以外にはない。身体は大きくなっているけれど、あの眼だけはあのときのままなんだ。石段の途中で、加藤をふりかえって、なにか小声でいったあのときの少女に違いないと思った。

加藤は、いままで少女の姿をうつしていた水溜りのそばに立って、昨夜夜半に眼を覚ましてから、狂ったように故郷を恋うたのは、あの少女が、この町のどこかに住んでいるという彼の心の片隅の記憶が、彼を郷愁にかり立てていたのかも知れないと思った。

彼の生家は、彼がこの家を出たときと同じだった。道路に面した、格子戸(こうしど)も、格子戸の奥の障子の立てつけも同じだったが、彼の父はしばらく来ない間に、おどろくほどのおとろえを見せていた。

加藤の父は奥の間に寝たままだった。父は彼を見て泣いた。

「文太郎、お前は山ばかりいっとるようだが、嫁を貰(もら)うことも本気になって考えたらどうだ。おれはお前が嫁貰わんうちは死ねないのだ」

加藤は黙って父のいうことを聞いていた。嫁を貰えと父がいうと、さっき、会った少女のことがすぐ頭に浮び上って来る。伯母は、彼女のことを花子と呼んだ。花子が着ていた花の模様の着物を思い出していた。

伯母がやって来ると、加藤の生家は急ににぎやかになる。

「驚いたよ。花子さんと文太郎さんは五年も前から知り合っていたそうだ。そういえば、なんかこうふたりとも妙に気張って、話したいのに、わざとがまんしているようだった」

伯母は加藤の顔を見るといきなりいった。

「知っている知っている。何年か前に、宇都野神社の石段で……」

加藤はそういいながら、自分の顔が赤くなっていくのを感じた。

「誰だい、その花子さんというのは」

加藤の父が話に割り込んだ。

「そら、網元の清さんとこの娘の花子さん……」

「ああ、清さんとこの娘さんか、おれは、その娘さんにまだ会うたことがないが、よい娘さんか」

「それは、ほんとうにいい娘さんですよ。浜坂小町って言われるほどの娘さんだからね」

「そうか、家柄は良し、娘さんが良ければ、文太郎の嫁に貰いたいものだな」

父はしみじみといった。

「そんなことを言っても、花子さんはまだ十五ですよ、昔ならともかく、今では、十五では少々早いんじゃないかしら」

ねえ、といって伯母は、からかうような眼を加藤に向けた。

「それなら、今から約束して置いて、年ごろになって貰ったら、どうだ。おれは生きているうちに文太郎の嫁をきめて置きたいのだ」

「よく分りました。私にまかして下さい。いいようにしますからね」

伯母は父をなだめながら、加藤に向って、それまでになく真剣な眼で、

「花子さんをどう思う」

と聞いた。

「どうもこうもない。相手はまだ子供だ」

加藤はそういうと、そこに居たたまれなくなったように、家を飛び出して海岸に走った。身体中が焼けるように熱かった。伯母の前で好きだとは答えられなかったが、あの少女の瞳（ひとみ）を永久に忘れることはできないと思った。

彼は海岸に立って日本海へ向って力いっぱい石を投げた。投げるたびに、石の落ちるところは延びていった。

加藤は浜坂の海と山を全部胸の中にかかえこんだように楽しかった。彼は砂浜を走りながら、神戸から故郷まで、太平洋から日本海へ歩き継いだ自分を思った。

「太平洋から日本海へ、日本海から太平洋へ……」

彼は、そんなことばを口にしながら走っているうち、突然立止っていった。

「そうだ、厳冬の立山連峰から後立山連峰を越えて見よう」

それは日本海側から太平洋側へ北アルプスを越えるたいへんな冒険だった。

「間もなく冬になる。そうしたらおれはきっとやる」

彼は日本海に向っていった。季節風はまだ吹き出してはいなかったが、日本海は荒波が立っていた。

12

「もう一度いってみるがいい」

好山荘運動具店主の志田虎之助は加藤の眼を見詰めていった。

「富山県の猪谷から大多和峠、真川峠を越えて、太郎平、上ノ岳、黒部五郎岳、三俣蓮華岳、鷲羽岳、黒岳、野口五郎岳、三ッ岳、烏帽子岳、濁小屋、葛の湯、そして長野県の大町へ出る」

加藤は、冒頭の富山県というところと長野県というところに力を入れていった。結論だけいうと日本海側の富山県から日本中部の山脈を横断して信濃へ出ることになるのである。これは加藤が、神戸から故郷の浜坂へ、山を越えて行きついた日に、浜坂の海辺で思いついたことであった。

「夏ならば、君のことだ、三日もあれば充分やってのけるだろう」

「冬にやろうと思っています」

加藤は、感情の涸れた顔でいった。

「それをひとりでやろうっていうのか」

志田虎之助はいささかあきれ顔でいってから、

「もう一度口の中で、そのルートをいってみろ、眼をつむって、厳冬の景色を思い出しながら――とても、ひとりでやろうなんていってもできるものではないぞ。それをやるなら、数人のパーティーを組んで、秋の間に、要所、要所に食糧燃料をデポ（貯蔵）しておいてからでかけるんだな。それでも、かなり困難だぞ。冬になれば連日吹雪だ」

「わかっています」

「わかっているなら、そんな無茶はやめろ」

「いいえ、あのあたりが連日吹雪だということがわかっているといったのです」

加藤は平然とした顔でいった。

「どうしてもやるというのか」

「やるつもりです」

「死ぬぞ」

「たとえ二日や三日吹雪に閉じこめられたところで死ぬようなことはありません」

「四日、五日となったらどうする。一週間吹雪がつづいたらどうする」

加藤は答えなかった。彼は一週間吹雪が続いても生きていられる自信があったが、それを志田虎之助の前でいうのは、生意気に思われるからやめたのである。

ふたりが黙ると、さっきから店の入口の方で、ふたりの話を聞いていた身体（からだ）は大きいがまだ少年らしい面影（おもかげ）を残している男が近づいて来て、ふたりに頭をさげた。

「聞いたか、ばかなことをいう奴（やつ）だ。こいつは」

志田虎之助はその男に加藤のことをいってから、

「そうだ、きみは、加藤君とははじめてだな」

志田がその男を加藤に紹介しようとすると、男は、自ら一歩前に出て、

「宮村です、加藤さんの講演は聞いていますし、加藤さんの書かれたものは、全部読んでいます」

宮村健（たけし）は、自分のいったことを自分で確認するように、

「だから、はじめてではないような気がします」

加藤は、彼に対して、ちょっと頭をさげただけだった。無愛想（ぶあいそう）な顔に、しいてこしらえたような微笑を浮べると、そこに現われた宮村健という男を、てんからばかにしているふうにも見えた。だが、宮村はいっこう、そんなことには、おかまいなく、

「加藤さんの冬の八ヶ岳山行記録を、ぼくは数回読みました。あれには感動しました」

宮村が加藤と志田との会話を横取りしそうないきおいで話し出したのを見て志田虎之助がいった。

「加藤君、宮村君は君の崇拝者だよ。たんなる崇拝者であるばかりでなく、実践においてそれを示している。地図を手にして歩き廻る遊びからはじめて、須磨の敦盛塚から高取山、摩耶山、六甲山、東六甲、宝塚と、五十キロの神戸アルプスを一日で縦走したり、このごろは、さかんに北アルプス方面にもでかけているようだ。それがね、いつもひとりなんだ。どうもおれには、宮村君は加藤君のあとを追っているように思えてならない」

宮村は志田にそういわれても、気にするようなことはなく、なにか、熱っぽい眼をして、加藤の顔を見詰めていた。

「つまらぬことはやめたらいい」

加藤はぽつんといった。つまらぬことというのは、宮村健のやっている単独行をさしているのではなかった。もし、宮村が加藤のやったとおりのことを真似しようというならば、それはつまらぬことだといったのである。

(単独行なんてけっして楽しいことではない)

加藤はそういってやりたかった。苦しいことの方が多いのだ。その苦しみに比較して得られるものはなにもないのだ。あの山を登ったという、自己満足以外にはなにもないのだと教えてやりたかった。

(なんのために山へ登るかという疑問のために、山へ登り、その疑問のほんの一部が分りかけたような気がして山をおりて来ては、そこには空虚以外のなにものもないのに気がついて、また山へ行く……この誰にも説明できない、深いかなしみが、お前にはわからないだろう)

加藤は宮村にそういってやりたかった。

(きみが、おれのあとを追うことは勝手だ。だが、おれと同じように、山という、得体の知れないものの捕虜(とりこ)になることをおれは決してすすめはしない)

「山はひとりで歩くものではない」

加藤は、宮村の眼に、いくらかやさしい言葉でいってやった。

「でも加藤さんは——」

「おれは、ひとりでしか、山を歩けない男なんだ。だからひとりで歩く。単独行なんか、いわば山における異端者のようなものだ。おれは、今だって、適当なひとがあれば一緒に山へ行きたいと思っている」

宮村はなにもいわなかった。彼の顔には加藤に会ったときよりも、はるかに大きな感動が現われていた。

「それで加藤君、おれになんの用があって来たのだ」

志田虎之助は、話を取り戻そうとした。

「オーバーズボンのいいものを欲しいんです。防水してあって、軽くて、あたたかで、延びが利いて……」

「無茶をいっちゃあこまる。そんないいのがあったらおれが買いたい。まあいい、きみのことだから、探しておいてやろう」

志田虎之助は、加藤の注文をノートに書きこみながら、

「どうしてもやるっていうんだな」

と、きつい眼を向けた。

「やります、やると決めたんです。それに第二に欲しいのはこれです」

加藤はポケットから、紙を出して志田虎之助の前に置いた。

「なんだこれは……」

それは、一見、なにかの機械の設計図のようだったが、よく見ると、ウィンドヤッ

ケの設計図であった。加藤は設計技手だから、彼の経験から生み出した、厳冬用のウィンドヤッケを図面にしたのである。

眼にあたるところは一枚の横に細長いセルロイドがあてがわれていた。袖の先と、上衣のすその部分の密着用のゴムひもが凍ったりして、弾力を失くした場合を考慮して、バンドをつけたり、防風衣の内側に毛布を縫いつけたりする構造だった。

「こいつはひどく手のこんだものだ」

志田が図面を加藤にかえしていった。

「こういう特殊なものを作るとすれば、ひどく高価なものになる。どうだね加藤君、自分でやって見たら——。あり合せのウィンドヤッケを、きみの気に入ったように改造してみたらいい」

「できないんですか」

「できないのではない、時間がかかるし、きみの気に入ったようにできるかどうかわからない」

「じゃあ自分でつくろう」

加藤は図面をひっこめると、単独行者は登山用具でさえも単独で作らねばならないのかと思った。おかしかった。

「もう一度いっておくが、やめた方がいいと思うがね」

志田虎之助は、はじめにくらべると、ずっとしたでに出たいい方で加藤の反省をうながした。加藤はそれにはもう応えずに、

「では、どうも。ぼくは明日の夜行で発ちます」

加藤は店を出ようとした。

「おいおい加藤君、あまりひとをからかうものではない。明日発つのか、冬だというからおれは、一月か二月と思っていた。十一月のなかばならば、それほど危険なこともあるまい」

「いや、行くのは一月です。今度のは、偵察山行です。一応、厳冬期に通る道を、歩いて来るつもりです」

加藤は好山荘を出ると、いつもの速歩で歩きだした。ナッパ服に下駄ばき、中折帽子をかぶっていた。その帽子がひさしの出た作業帽なら、そういう格好をした人はめずらしくはなかったが、ナッパ服に中折帽は異様だった。そのあとを二十メートルほど置いて宮村健が従いていった。

追いついて加藤になにか話したいらしかった。

声をかけようとした。なんどかためらったあとで、宮村は、加藤の後を猛然と歩き

出した。競歩でもするつもりのようだった。加藤が、どれほど足が速いかを見定めてやろうとするつもりのようだった。尾行であったが、目的は別のものにあったから、はたから見ると、おかしな男が二人、間を置いて歩いていくとしか見えなかった。加藤はうしろを意識していなかった。宮村が追尾して来ることは知らなかった。彼はいつものペースで、坂を登り、坂を下った。神戸の山手には起伏が多かった。そういうところを加藤は意識して歩いた。それも、日頃の足と心臓の訓練だった。

加藤の足は下宿へ近づくに従って速くなった。やや急な坂を一気に登って、角を曲ると加藤の姿は消えた。宮村はそこに取り残されて、額の汗を拭いた。

ひろびろとした雪の斜面がつづいていた。そこまで来ると、雪がしまっていて、それまでのように、雪の中にスキーがもぐって困るようなことはなかった。

視界はよく利いた。といっても、どこからどこまで見わたせるというふうではなかった。天気はよかったが、冬山につきものの風があって、飛雪が視界をせまくしていた。飛雪は幕のようにひろがり、ときには全山を包みかくすことがあった。

飛雪がおさまって、ほっとひといきついたとき、加藤は、そこが一月の北アルプスだということを忘れることがあった。雪は地形を平均化していた。低いところは雪で埋めつくして、そのうえを強風がブラッシュをかけていた。滑らかな白い美しい山脈はまぶしかった。その山脈のところどころに樅(もみ)の木が半ば雪に埋もれかかっていた。どの木を見ても同じように見えた。類型化された樅の木の点在が、その雪原の飾りとしてなくてはならないものであるかのよう、樅の木のあるところだけ、雪のつもりかたの平均化がみだされて、はっきりと風下に飛雪の流線を描き出しているところもあった。

加藤の荷は重かった。七日間の食糧と燃料と防寒具と、そのほか冬山に必要なものがいっさい、その大きなキスリングにつめこまれていた。彼は昭和六年の一月一日の雪を踏んでいることを喜んでいた。

昭和四年の一月に冬の八ヶ岳に入って以来、彼は休暇のほとんどを冬山に消費していた。行った先は、北アルプスに集中され、昭和四年以来、それまで、彼が体験した冬山の風雪の記録は四十日以上になっていた。

彼が短い期間に、驚異的な速度で冬山に入っていけたのは、それ以前の十年間の山における研磨(けんま)がもたらしたものであることは疑う余地もなかったが、その速度が急激であり、常に単独行であるということが、加藤自身にも若干の不安を感じさせていた。

昭和五年の一月の立山行のときには彼は同行者を求めた。偶然、一緒になった土田リーダーにきらわれても、きらわれても彼は従いていった。そして、(冬山へ来るなら案内人をつれて来い。案内人を雇う金がなければ冬山へ来るな)といわれて、ひとり剣沢小屋をあとにしたのも、きのうのことのように思われる。(そして、彼らはそのあとでなだれで死んだのだ)

彼は履いているスキーの重さを感じなかった。そういうときは、もっとも快調のときであり、いろいろのことが頭に浮び上るときでもあった。考えながら歩いていられるのは、彼が泊るべき上ノ岳小屋がすぐ近くにあるからだった。十一月の半ばの偵察山行のときとはかなり違っていたが、天気がよいかぎり道に迷う心配はなかった。

彼はあの白い幻影をいまさらのように思い出す。あの瞬間、彼は終生の単独行の契約書に署名して、山という偉大なる権力者の前に差出したように考えられてならない。

山はいう、

「加藤よ、お前は生涯の単独行を誓うことができるか」

「誓います」

「では、山はお前の生命を保証する。だが加藤よ。もし、この契約を破った場合は、山はお前の生命について責任が持てない」

加藤は、そんなばかばかしいことを考えながら、いったい登山とはなんであろうか、なんのために山へ来るのだろうかという、あの難解な問題にふとつき当るのである。

上ノ岳小屋は風の中に立っていた。風当りが強いために小屋は雪に埋まってはいなかった。彼は戸を開けて、小屋の中へ荷物を入れてほっとした。小屋の中には雪が三十センチほど積っていた。

荷物を全部運びこんで、最後に入口を閉じようとして空を見上げると、いつの間にか曇っていた。

彼は寝る場所を探した。彼が寝るところだけ雪をかきのけることを考えた。

(雪をかきのけてそのうえに……)

なにか敷くものがないかと見廻すと、天井の梁(はり)の上によく乾いた這松(はいまつ)の束が並べてあった。彼はそれをおろして、その上に寝ようと考えた。

梁の上に登るには、ちょっとばかり猿(さる)の真似(まね)をしなければならなかった。彼は靴(くつ)を脱いで、引戸の桟(さん)に足をかけ、鴨居(かもい)につかまって、身体をひき上げた。天井の梁は三尺ばかりの間隔で二本並んでいて、その梁にまたがるように這松の枯れ枝の束が置かれ、その上に、山小屋で寝具を入れるのに使う布団箱(ふとんばこ)が置いてあった。布団箱にかぶせてあるむしろに雪がつもっていた。

彼は寝る場所をそこにきめた。わざわざ這松の束を下へおろすことはなかった。おろしても、もとどおりにすることは、容易のことではない。

加藤は去年の冬、雪に埋もれた立山の室堂小屋へ入るとき、窓の一部をごく少しばかりこわした。そのことは、持主に通知して、弁償したが、ある山岳会誌の誌上で小屋を破壊したという理由で手痛い攻撃を受けた。小屋を破壊したということより、冬山へ案内人もつれずに入っていったということのほうが、問題にされたのである。

加藤の冬山単独行には、彼自身で作った原則がいくつかあった。その中に、

宿泊場所は既存の小屋を利用する。

その小屋の持主には事前に連絡を取って了解を得て置き、後で宿泊料金を払う。

という二項があった。単独行であればあるだけ、その宿泊地について慎重でなければならなかった。彼は小屋のある縦走路を狙った。冬山においては、小屋から小屋までの歩行時間は夏山と違って、その何倍かを要することがある。その歩行時間は彼のそれまでの経験によってなんとか補うことのできる自信があった。彼は、それを実行していた。ビバークは、非常時のことである。やむを得ない場合、雪中ビバークをするために、日頃その練習を積み重ねているのであって、求めて雪中のビバークをするつもりはなかった。

加藤は足にたよっていた。速足の文太郎の特徴こそ、冬山で生かすべきだと考えて

いた。冬の無人小屋を使用することについて、既成登山家たちによって批判されるようになると、加藤はそのことをひどく気にした。もし案内人（その小屋を経営する人が許可した）をつれなければ、その小屋を使用できないということになれば、小屋の存在を勘定に入れた彼の単独行はできなくなるのであった。

彼は、去年剣沢からの帰途、弘法小屋（こうぼうごや）の持主の佐伯氏のところによってそのことを話した。

「前もってそういってくれたら、ひとりでいったっていいですよ。前にことわってなくても、どうしても泊らなければならなくなったら、あとで、泊ったといってくれればいい。山小屋の持主としては、だまって入って小屋をこわされるのが一番つらいことだということだけ、知っておいてくれたら、それでいいのですよ」

登山家たちが、加藤の単独行における無人小屋使用についていかに批判的であっても、その小屋の持主の多くは弘法小屋の主人と同じであった。

（ことわっておけば、不法侵入にはならないし、もし破損させたら、弁償すればいい）

加藤は、外部からの批判に対して、きちんとしたかった。彼の山行にけちをつけてもらいたくなかった。

加藤は這松の枯れ枝の束の上に寝ることにした。そうすれば、その小屋の物を動かさないですむことになる。

彼は、這松の枯れ枝の上に塒を作った。布団箱をあけると、布団と毛布があった。彼は、その寝どこが、思いの外豪華なものであるので、ひどく満足した顔つきで、下におりて、食事の支度をした。炉もあるし、梁の上の這松の枯れ枝を一束燃せば、赤い炎はあがる。そこで、湯をわかし、濡れたものをかわかしたかったけれどやめた。小屋の燃料を使う許可は得てなかった。

彼はコッフェルで湯をわかし、その中へ甘納豆を入れた。即製のゆであずきを主食に、油であげた乾し小魚を食べた。あとは寝るだけだった。外へ出て見ると、いつの間にか雪になっていた。小屋に入って、彼は頭上の塒を見上げた。〝梁上の君子〟ということばを思い出した。文字どおり梁上の君子となろうとしている自分と、その語源とのかけ違いを考えると、おかしくてたまらなかった。加藤は声を立てて笑った。壁についている雪が音を立てて落ちた。

二日間山は荒れた。山だけでなく、小屋のなかまで雪が吹きこんで来た。風はほとんど一定速で、ときどき呼吸をつくことがあるけれど、そのあとにまた強い風が吹いた。突風性の風が吹くと、小屋が揺れた。どこからともなく吹きこんで来る粉雪が小屋の中を舞いあるいていた。

加藤は寝たままだった。空腹を感ずると起き上って、ポケットからひとつかみの甘納豆を出して食べ、魔法瓶(テルモス)の湯を飲んで寝た。雪の中を歩いているときは、その道が、もう安心だと思いこむと、あれこれとつまらぬことが思い浮ぶけれど、小屋の中の梁の上で眠っている彼は、不思議にものを思わなかった。眠って起きて、なにかいくらか食べると、また眠った。眠り疲れというのかもしれないと思った。それまでの疲労の蓄積が一度に解消していくような眠りでもあった。

暴風雪は二日間吹きまくって、夕方ごろからいくらかおさまった。なにか外が明るくなった感じだった。加藤は梁からおりて外へ出た。風景は以前と少しも変っていなかった。積雪がましたことは、眼で見ただけではわからなかった。白一色の世界は相変らず白一色でしかなかった。それから一時間ほどたって吹雪は一呼吸した。日は白山別山の方向に沈み、夕陽(ゆうひ)が、新雪の山々を赤く染めていた。

その夕景は彼ひとりのものとしては美しすぎた。赤でも、桃色でも、他のいかなる色でもなかった。その色は、いま彼が見ているその瞬間だけのもので、過去においても将来においても再現できないと思われるような色だった。

太陽の光は、いま降りつもったばかりの雪の粒子の一つぶ一つぶのなかで燃えようとしていた。寒気と風圧で、凍り固められた雪面に反射する、あの非情な夕映えではなかった。むしろ、あたたか味があった。ふっくらとして厚みを感ずる、それはどこかに童女の頰を思わせるものがあった。

音が無いのが不思議だった。あれほど吹きまくった風が嘘のように止んでいることは、またしばらく経てば、猛然と吹き出す前の休息のように思えてならなかった。山のいただきのひとつひとつを、あれは何岳だというふうには見ていなかった。彼の眼にはすべての山も谷も一緒になってとびこんで来た。放心したような彼の眼には、めったに見ることのできない静けさがあった。

彼は自分を忘れて山の夕景に溶けこんでいた。ふと気がつくと、彼の手もまた赤くそまっていた。

彼ははっとしたように、眼を空に投げた。青空が夜を迎えようとしていた。日が山のかなたに消えると同時に山は冷酷な表情になった。彼は、薬師岳北尾根の上に月齢十四日の月を見た。太陽にかわったその月を見ていると、背筋が寒くなった。その月は、加藤にはただつめたい物体に思われた。

その夜夜半を過ぎてまた風が出た。飛雪が夜中、小屋の壁にブラッシュをかけていた。加藤は、風の音と、急激に冷えこんで来る温度から明日の晴天を予期した。夜が明けた。吹雪であったけれど、さほどひどいものではなかった。空から降る雪よりも、風で吹きとばされる雪の量の方がはるかに多かった。視界は、歩くのに不自由ないていどだった。

加藤は出発を決意した。吹雪の中の単独行は予定の行動だった。どのようにして、吹雪の呼吸の中をくぐり抜けるかが、この単独行を成功させるかどうかの境目だった。彼はアルコールランプで湯を沸かして、魔法瓶(テルモス)の中へ入れた。梁の上の塒を、もとどおりにして、小屋を閉めて、そこを出るのに三十分とはかからなかった。彼の食事は、常に懐中にあった。いちいち、飯を炊(た)き、味噌汁(みそしる)をすするというふうな面倒な食事の必要はなかった。

加藤は、彼が試作した防風衣(ウィンドヤッケ)を着用した。眼にあたる部分にセルロイドを縫いつけたものであった。たしかにそれは風に対して有効ではあったが、彼がおそれていたように、呼吸(いき)ぐるしかった。酸素の補給が、不足勝ちになった。彼はやむなく、口と、鼻に当る部分の窓を開いた。そうすれば、紫外線よけの眼鏡をかけるかわりに、セルロイドを縫いつけたというだけで、少なくとも顔面の部分については従来のウィンドヤッケとは違ってはいなかった。しかし、それ以外の点では、彼の試作品について、彼が満足し得るものは多かった。

彼のスキーは彼の足に密着していた。一歩一歩に損がなく、彼の身体（からだ）を前にすすめ、起伏を越えていった。下り坂になると、彼は勇敢に滑った。その辺には、致命傷になるような雪庇（せっぴ）はなかった。黒部（くろべ）五郎岳の下でスキーをアイゼンにはきかえていると、吹雪が彼を閉じこめた。だが彼は、そのちょっとした瘤（こぶ）が、黒部五郎岳への登り口であることを疑わなかった。十一月の半ばすぎに、そこを歩いたとき確認しておいたところだった。

アイゼンを履いて、スキーを背負って歩くのは、強風の前に不安定な身体をさらけ出すことになるのだが、加藤には馴（な）れた姿勢だった。黒部五郎の小屋を吹雪の中に発見して、加藤は時計を見た。十二時だった。その小屋に泊るにはやや早い時間だったが、三俣蓮華小屋（みつまたれんげごや）までいくのも気がかりだった。冬山の行動は三時までが限界である。三時までに、三俣蓮華小屋までいけるかどうかが問題だった。

加藤はしばらく、吹雪の中に立って、風の強さを身体でこたえていた。かなりの吹雪だったが、数十メートル先まで見えた。彼は地図を出した。黒部乗越（のっこし）の手前の二五一八高地までは、なだらかな下り坂の稜線（りょうせん）で、道に迷うようなところではなかった。黒部乗越から三俣蓮華岳までの道は、見透しの効かないかぎり困難のように思われた。

地図の上に、十一月の偵察(ていさつ)の時に記入した注意事項が書きこまれていた。

「よし、二五一八高地までいこう。もし天候が悪かったら、引きかえして黒部五郎小屋泊りだ」

加藤は進退両面作戦を立てた。稜線を少しおりたところで、彼はスキーを履いた。スキーを履いたついでに、ポケットから、甘納豆とから揚げの乾し小魚を交互に出してぼりぼり食べた。魔法瓶(テルモス)の湯を一口飲むと、生きかえったような勇気を感じた。

下り坂にスキーは有効だったが、黒部乗越を越えて、しばらく登ってからの、ふきさらしの雪の斜面ではもう使えなかった。加藤はアイゼンに履きかえた。

急にあたりが暗くなった。猛烈な吹雪に閉じこめられたのは、そこからだった。もしその天候悪化が、もう一時間早く来ていたならば、彼は黒部五郎小屋へ引きかえしたはずだったが、そこまで来れば、三俣蓮華小屋へいくより方法はなかった。

彼は吹雪の中でうずくまって、地図と磁石を出した。

「高い方へ高い方へと登るかぎりいつかは三俣蓮華の頂上に出るはずだ。そこで三角点を探し出すことだ。三角点が分れば、小屋の方向は分る」

それからは、高い方へ登るということ以外になにも考えなかった。

吹雪は彼を埋めつくそうとした。しばらくでも立止っていると、そこをめがけて、あらゆる方向から吹雪がおそいかかって来るように見えた。吹雪はしばしば、彼の前でうずを巻いた。雪炎が立ちはだかって行手をはばんだ。だが彼は、彼の手製のウィンドヤッケのセルロイドの窓から、冷静に風の動きを見守っていた。背後に風を負っているかぎり、彼の方向は間違えていないし、連続的に高所に足をすすめているかぎり、その上に三俣蓮華の頂上があることを信じて疑わなかった。

彼はピッケルをつきながら斜面を登っていくのだが、ときどき足が雪の中にもぐって、その足を引き出すのに思いのほか時間がかかった。

頂上の三角点は露出していた。三角点の石の標識のまわりを吹雪が舞い廻っているのを見詰めながら、加藤は、地図を開いて三俣蓮華小屋の方向をきめようとした。稜線をくの字におりていけばいいのだが、視界が全く効かない吹雪の中で方向を誤らずにおりていくことはむずかしいことであった。彼は地図と磁石を両手に持った。地図は四つに折りたたんであった。彼は、地図と磁石で歩こうとしたのである。彼は、進むべき方向を地図と磁石で求めて、その方向に現われる、なにかの目標物を待った。

吹雪が一呼吸すると、きっとなにかが見えた。それが岩である場合も、雪の堆積(たいせき)のちょっとした変形であることもあった。彼はそれに向って、歩数を数えて歩いた。一度に十メートル歩ければよい方だった。歩いた距離を鉛筆で、地図の余白にかきこみ、合計が百メートルになると地図にその行跡を二ミリの長さに記入した。吹雪になるとまた視界は消えた。だが彼は、地図と磁石と歩数で行跡図を書いていくことはやめなかった。

寒さで、手が凍った。地図を持っているゆびの感覚がなくなっていた。地図を風にとられるという心配もあった。彼は寒さで磁石が凍るということを聞いていた。磁石が凍るはずがないから、それは、磁石を動かす回転部分の油でも凍ることだと思っていた。彼はそのことを心配したが、その寒さでは磁石は凍らなかった。

加藤は、吹雪の中の単独行を、いままでになくつらいことに思った。ふたりだったらこういう場合、進行方向にひとりを立たせて、うしろから誘導していけば地図が正確であるかぎり、道を誤ることはなかった。

暗くなるまでに小屋につかなければ、雪中のビバークである。

「いよいよとなったら、稜線の風をさけて、雪洞(せつどう)を掘るさ」

加藤はひとりごとをいった。それが彼を元気づけた。彼には雪の中に寝られる自信があった。既に体験ずみのことでもあった。疲労はしていたが、まだまだ余力があった。歩きながら、ちょいちょい食べているから腹は空(す)いてはいなかった。

彼は魔法瓶(テルモス)の湯をいっぱい飲んでから、前よりも元気に吹雪にいどんでいった。

三俣蓮華小屋は屋根だけ残して雪に埋まっていた。加藤は、残光のなかに、小屋を発見すると、すぐ小屋の発掘にかかった。十一月に来たとき、その辺に窓があった記憶があった。だがそこには窓はなく、いくら掘っても板壁しかなかった。

山は夜を迎えて本格的な暴風雪となった。ピッケルとスキーで雪を掘っていると、それらの道具と一緒に、彼の身体が吹き飛ばされそうであった。

加藤は小屋の板壁をピッケルで破った。やむを得ない処置だと思った。謝罪と充分な弁償はしなければならないと思った。この行為が、彼を眼の仇(かたき)にしている一部の登山家たちの攻撃の的になることを自覚しながら、彼は小屋の一部に穴を明けた。

(おれは、雪の中のビバークをおそれてはいない。だがそれはいよいよのときのことである。小屋があれば、小屋に泊るのが正攻法である)

彼は自分にいいきかせていた。

13

吹雪が小屋を打つ音を聞きながら加藤は眠りつづけた。二日目の昼ごろになって吹雪の音が弱まると、それを待っていたように加藤は起き上ってすぐ地図を出して、懐中電灯を当てた。彼は次の行程を考えていた。三俣蓮華岳から鷲羽岳、黒岳、野口五郎岳、三ッ岳、烏帽子岳と眼をやった。三俣蓮華の小屋を出ると、烏帽子岳までは小屋がなかった。

それまで彼がたどって来た上ノ岳から三俣蓮華岳までの間には黒部五郎小屋があったのに、その距離の一倍半にもおよぶこのルートには小屋がなかった。しかも、三俣蓮華岳から烏帽子岳までの稜線は、いままで歩いて来たところよりはるかに困難な地形が予想された。天気がよくて見とおしさえきけば、加藤の足には、その十三キロの距離はむずかしいものではなかったが、もし吹雪になったら、枝尾根に迷いこんだり、稜線からはずれて沢におりたりする可能性は充分あった。

加藤はときどき眼をつぶって、十一月に歩いたときのことを思い出そうとした。地図と地形とを記憶の中で比較しながら、その困難なルートについて、あれこれと思いをめぐらせていた。

(途中で天候が悪化したらどうする)

第一の加藤がいった。

「雪洞を掘ってビバークするさ」

第二の加藤が答える。

（寒いぞ、ものすごく寒いぞ）

「寒いことには馴れている。食糧はある」

（だが吹雪が、二日も三日も続いたらどうする）

「天候恢復まで待つさ」

（自信があるのか）

「…………」

雪洞を掘って、その中に二日も三日もいた経験はなかった。自信があるかと聞かれれば返答にこまるのである。完全な雪洞を掘れば、中はあたたかいから、二日でも三日でも入っていることはできるだろうが、いまの加藤は完全な雪洞を掘る道具を持っていない。スキーとピッケルで完全な雪洞を掘るわけにはいかない。不完全な雪洞だとすれば、吹雪の状況の如何によっては、かなり面倒なことになると思われた。

（どうなんだ加藤、自信がないなら、この小屋に泊って、幾日でも天気の恢復するのを待て、それから引きかえせ）

その心の声に加藤は、相槌を打とうとした。だが、すぐ第二の加藤が、それにはっきりと答えたのである。

「自信はあるぞ。たとえ幾日、吹雪が続いても、どっちみちおれは死なないという自信がある。やってやれないことはないという自信があるのだ」

（ではやるがいい）

二人の加藤は一人になった。

加藤は地図をおさめて、外の風に耳をかたむけた。おとろえを見せていた風は、以前にも増して強くなった。だが風の方向は少々南に変ったように思われる。

（これ以上悪い天気というのはない。天気が変るとすれば、よくなるということだ）

加藤は翌日の出発にそなえた。

明け方の寒気とともに眼を覚ますと風は静かになっていた。外に顔を出してみると、いつしか雪はやんでいた。

「さあ出発だ」

加藤は、懐中コンロにベンジン液を注入した。シガレットケース大のそれを毛糸の胴巻に入れるとわずかばかりの重みを感ずる。

彼はいつものような簡単な食事を取り、あと片づけをきちんとしてから小屋を出た。

風は依然として強く、地吹雪が稜線の上に燃えていた。

風が南に廻ったのは、低気圧が日本海に現われたのかも知れないと思った。すると、間もなく、風は西になり、ひどい吹雪になる可能性がある。

加藤は、このごくありふれた山の気象を知っていたからなんとしてでも、猛吹雪になる前に、危険な場所を通過して、少なくとも野口五郎岳まではいきたいと思っていた。

鷲羽岳の登りにかかると、風はさらにおとろえたが霧が出た。風よりも、始末の悪い霧に視界をさえ切られた加藤は、この日の行程が容易でないことを知った。鷲羽岳の登りも、雪がかたく、スキーを脱いで、アイゼンに履きかえねばならなかった。

鷲羽岳のいただきまではどうやら視界が効いたが、そこからはいよいよ濃い霧になった。氷の霧だった。どこにでも、触れれば氷の花をつくる霧だった。白い花は、加藤の身体中に咲いた。彼自身で作った奇妙なウィンドヤッケの呼吸をするための丸窓にも、氷の花が白く咲いた。セルロイドの覗き穴にもついた。ぬぐっても、ぬぐっても、しつっこく付着した。

風が強くなると、飛雪と霧がまじり合った。その気体とも固体ともつかない白い乱舞の中で、加藤はしばしば道を失って、長いこと立ちん棒しなければならなかった。

そのような悪天候の中でも、加藤は彼の歩くペースをわきまえていた。何分間歩いたから、地図上のどの位置あたりまで来ているはずだという計算が、つねに頭の中でなされていた。暗中摸索はしなかった。たとえ、吹雪の中でも、彼は航法をつづけていた。歩速と磁石と地図とで、彼の進路は北へ北へと延びていった。彼が、そのような悪条件の天候の中で、道を間違えずに行けるのは、別な見地に立って見れば、彼がひとりだからということにもなる。彼はたよるべき相手がいなかった。あらゆることを彼の責任においてなさねばならないから、ひとつひとつのことが慎重になされるのであった。

霧と飛雪の中の彼の航法は間違ってはいなかった。

加藤は見おぼえある黒岳の岩壁にぶっつかってほっとした。

彼はそこに荷物を置いた。そこから黒岳の頂上まで往復するつもりだった。烏帽子岳までの道程はまだ長い。黒岳の頂上を踏むことよりも、一刻も早く前進することの方が必要だったのに、彼はそれをしなかった。彼の時計は十二時を指していた。

彼は黒岳の頂上を目ざした。黒岳は標高二九七七メートルである。今度のルート中の最高峰であった。

(おれは山へ来たのだ)

登山の終局の目的は最高峰に立つことだった。彼のヒマラヤ貯金もヒマラヤの最高峰へ到着するためのものであった。歩くことは頂上へたどりつくための方便であった。彼は最高峰へ登る意義をそのように考えていた。

黒岳の頂上は眼(め)をあけられないほどの吹雪だった。風は西にまわりつつあった。気温が降下して、霧が雪にかわった。暴風雪の様相になりつつあった。黒岳から野口五郎岳までの稜線は、あらゆる苛酷(かこく)な条件をそろえて加藤を待ち受けていた。

風は三十メートルを越えた。

大きな荷物を背負っていては、風に吹きとばされる危険があった。雪庇(せっぴ)もいたるところにあった。風のために磨(みが)かれた氷盤もあった。雪の吹きだまりがあるかと思うと、アイゼンの爪(つめ)も立たないように固く凍った雪盤もあった。

滑落の心配も、雪崩(なだれ)を起す可能性も、風に吹きとばされる危険性も、ぐずぐずしていて夜になってしまうと、凍死のおそれもあった。それに、ぶっそうこの上もないことは視界がきかないために、道を失うことであった。

しかし、加藤は冷静に、歩速と磁石と地図による航法をつづけていた。危険な場所に来ると、スキーとルックザックを別々に運んだ。そういうところが、数えきれないほどあった。時間はどんどん過ぎていった。三時を過ぎると、冬山の行動は停止することが原則だったが、加藤は、それを無視して歩いた。安全な場所までいって、穴を掘るつもりだった。

（どうだ加藤、少しは参ったか）

「どういたしまして、おれは、このまま一晩中歩いたって平気なんだ。それにおれは二晩寝だめしているから眠くはない。歩きながら、甘納豆を食べているから腹は減ってはいない、魔法瓶（テルモス）には湯があるしな」

（だが加藤、疲労は突然襲って来るものだぞ、そのときになってあわてるな）

「おれは素人（しろうと）じゃあない。疲労困憊（こんぱい）にいたるまで歩くようなばかな真似（まね）はしない、体力に充分余裕があるうちに、ビバークする。そうすれば大丈夫だ」

（じゃあ、そろそろ、休んだら？）

「いやここはいけない。野口五郎岳を越えたところにいい休み場所があるのだ」

加藤は、自問自答しながら歩いていった。

薄暗くなっていた。

加藤は野口五郎岳を越えた。彼はまだ疲労を見せていなかった。頂上の三角点標石を懐中電灯で探すだけの余裕さえあった。

野口五郎岳を越えて、少々おりたところに窪地（くぼち）があった。そこは雪の吹きだまりになっていた。

加藤はスキーで、竪穴（たてあな）を掘った。彼の身体（からだ）がようやく入れるだけの穴ができると、雨合羽で穴にふたをして、その下にもぐりこんだ。彼はその穴の中で、充分に食べ、湯を飲み、両方の手をズボンの下に入れて眼をつぶった。懐中コンロは、その小さな熱源から、無限のエネルギーを放射しているようにあたたかかった。

頭上に荒れ狂っている吹雪の音を聞きながら加藤は眠った。穴のふたは完全ではないから多少の吹きこみはあったが、寒くて眠れないほどではなかった。雪が吹きこむことより、雪によって、入口がふさがれてしまうことのほうが心配だった。

仮眠であった。二時間ほど眠って彼は眼を覚ました。ひどく寒かった。穴の中にいるのに、外にいるように寒かった。

懐中電灯をつけてみると、雪洞（せつどう）のふたをした雨合羽の破れ穴から雪が吹きこんでいた。それだけではなかった。吹きこんだ雪はせまい雪洞を舞い廻っていた。そのまりようが加藤には異常に感じられた。

懐中電灯で、吹きこんで来る粉雪の行方を調べてみると、雨合羽の破れ穴から吹きこんで来た粉雪は、彼の上半身に当って吹き散らされていた。一部は彼の身体の上部に舞いあがり、雪洞の上を廻って、また彼の膝元（ひざもと）に帰って来た。雨合羽の破れ穴から吹きこんだ粉雪は、彼という障害物に衝突して、その流線がはなはだしく変えられていたのである。

「吹雪はやんだのだな」

と彼はいった。粉雪が吹きこんで来るところをみると、雪はやんで、地吹雪に変ったのだと思った。風と地物によって、たたかれ、摩擦された乾いた粉雪が、小さい穴から吹きこんで来て、雪洞の中を舞いあるくということは別にめずらしいことではなかったが、加藤は、雪洞の中の粉雪の動きに懐中電灯を当てながら、じっと考えこんでいた。

（気体というものは面白い動き方をするものだ）

彼はそう思った。

彼がそこで気体と仮に定義したのは、粉雪を雪洞に運びこんで来る風のことであった。

（あの破れ穴が、ディーゼルエンジンの燃料噴射弁だとすれば、粉雪は噴射される重油の微粒子ということになる）

加藤はその着想に思わず、ほほえんだ。山を歩いていて、仕事のことを考えることも時にはあった。同僚たちとの感情問題や、仕事の上での、小さいトラブルが突然頭に思い浮ぶことがあったが、それらの多くは人と人との問題であった。技術そのものについて考えるということは、いままで一度もなかったことだった。

（雨合羽の破れ穴が噴射ノッズルで、あそこから、霧化された重油が吹き出されるとすれば、この雪洞は、いわば燃焼室である。そうすると、おれはピストンのヘッドに坐(すわ)りこんでいることになり、雨合羽は、シリンダーヘッドということになる）

加藤は、シリンダーの中でピストンの動く行程を頭の中で順を追って考えた。

排気→吸気→圧縮→着火→爆発→膨脹(ぼうちょう)→排気

（この行程の中でいま自分が置かれている状態は——圧縮行程が終り、まさに着火の瞬間である）

ピストンがシリンダー内の燃焼室内の空気の体積を限界まで圧縮したところに、噴射弁から、霧化された重油が送りこまれて来て、そこで着火爆発を起す。その寸前の状態のピストンのヘッドに坐りこんでいる自分を想像して、加藤は少々滑稽(こっけい)な気がした。

ディーゼルエンジンの技術の中でいま問題にされているのは、この瞬間における燃料の霧化促進である。霧化された燃料が、燃焼室全体にまんべんなく分布された瞬間——つまり、燃料と空気の完全混合がなされた瞬間に着火することが、エンジンの効率を高めることであった。

このために、従来、噴射弁にいろいろの工夫がなされた。噴射弁の取りつけ位置や、燃焼室の大きさ、形状などいろいろと工夫されていたが、まだまだ改良の余地は充分にあった。

(ディーゼルエンジンの技術上の重要点は、いかにして霧化促進をやるかということにある)

加藤は海軍技師立木勲平のことばを思い出した。

「霧化促進、霧化促進……」

加藤は雪洞の中で、吹きこんで来る粉雪の流線を眺めながら、彼の頭が異常に冴えていくのを感じていた。

(粉雪はおれの身体にぶっつかって、舞い上り、天井に当ってまたもどってくる。粉雪はぐるぐる廻る)

加藤の眼が光った。

加藤は彼の身体を、ピストンのヘッドに坐っているそれではなく、ピストンのヘッドの一部として考えてみた。ピストンヘッドの奇形ができた。

「そうだ、ピストンのヘッドの形状を考えたらどうだろうか」

それまでピストンのヘッドの形状はあまり考えられなかったが、ピストンのヘッドの形状を、燃料の噴射方向に対してある傾斜を持たせたらどうであろうか。噴射されて来る噴霧状の燃料は、そのピストンヘッドの傾斜角度に助けられて、竪の渦巻を作る。そうすれば燃料と空気との混合はよくなる。

加藤はその考えを実験に移すつもりでもあるかのように、自らの身体の位置をかえたり、胸をそらせたりしてみた。粉雪の流線は、彼の身体の動かしようによって変った。

(ピストンヘッドの形状をかえると、圧縮比の低下が考えられる。だから、ピストンヘッドの形状を変えると同時にシリンダーヘッドの形状も考慮せねばなるまい)

加藤の頭の中にシリンダーの概略設計図が書きあげられたころになって、外が明るくなった。夜が明けるには早い時間だった。加藤が穴から顔を出すと、丸い月が出ていた。

加藤は雪洞の中で考えついた霧化促進の原理を、もう一度まとめようとした。どこかに、考え方の上で大きなミスがありはしないかと思ってみた。機械学的に無理はどこにもなかった。ただこの案を持って帰って同僚たちに話したら、一笑に付されそうに思われてならなかった。彼は同室の人の顔をつぎつぎと思い浮べた。

「ばかな、そんな、かたわのようなピストンができてたまるものか」

そういって笑う顔とは別に、外山三郎と立木勲平の真剣な顔があった。

（よし帰ってから、設計してみよう。笑われないようにしっかりしたものを設計するのだ）

加藤は穴から外へ出た。

月が彼を待っていた。山々は、月の光を反射して輝いていた。懐中電灯をつけないでも歩けるほどの明るい雪の稜線（りょうせん）を、彼は烏帽子岳（えぼしだけ）へ向って歩いていた。彼が動くと、彼の影も動いた。動くものといったら、その二つだけであるような、月の山稜にいることを、彼はしみじみとすばらしいことだと思った。おそらく、月の光をたよりに雪氷に凍（い）てつく山巓（さんてん）を歩いている者は、彼以外にはいないだろうと思った。

彼は、月が作り出す明暗に眼をやった。怪奇な表現もあり、優美な形もあった。そのような景観を、ことばや筆にできないことが残念だと彼は思った。

風はあったが、身に危険を感じさせるほどのものではなかった。アイゼンはよくきいた。アイゼンの立てる、悲しい音は、その夜は喜びの声に聞えた。あらゆるものが凍っているのに、どこからか山のにおいが感じられるほど、加藤の感覚は豊かであった。

疲労もなく、あせりもなく、彼は、淡い月の光の中につぎつぎと形をかえていく稜線の美しさに導かれながら、ゆっくり歩いていた。
明け方までには、烏帽子小屋につくことができるだろう。そこでひとねむりして、うまくいけば、明日のうちに濁小屋までいきつくことができるだろうと思った。

烏帽子小屋は雪に埋もれてはいなかった。強風のために雪は吹きとばされ、秋来たときと同じように月の光の中に佇立していた。小屋の中は暗かったが、誰かが中にいるような気配が感じられた。

加藤文太郎は小屋の戸を叩いた。厳冬期に、こんな小屋に人がいるはずがないと思いながら入口を探した。窓が簡単に開いた。小屋の中には雪の堆積がなく、意外に乾いていた。どこかに人のにおいがした。懐中電灯で部屋の中を照らすと、三俣蓮華の小屋と同じように、ふとんが、梁にかけ渡してあった。

炉には、火が消えてまだそう時間が経過していない証拠に焼け残りの榾があった。

加藤は、その小屋にごく最近まで人がいたということを考えるだけで楽しかった。十二月三十一日の朝、大多和峠を越えてから、八日間、人には一度も会ってはいなかった。

ひとりで山を歩いた経験は多かったし、二、三日の間、まったく人に会わなかったことはあった。だが一週間以上も人に会わなかったのは、生れてはじめての経験であった。

人間以外の動物とも会わなかった。たいてい山小屋ではネズミの姿を見かけるものだが、今度の山行にはネズミの姿さえも見かけなかった。兎のあしあとも羚羊のあしあともなかった。

加藤は死の世界について考えたことがなかったけれど、彼がこころみた山行は、いわば死の世界を訪問したようなものだった。だから、烏帽子の小屋で人のにおいを感じたとき、加藤は、現世へひきもどされたような気がした。

(誰が、この小屋へ泊ったのだろうか)

彼は懐中電灯で泊った人のあとを探した。登山家ならば、缶詰のあきかんとか、包み紙の端切れとか、なにか、そういったものの片鱗を残しているはずであったが、そういうものはなく、囲炉裏のそばに、獣類の毛が落ちていた。犬のものらしかった。猟犬が落していった毛か、猟師が身につけている毛皮の毛かわからなかったが、どうやら小屋にいたのは、猟師のように思われた。

加藤はひとねむりして起きたら、その猟師に会えるのではないかと思った。人に会って話ができるということが、いまの加藤にとって最大の楽しみだった。

眼を覚まして時計を見ると十時を過ぎていた。日は高く上っていた。吹雪はやみ、青空の下に、彼が踏破して来た白銀の峰々が静まりかえっていた。だが伏角（ふっかく）の視界に入って来る谷という谷には、霧がつまっていた。

彼はこういう場合、あとどうなるかよく知っていた。おそらく、二時間もすると、谷におしこめられていた霧は、山肌（やまはだ）に沿って動き出し、やがて山全体は吹雪の中に閉じこめられてしまうのである。

彼は出発の準備をした。

彼の山行計画はその終末に達しようとしていた。黒部川（くろべ）の上流を左に眺めながら、Uの字型に歩いて富山県から長野県側に越えようとしていた。

加藤は小屋を出るとすぐ足跡を探した。犬をつれた藁靴（わらぐつ）の足跡があった。足跡から見て、一日か二日前のもののようだった。

加藤はその足跡についていった。おそらく猟師は猟を終って帰途についたものと思われる。猟師の跡をつけていけば、間違いなく濁小屋にいきつくことができるだろうと思った。

間もなく彼の身体は濃い霧の中に入った。猟師の足跡に乱れがあった。そこまで下降して来た猟師の足跡は、そこから急に、斜面をふたたび登りだしたのである。どうやら獲物の足跡を発見してそのあとを追ったもののようだった。そうとしか考えられなかった。そうだとすれば、これ以上猟師の足跡を追うことはばかげているし、そんなことをしていると日が暮れてしまうおそれがあった。

加藤は烏帽子小屋へ引きかえそうかと思った。烏帽子小屋へ引きかえして、夏道を、濁小屋までおりるのがもっとも安全だと思ったが、ここまでおりてしまうと、深雪のなかを烏帽子小屋まで引きかえすことはかなり困難だった。

迷ったと気がつくと、悪い条件が一度に、前にずらりと並んだ。深雪、やぶ、雪崩(なだれ)の危険などであった。

スキーと輪かんじきとアイゼンを交互に使っていると、ひどく面倒くさく、時間がかかった。

雪崩のあとはいたるところに口をあけていた。雪崩をさけるために尾根伝いにおりていっても、やがては、どこかで、雪崩の可能性がある斜面を通過しなければならなかった。

彼は、自分自身を叱(しか)った。人恋しさのあまり、猟師の足跡を追ったことが失敗のもとだった。

地図と磁石と、彼が歩いた時間を考えに入れると彼の位置は夏道より一つか二つ隣の尾根をたどっているように思われた。

「そうだとすれば、間もなく高瀬川にぶっつかるはずだ」

夜になって、霧が薄らぎ、やがて、月の光で、どうやら、おおざっぱな地形が観望できるようになると、加藤はそれまでよりも大胆に雪面を歩いた。遠くに滝の音を聞いた。それから間もなく彼は高瀬川の川原に行きついたのである。

川原の上に猟師と犬の足跡があった。猟師と犬に翻弄(ほんろう)されたような気持だった。

加藤は疲労をおぼえた。腕時計を見ると夜の十時を過ぎていた。濁小屋には筵(むしろ)がたった三枚しかなかった。八日間にわたる吹雪の山行の終着駅としては、あまりにも寒々としていた。猟師が立寄った気配もなかった。

加藤は小屋を出て、すぐ対岸に見える電力会社の社宅に眼をやった。そこには明りが見えた。

人が住んでいると思うと矢も楯(たて)もたまらなかった。

加藤は戸を叩いて一夜の宿を乞(こ)うた。電力会社の駐在員は、加藤の異様な姿を見つめたままで、しばらくは決心がつかないようだった。

「どこから来たのですか」

電力会社の駐在員は、きびしい眼を加藤に向けた。

「真川から山へ入って……」

「真川？　というと富山県の真川ですか」

電力会社の駐在員はひどく驚いたようだった。真川から山を越えて来たことが嘘のように思われたらしかった。

「真川を十二月三十一日に出て……」

加藤の口の動きは寒さのために重かった。途中で言葉を切ってから、

「今日は何日ですか」

加藤は日を聞いた。山日記を見れば、日はわかるのだが、すぐ今日が何日かといえるだけの自覚に欠けていた。

「まあ、お入りなさい」

駐在員は加藤を家の中へ入れて、

「今日は一月の八日です」

といった。

加藤は、風呂に入れられ、暖かい飯を出された。味噌汁もあった。菜のつけもののあったし、干し鱈もあった。甘納豆とから揚げの乾し小魚だけを食べつづけていた加藤にとって、この夕食は豪華に過ぎるものだった。

「山はひどかったでしょう」

食事のかたがついたころ、駐在員がいった。

「ずっと吹雪でした」

「そうでしょう。そんな山の中を、でっかい荷物を背負って、十日も……」

駐在員はわからないという顔だった。

「だが、無事に山を越えて来ました」

加藤はいった。

「そうですね。だが、それでいいのですかね」

駐在員はそれ以上のことはいわなかったが、加藤がやりとげたことが、想像を絶して、困難なことだということは充分理解しているようだった。

翌朝は雪が降っていた。

雪の中を十時に出発して、大町の駅についたのは午後の二時だった。松本で中央線に乗りかえ、さらに彼は塩尻、名古屋と二度乗りかえた。彼は乗りかえ以外の時間は汽車の中で眠りつづけていた。翌日の朝、名古屋で新聞を買った。

「関西山岳界の麒麟児加藤文太郎北アルプスで遭難か」

偶然に開いた三面に、加藤自身の名を見たときの加藤の驚きはたいへんだった。加藤はつぎつぎと新聞を買った。

「単独登山行の第一人者、加藤文太郎雪の北アルプスに消息を断つ」

という見出しもあった。

記事によると、十二月三十一日、大多和を出発して以来、九日にもなるのに音沙汰がないから、あるいは遭難したのではないかと書かれてあった。外山三郎の談話が載せてあった。

(加藤にかぎって遭難するようなことは絶対にありません)

加藤は、会社の外山三郎あて電報を打った。無事に下山したことと、神戸に到着する予定を知らせた。

加藤が神戸の駅におりると、十数人の新聞記者が彼をかこんだ。写真のフラッシュがきらめいた。矢継早の質問も受けた。

彼は、なぜ新聞記者がおおぜいでおしかけて来たのか判断に苦しんだ。新聞記者に騒がれるようないいことも、勿論悪いこともしていないのに、これほど多くの人間が、彼を取り巻くことが不思議でならなかった。

「連日吹雪だったそうですね」

「食糧はどうしました」

「燃料は」

「なだれにはやられませんでしたか」

「たったひとりで十日間も吹雪の中を歩いて、越中から信濃へ越えたなどということは常識では考えられないことです。なにかそれを証明するものがありますか」

「あなたは登山予定を誰にもいわないで、山へ行ったというがほんとうですか」

「あなたが遭難するのは、あなたが好きでやったからしょうがないとして、はたの人にかける迷惑をどう考えていますか」

加藤は突立っていた。答えようがなかった。みんなが、自分を責めていることははっきりしているが、なぜみんなが自分を責めるか、それがわからなかった。いちいち答えられなかった。黙っていると、それが肯定に取られるようにも見えたが、加藤は頑強に沈黙していた。その加藤の態度が新聞記者を刺戟したようだった。外山三郎が加藤にかわって新聞記者に応対していた。加藤を弁護する外山三郎の口のあたりを眺めながら、加藤は、いったい、なぜこんなことになったかをもう一度考えようとした。

加藤の腕を誰かががっちりと握った。

「こっちへ来い」

強い力は加藤を新聞記者の囲みからひっぱり出すと、駅の前に待たせてある自動車におしこんだ。

自動車に乗ってから、加藤は相手が藤沢久造であることを知った。

「えらいことをやったものだ」

藤沢久造は加藤にひとことといっただけだった。自動車は海の見える館の前で止った。

藤沢久造は、加藤の荷物を、神戸登山会の事務室へ運びこんでから、彼をつれて、すぐ隣のホテルの地下室につれていった。

「ここのビフテキは旨いぞ」

藤沢久造は、地下室へおりる途中の壁のステンドグラス製のマッターホルンを見上げながらいった。

ふたりは、ずっと前に、佐倉と園子が坐ったと同じところに腰かけた。

加藤はナイフとフォークを持ったまま考えこんでいた。

「加藤君、いっぱいやるかね」

加藤は首をよこにふって、

「藤沢さん、ぼくはいったいどうしたっていうんです」

「どうもしないさ、きみはおれと一緒にビフテキを食っているだけのことだ。飯を食ったら下宿へ帰って寝るんだな。新聞のことなんかあまり気にするな。とにかくきみは、誰にもできなかったことをやったのだ。単独行の加藤文太郎が完成したのだ」

そういって藤沢久造はコップのビールを飲みほした。

（下巻につづく）

この作品は昭和四十四年五月新潮社より刊行された。

新田次郎著
縦　走　路

冬の八ヶ岳を舞台に、四人の登山家の男女をめぐる恋愛感情のもつれと、自然と対峙する人間の緊迫したドラマを描く山岳長編小説。

新田次郎著
強力伝・孤島
直木賞受賞

直木賞受賞の処女作「強力伝」ほか、「八甲田山」「凍傷」「おとし穴」「山犬物語」など、山岳小説に新風を開いた著者の初期の代表作。

新田次郎著
蒼氷・神々の岩壁

富士山頂の苛烈な自然を背景に、若い気象観測所員達の友情と死を描く「蒼氷」。谷川岳衝立岩に挑む男達を描く「神々の岩壁」など。

新田次郎著
栄光の岩壁（上・下）

凍傷で両足先の大半を失いながら、次々に岩壁に挑戦し、遂に日本人として初めてマッターホルン北壁を征服した竹井岳彦を描く長編。

新田次郎著
チンネの裁き

北アルプス剣岳の雪渓。雪山という密室で起きた惨劇は、事故なのか、殺人なのか。予想が次々と覆される山岳ミステリの金字塔。

新田次郎著
八甲田山死の彷徨

全行程を踏破した弘前三十一聯隊と、一九九名の死者を出した青森五聯隊――日露戦争前夜、厳寒の八甲田山中での自然と人間の闘い。

新田次郎著　アイガー北壁・気象遭難

千八百メートルの巨大な垂直の壁に挑んだ二人の日本人登山家を実名小説として描く「アイガー北壁」をはじめ、山岳短編14編を収録。

新田次郎著　銀嶺の人（上・下）

仕事を持ちながら岩壁登攀に青春を賭け、女性では世界で初めてマッタトホルン北壁完登を成しとげた二人の実在人物をモデルに描く。

新田次郎著　アラスカ物語

十五歳で日本を脱出、アラスカにわたり、エスキモーの女性と結婚。飢餓から一族を救出して救世主と仰がれたフランク安田の生涯。

沢木耕太郎著　凍
講談社ノンフィクション賞受賞

「最強のクライマー」山野井が夫妻で挑んだ魔の高峰は、絶望的選択を強いた——奇跡の登山行と人間の絆を描く、圧巻の感動作。

深田久弥著　日本百名山
読売文学賞受賞

旧い歴史をもち、文学に謳われ、独自の風格をそなえた名峰百座。そのすべての山頂を窮めた著者が、山々の特徴と美しさを語る名著。

吉村昭著　漂流

水もわかず、生活の手段とてない絶海の火山島に漂着後十二年、ついに生還した海の男がいた。その壮絶な生きざまを描いた長編小説。

藤原正彦著

若き数学者のアメリカ

一九七二年の夏、ミシガン大学に研究員として招かれた青年数学者が、自分のすべてをアメリカにぶつけた、躍動感あふれる体験記。

藤原正彦著

父の威厳 数学者の意地

武士の血をひく数学者が、妻、育ち盛りの三人息子との侃々諤々の日常を、冷静かつホットに描ききる。著者本領全開の傑作エッセイ集。

藤原正彦著

心は孤独な数学者

ニュートン、ハミルトン、ラマヌジャン。三人の天才数学者の人間としての足跡を、同じ数学者ならではの視点で熱く追った評伝紀行。

藤原正彦著

遥かなるケンブリッジ
―一数学者のイギリス―

「一応ノーベル賞はもらっている」こんな学者が闊歩する伝統のケンブリッジで味わった波瀾の日々。感動のドラマティック・エッセイ。

藤原正彦著

祖国とは国語

国家の根幹は、国語教育にかかっている。国語は、論理を育み、情緒を培い、教養の基礎たる読書力を支える。血涙の国家論的教育論。

藤原正彦著

数学者の言葉では

苦しいからこそ大きい学問の喜び、父・新田次郎に励まされた文章修業、若き数学者が真摯な情熱とさりげないユーモアで綴る随筆集。

松本清張著　或る「小倉日記」伝
芥川賞受賞　傑作短編集㈠

体が不自由で孤独な青年が小倉在住時代の鷗外を追究する姿を描いて、芥川賞に輝いた表題作など、名もない庶民を主人公にした12編。

松本清張著　黒地の絵
傑作短編集㈡

朝鮮戦争のさなか、米軍黒人兵の集団脱走事件が起きた基地小倉を舞台に、妻を犯された男のすさまじい復讐を描く表題作など9編。

松本清張著　西郷札
傑作短編集㈢

西南戦争の際に、薩軍が発行した軍票をもとに一攫千金を夢みる男の破滅を描く処女作の「西郷札」など、異色時代小説12編を収める。

山崎豊子著　華麗なる一族
（上・中・下）

大衆から預金を獲得し、裏では冷酷に産業界を支配する権力機構〈銀行〉――野望に燃える万俵大介とその一族の熾烈な人間ドラマ。

山崎豊子著　女系家族
（上・下）

代々養子婿をとる大阪・船場の木綿問屋四代目嘉蔵の遺言をめぐってくりひろげられる遺産相続の醜い争い。欲に絡む女の正体を抉る。

山崎豊子著　白い巨塔
（一～五）

癌の検査・手術、泥沼の教授選、誤診裁判などを綿密にとらえ、尊厳であるべき医学界に渦巻く人間の欲望と打算を迫真の筆に描く。

新潮文庫の新刊

乃南アサ著
家裁調査官・庵原かのん
家裁調査官の庵原かのんは、罪を犯した子どもたちの声を聴くうちに、事件の裏に潜む問題に気が付き……。待望の新シリーズ開幕！

燃え殻著
それでも日々はつづくから
きらきら映える日々からは遠い「まーまー」な日常こそが愛おしい。「週刊新潮」の人気連載をまとめた、共感度抜群のエッセイ集。

松家仁之著
火山のふもとで
読売文学賞受賞
若い建築家だったぼくが、「夏の家」で先生たちと過ごしたかけがえない時間とひそやかな恋。胸の奥底を震わせる圧巻のデビュー作。

岡田利規著
ブロッコリー・レボリューション
三島由紀夫賞受賞
ひと、もの、場所を超越して「ぼく」が語る「きみ」のバンコク逃避行。この複雑な世界をシンプルに生きる人々を描いた短編集。

藍銅ツバメ著
鯉姫婚姻譚
日本ファンタジーノベル大賞受賞
引越し先の屋敷の池には、人魚が棲んでいた。なぜか懐かれ、結婚を申し込まれてしまい……。異類婚姻譚史上、最高の恋が始まる！

沢木耕太郎著
いのちの記憶
―銀河を渡るⅡ―
少年時代の衝動、海外へ足を向かわせた熱の正体、幾度もの出会いと別れ、少年時代から今日までの日々を辿る25年間のエッセイ集。

孤高の人（上）

新潮文庫　に-2-3

昭和四十八年二月二十七日　発行
平成二十一年八月三十日　七十一刷改版
令和七年二月五日　九十刷

著者　新田次郎
発行者　佐藤隆信
発行所　株式会社 新潮社
郵便番号　一六二―八七一一
東京都新宿区矢来町七一
電話　編集部(〇三)三二六六―五四四〇
　　　読者係(〇三)三二六六―五一一一
https://www.shinchosha.co.jp

価格はカバーに表示してあります。

乱丁・落丁本は、ご面倒ですが小社読者係宛ご送付ください。送料小社負担にてお取替えいたします。

印刷・錦明印刷株式会社　製本・加藤製本株式会社

ISBN978-4-10-112203-8 C0193